臥虎藏龍

中

王度盧著

《臥虎藏龍》（中冊）目次

第六回　大漠聽悲歌尋香惹愛　滿城來風雨臥虎藏龍

只見羣馬飛奔，人聲吶喊，鐵刃相擊，血沙交濺。玉嬌龍的劍法精奇，騎術又好，寶劍更利，無論多麼兇悍的賊人，三四合之下，必要被她刺死。所以賊人驚慌，如一羣鬼遇見了天神，如狐兔逢到了獅虎，個個狂喊說：「快逃！快逃！這婆娘厲害，快逃！……」他們連玉嬌龍模樣都顧不得看，只是催馬逃竄，一霎時賊眾都奔散了，風沙也漸停。玉小姐這才收住了馬，喘吁幾下，四下一看，只見大漠荒涼，除了地下的黑沙，什麼東西也看不見。自己的母親和那些官差營兵，車輛人馬，也不知失散在哪裏了。

玉小姐怔了一怔，又笑了一笑，她對母親等人很是放心，因為知有高雲雁保護着，不致有何舛錯。自己卻收了寶劍，依然縱馬前行，她並且將韁鬆了，揪下了頭上遮的羅巾，將她的一條長長的髮辮打開，改編成了兩條辮子，都垂在胸前。然後又將白羅巾在頭上罩好，再抄起韁來向下款款行走。她心中就想：「聽說哈薩克的女子和蒙古姑娘，全都頭梳着兩條小辮，自由自在地行走於沙漠，遊獵於草原；現在我這樣打扮，有誰能認識我？為什麼不趁着這時到各處去玩玩呢？試試我十載刻苦學來的武藝呢？」於是玉嬌龍就高高興興地向下走去，只是她不知方向，並且四面都是荒沙，看不見人煙和城市。走了多時，她口也渴了，馬也累了，她這才有些着急。駐馬思索了一下，覺得若在這裏延遲，只有越來越餓，越來越渴，人馬必將完全困死在此地。所以她一狠心，用劍柄捶馬，往西緊緊地走，這匹馬四足踏着荒沙，顛撲着前行。

行了不知有多遠，忽見眼前有一羣沙雞撲喇喇地飛起（這種沙雞是新疆沙漠中的唯一鳥類）；玉嬌龍看了很覺可喜，竟忘了自身的飢渴，又催馬走去，可是坐下的馬實在是無力了，一顛一顛的，怎麼打它，怎麼喝它，也不能行走了。又走了多時，天色已漸漸地黑了，這時忽然看見面前有一座高山，山上彷彿還有樹木似的；玉嬌龍就頓然大喜，心說：山上既然有樹木，可見必有水源必有人家，我快趕了去看看。於是她又連連策馬，這匹馬也彷彿望見了遠處的綠色，就振起來一些精神和力氣，四蹄加快，緊緊前行。少時覺得地勢漸漸平坦，微風吹來，帶來些草原的香氣，原來玉嬌龍的人馬已經離開了沙漠，到了草原，可是天色已然昏黑了。

走了一會兒，玉嬌龍就下了馬，放馬在地上去啃青草，她自己也就坐在地下，摸索着揪了兩根草，放在鼻前嗅嗅。又仰面看，見天空星月已出，那鉤殘月，淡淡地，灑下來的光華如水一般。馬在旁邊使力啖着地，並且仰起首來長嘶；她這匹馬一叫喚，不料就聽遠處也有馬嘶之聲相應合。玉嬌龍就不禁吃了一驚，心說：「不好！說不定前面的那座山，就是賊穴！」於是立起身來，側耳靜聽，聽那馬嘶之聲，果然很是雜亂，而且確實是由高山那方向傳來的。玉嬌龍又暗暗地冷笑，說：「也好，我索性到賊穴之中去看一看，如果這山上的賊首正是什麼『半天雲』，那我倒要跟他較量較量，將他除掉！」

當下玉嬌龍又上了馬，仍以劍柄擊馬，向着山走去。此時廣大的草原之上，鋪着淡淡的月光，蹄聲款款；向前行走了多時，就來到了山腳之下。玉嬌龍小心仔細地策馬上了山，坐下的馬蹬着山石，玉嬌龍用劍斬着道旁的榛莽。向山上走了很高，卻沒有遇見一個盜賊，也沒看見一座房屋。只見風吹樹木，月照山巖，景況是十分清寂。正在走着，就忽聽有一陣隱約的歌聲隨着風飄來。玉嬌龍十分詫異，就下了馬，一手提劍，一手牽馬，慢慢地向前走去，同時留心聽那歌聲。只覺歌越來越清楚，漸漸可以分辨得出字句來了，唱的卻是：

天地冥冥降閔凶，我家兄妹太飄零；
父遭不測母仰藥，扶孤仗義賴同宗。
我家家世出四知，惟我兄妹不相知；
我名曰虎弟曰豹，……

音調十分的淒涼，但是聲氣卻很為激昂渾厚，似自男子所發。玉嬌龍不禁驚訝着暗想：奇怪！難道這裏還住着什麼隱士、詩人嗎？她一時好事心勝，遂又上了馬往上走去。她坐下的馬似乎是來到了它的熟地方了，連蹦帶跳就上了山顛。玉嬌龍向下一望，就見下面是一片平谷，有幾處燈光如晨星一般地閃爍，其餘卻看不大清楚了。此時聽那歌聲愈為清切，唱到尾聲是什麼「廿年之後若相見，切報恩仇莫再遲！」

玉嬌龍將馬向下趕去，因山勢太峭，馬不敢向下去走，就不住地向後去退，不住地揚首長嘶。玉嬌龍下了馬，又連連用劍柄敲打馬胯，馬就更嘶叫得厲害。這時谷中也羣馬齊鳴，人聲鼎沸，搖動起來許多火把。

玉嬌龍用腳將一塊大石頭踢得滾下山坡，她就手執寶劍，發出高聲向下面喊問道：「你們都不許上來，先在下面回答我！這裏是什麼地方？」話才說出，只見下面有嗖嗖的冷箭向上射來，玉嬌龍疾忙以寶劍紛紛撥落，她就棄了馬匹向下去跑；一霎時下了山顛，只見谷中有許多人向她撲來，玉嬌龍手揮寶劍，威嚇着說：「你們誰進前來誰就死！」眾賊拿火把一照她，其中就有人說：「啊呀！就是她！大白天殺死咱們許多弟兄的就是她！」當時眾賊誰肯聽她的話，就刀槍棍棒一擁上前。玉嬌龍就疾揮寶劍，橫殺直掃，刀劍鏘鏘地緊響，眾賊紛紛地後退。玉嬌龍急轉纖軀，且戰且走。

這時，忽聽羣賊中有人像獅子一般地猛吼、高呼，立時賊人都止住了手，卻見有幾個人上前來，向玉嬌龍問道：「你姓什麼？白天在沙地幫助那羣官車與我們作對的是你不是？現在你到我們這山上來作什麼？」玉嬌龍喘了喘氣，先說：「不錯！白天與你們爭鬥的，那就是我。你們這夥強盜平日不知在沙漠中做了多少惡事，我現在來，就是要見見你們的盜首半天雲。」有個強盜說：「你先通下姓名，你是誰的老婆？誰家的女兒？」玉嬌龍把寶劍一揮，說：「休要多問！我只要見半天雲！」有個強盜就說：「你且等一等！」當下玉嬌龍在此執劍站立，許多盜賊把她團團圍住，都把兵刃向她的身子比着，都以驚懼的眼光來看她，可是沒有一個人敢近前來侵犯她。待了一會兒，就見有人來說：「我們寨主請你去見！」玉嬌龍點點頭，遂手挺寶劍，在羣賊擁圍之下，向前走着；十幾支明亮的火把將她的倩影送入了一間大草房內。

這草房中就坐着一個盜首，原來這盜首似乎正在臥病，他躺在一把椅子上，椅上還蒙着一張黑熊皮；前面一張桌子上擺着酒肉，旁邊有兩個婦人侍候着。兩個婦人都長得很醜陋，似是掠來的村婦。這盜首赤着胳臂，左臂上搭着一塊青布，臉是側着，頭髮很長，模樣看不大清楚，黑髯子亂生在腮下，很是猙獰。這盜首一見玉嬌龍進來，他頓然吃了一驚；因為玉小姐是頭籠羅巾，肩垂雙辮，紅衣藍褲，纖軀傲立，秀目逼人，在火光下真是豔麗極了。盜首看了她一眼，趕緊又轉過臉去，似乎有點害羞的樣子；並叫身旁婦人替他披上一件青綢衣服，他就問說：「你撞到我這山上來要見我，是有什麼事？」玉嬌龍說：「你就是半天雲嗎？」盜首點了點頭說：「不錯！莫非你認得我？」玉嬌龍說：「我雖不認得你，可是我知你是新疆省有名的大盜。沙漠中本來就難走，自從有了你們這一夥賊人，客商更無法行走了。我今天在沙漠中既然遇見了你們，就想將你們剪除，所以我追到此地，勸你們趕快改過向善，我還可以饒你們的性命；不然，我今天就要將你們完全殲除！」

盜首半天雲聽了這話，他卻不由噗哧一笑，說：「好厲害！我來到新疆一年多了，還沒料到新疆會有這麼厲害的女子！可惜現在我有點病，今天白日我沒出馬，不然在颳大風的時候，我倒要會會你這女中豪傑。你既然來了，咱們的話就好說，我先問你姓什麼？是哪裏的人氏？」玉嬌龍瞪目說：「你問我的姓名作什麼？你若肯改過，你立時就將賊眾遣散，趕快走開，不然你就提防我的寶劍！」半天雲又一笑說：「事情哪能那麼容易？至少你也得先通出姓名，說出是哪裏的人，我才能跟你商量。」玉嬌龍說：「我姓龍！」半天雲問道：「不是河南人？」玉嬌龍詫異一下說：「我連河南去也沒去過；我就生在沙漠，長在新疆，從幼習得武藝，專來行俠仗義！」半天雲冷笑道：「這樣說，是天給我送來的一位標致婆娘。來吧！咱們且較量幾合，我若敗在你的手中我們就依着你的話，洗手不幹這事；你若敗在我手裏，那你可也休想走，你就作我半天雲的婆娘吧！」說時一躍而起，隨手從桌下亮出來一口朴刀，沙的一抖，旁邊兩個婦人嚇得全蹲在桌下。玉嬌龍也將劍一揮，忿忿地說：「來！」半天雲卻用刀尖向他手下的人一揮，他手下的那些強盜全都退出屋去。半天雲裸露着半臂，聳身上前，朴刀嗖的一聲削下，玉嬌龍疾忙躲閃，以劍相迎。這半天雲體健如虎，鬚髮鬔鬆，樣子極為兇惡，直撲玉嬌龍，玉嬌龍卻纖腰輕轉，繡劍斜掠。來往三四回合，半天雲就闖出戶外，玉嬌龍聳身追了出去。

此時山谷中羣盜密佈，火光燭天，但是半天雲吩咐他手下人都不許近前，他只獨力與玉嬌龍戰鬥。他的刀如鳳翅，掠動如飛；可是玉小姐的劍若騰蛇，也不肯稍讓。二人越殺越緊，旁邊的眾賊人也齊都吶喊起來，都為他們的寨主助威。玉嬌龍卻劍法鎮定，一點兒也不紊亂。與半天雲相戰三十餘合，她的劍法越熟，劍逼得半天雲越近；可是半天雲的武藝也頗不尋常，玉嬌龍的寶劍刺來，他總能即時抵擋，毫不費思索。二人又殺了十餘合，玉嬌龍的劍法就變了，她的嬌軀隨着劍勢翻轉如飛，一口青鋒忽而如衝天直木，忽而如探海蛟龍，忽而如白鶴起舞，忽而如燕子掠波。此時眾賊也顧不得吶喊了，個個都看得兩眼發直。

突然，半天雲把刀一橫，噹啷一聲遮住了玉嬌龍的寶劍，他退後幾步，連連擺着手說：「不要戰了！我已佩服你的劍法高強了！」玉嬌龍見他認輸了，便也收住了劍勢，喘了喘氣。只見那半天雲藉着火光不住地打量自己，旁邊的眾賊還要一擁上前，全都被半天雲給擺手攔住，玉嬌龍遂就高聲兒說道：「你既認敗了，你就趕緊把你的賊眾解散，別等着我一個一個用劍來殺！」那半天雲卻提刀冷笑着說：「龍姑娘你也不可太氣傲了！我今天敵不過你，非是我的刀法不精，卻是因我身上有病，還沒好。你的劍法我已看出來了，你學的是正宗武當派。可是，假若我沒病，拚出死力來跟你較量，還不曉得是誰生誰死！」玉嬌龍嘿嘿一聲冷笑，半天雲又擺手說：「你不要冷笑，今天我若不是好漢子，指揮我手下的人將你拿住，也不費事！」玉嬌龍舉劍高喝道：「好！你們上手來！」半天雲說：「賴漢子才做那事，我半天雲決不倚仗人多欺壓你一個女子。剛才我已然說了，你若勝了我，我們就洗手不幹這綠林行當。現在就算是你勝了，我半天雲明日就拆了這幾間房子，離開這座山，叫我手下的弟兄們也各個走開，永遠不在新疆地面打攪。可是，咱們是後會有期，多則一年，少則半載，還得痛痛快快決個勝敗高低，現在就請你留下大名！」玉嬌龍說：「我叫龍錦春！」半天雲點頭說：「好，龍小姐，我今天記住了你的大名，不知小姐還要什麼東西不要？馬匹、銀兩，只要小姐說出來，我都可以相送！」玉嬌龍想了想，就說：「我要一匹好馬。」半天雲點頭說：「這容易，我這裏有的是好馬，隨你挑選；還要什麼？」玉嬌龍站住怔了一怔說：「你說明天改邪歸正，但我不能相信，我非得見你們全都扔下刀槍，散了夥才行。今天你們騰出屋來讓我居住，給我預備下菜飯，茶水。明天看你們走後，我才能離開此地，否則……」半天雲笑了一聲，說：「我也知道，你一定是又飢又渴了，所以我才趕緊認輸，不願跟你爭鬥，就為的是叫你歇息歇息！」玉嬌龍聽了這話，立時臉紅，又將寶劍舉起。但見那半天雲高聲吩咐他手下的人散開，當時火把就熄滅了一半，半天雲雜在盜賊之中，也不知往哪裏去了。剛才伺候半天雲的那兩個婦人卻走過來，將玉嬌龍請到一間較小的屋子之內。

這屋子也沒有窗戶，只用一塊布幕遮擋着，裏面有一張板牀，有用木頭釘的一張歪歪斜斜的桌子，桌上擺羊油燭台。一個婦人請玉嬌龍在板牀上落坐；另一個婦人出去，待會兒就拿來了一個瓦壺和一隻粗茶碗。玉嬌龍此時本來渴極了，可是見婦人倒了一碗紅黑色的熱茶送給她，她還是不敢喝，先叫這婦人嘗了嘗，她才入口。但這茶雖比不上她一向用慣了的那芝蘭香茶，粗碗更比不得她素日使用的那金杯玉盞，可是竟覺得非常好喝，一連喝了三大碗，心中才算痛快了。

此時，又有嘍囉送來了酒肉，可是沒有飯食。酒是玉嬌龍所不敢喝的，可是那盤裏的肉，她嘗了一塊，還想吃；於是一手握着劍柄，一手捏着肉吃，也吃不出來是羊肉還是牛肉。連吃了幾塊，覺得不太飢餓了，便側過身來，向兩個婦人問道：「你們是幹什麼的？是良家婦女被半天雲搶來的不是？」兩個婦人全都搖頭說：「不是！」一個就說：「我們是從甘肅來的，羅大爺把我們雇來的，因為我們會唱曲。」玉嬌龍驚訝着問說：「剛才是你們唱曲嗎？唱什麼天地冥冥……」婦人搖頭說：「剛才我們沒唱。」玉嬌龍又說：「半天雲是個大盜，這地方靠近沙漠，山既高地又險，你們跟他幹什麼？」婦人說：「羅大爺有錢，他並不是賊，他養着一千多匹馬，他的人也很好，並不是惡人。」玉嬌龍又吃了一驚，回想剛才那半天雲，雖然相貌長得是那樣猙獰，可是說話頗懂情理，而且刀法極佳，莫非他也是一個懷才不遇之士，流落於沙漠，不得已才作了盜賊？想了會兒，覺得身體十分疲乏，想要躺在板牀上休息一會兒；可又恐怕羣賊闖入，將自己殺害，所以她就掙扎着精神靜坐。

這時，外面的囂雜的聲音已然消散了，只有人的腳步聲和一陣陣的馬嘶之聲。玉嬌龍就想：「自己今天也是太冒險，單身來到這裏，雖然自信武藝高強，但是他們的人太多，倘若他們一擁齊上，自己也怕難以脫身。今天看半天雲通情達理得又可疑，莫非他是正安排着什麼詭計，明天再來對付自己嗎？」想到這裏，便霍然站起身來，才要出屋去看，忽聽又有人唱起歌來，唱的又是：

天地冥冥降閔凶，我家兄妹太飄零；

父遭不測母仰藥，扶孤仗義賴同宗。

……

聲音很近，並且聲調較前益為激昂。玉嬌龍就回頭向那兩個婦女問道：「這是什麼人唱歌了？」一個婦人就悄聲答說：「這就是寨主半天雲，他時常唱這首歌。」玉嬌龍納悶着問道：「他在這裏有什麼兄妹嗎？」婦人搖頭說：「沒有！」玉嬌龍又說：「他倒是怎樣一個人？為什麼要來此當強盜？為什麼他頭髮和鬍子很長，生得那怪樣子？」婦人又搖頭說：「不知道！」這時卻聽外面馬嘶之聲又起，並且有許多人說話之聲，玉嬌龍就挺劍出屋。卻見淡淡月光之下，有許多人正在忙亂着備馬收拾東西，人叢中彷彿還有人唱着那激昂的歌，是什麼「我名曰虎弟曰豹……」玉嬌龍就高聲叫道：「你們這夥賊人又要去做什麼？」卻沒有人來回答她，只是許多賊人都說着笑着，騎上馬往山下走去了。一陣蹄聲大亂，走去了很多人馬。山外蹄聲漸遠，這空谷中卻越來越清靜，剛才那激昂的歌聲也不知飄往哪裏去了。

玉嬌龍就提劍去找人，只見這裏留下的賊人已很少了。玉嬌龍就抓住了一個，用劍逼問道：「那些人往山下去做什麼去了？」這賊人就回答：「他們都走了，因為我們寨主說你是一位女俠客，你既叫我們散夥，我們就得走開。再說這地方我們也不願住了，現在要搬到別處去，寨主帶着他們先走，明天我們把房子拆了，也找他們去。」玉嬌龍大怒說：「我是叫你們改邪歸正，誰叫你們又到別處去作惡？來！快給我一匹馬，我要追上半天雲去問問他！」

當下，玉嬌龍就用劍逼着賊人索要了一匹馬，她就縱騎離了山谷。這匹馬躍過了許多山石，又來到平地之上，她將劍插在鞍旁，揮鞭去追。但是這時星月愈暗，風沙又起，那羣盜的馬蹄如潮水一般滾滾湧去了。玉嬌龍追出了很遠，也沒追獲一個賊騎；她就勒住馬，回想剛才的事，真如一夢似的，那半天雲果然是個奇特的賊人。

此時，玉嬌龍也不再想回那山谷，也不願去追半天雲，她只在茫茫的大地，沉沉黑夜之下，策馬款款走去。她也不顧方向，更不知自己將要往哪裏去！回想：自己十一歲之時，在師父高雲雁第一次外出之時，私竊了那兩卷《武當拳劍全書》，並謄出來一部副本秘藏。由那年起，自己就連師父全都避着，專心研習書中所示的技藝，現在已六七年了。今天第一次在風沙中試技殺賊，剛才又與半天雲比武獲勝，果然所向無敵。自己既然有如此的武藝，為什麼不做些驚天動地之事，而甘心在深閨中雌伏呢？如此想着，她是十分高興，竟忘了疲倦，催馬向下走了也不知有多少里路，天光就漸漸發亮了，身後已起了紫色的朝霞。由此才知自己是正往西走，地越走越曠，竟是一片草原。四下一看，遼遠之處也沒有什麼峯顛，只聽嗚嗚的馬嘶。

又走了不一會兒，不覺已走進了馬羣之中，四周的馬不下一兩萬匹，都在啃着地下的青草。玉嬌龍就知道這裏必是一座牧場，向遠看見了一座白色的帳篷；玉嬌龍忽然又覺着口渴了，她遂就用鞭子驅趕着旁邊的馬羣，往那帳篷走去。她原以為裏邊住的必是蒙古人，及至來到臨近，卻見由裏邊走出一個女子。身穿花布短衣，腳下穿着馬皮靴子，頭上跟自己一樣，梳着兩條辮子。那年紀比自己略長，膚色很白，鼻子很高；玉嬌龍就知道這一定是「哈薩克」人，遂就一舉手。那姑娘迎上前來，先跟她說哈薩克話，玉嬌龍搖頭，告訴她說：「我聽不懂！」那姑娘才知道玉嬌龍是個漢人，遂就問說：「你是從哪兒來的？」這句話說得很是流利。玉嬌龍倒頗為驚訝，便笑了笑，下了馬，就說：「我很渴！你們這裏有水給我喝一點？」那姑娘點點頭，說：「水有。」她過來把玉嬌龍由盜窟中所得來的那匹紫馬看了半天，她顧不得再跟玉嬌龍說話了。

玉嬌龍就從鞍下將劍抽出，那姑娘看着也不大驚異，只用雙手拿着馬的嘴，要看馬有多少個牙，玉嬌龍拍了一下她的肩膀問說：「你是哈薩克人嗎？」這姑娘點點頭，玉嬌龍笑着說：「你的漢話還說得很好。」這姑娘說：「我常跟爸爸到伊犁去做買賣，什麼話我都會說。」她還向那匹紫馬戀戀不捨，但因為玉嬌龍催促着她，她只得帶着玉嬌龍進到帳篷裏。

原來哈薩克的帳篷跟蒙古包一樣，是用馬毛氈子搭成，外觀是圓頂，四面也都是圓的，不太高。一進到裏面卻覺得很高，很寬敞，因為帳篷裏把地挖下很深，地上再鋪上毯子。所有的器具和人全都在這毯子上，哈薩克人都是以遊牧為生。

當下玉嬌龍一進來，見只是一個老婆子坐在那裏，這老婆子不會說一句漢語，那姑娘就說：「這是我的媽媽。」玉嬌龍行了禮，就盤腿坐下。那姑娘遂給玉嬌龍斟茶，斟茶所用的是一隻木碗，裏面並非是茶，卻是一種發酸的馬奶。玉嬌龍喝了兩口，覺着不好喝，就趕緊放下了。那姑娘卻用手揑着玉嬌龍的平金的坤鞋，問說：「你怎麼不是纏的小腳？」玉嬌龍說：「我是旗人，我們旗人姑娘向來跟你們一樣，是不纏腳的。」遂又問：「你叫什麼名字？」這姑娘就用她們自己的話說出了她的姓名，並說她的名字就是「美霞」的意思。遂又問玉嬌龍，玉嬌龍就自稱姓龍，現在是獨自一人，要往伊犁去。美霞似乎很羡慕她，拉她出來，就指着跟前的馬羣說：「這二萬多匹馬全是我家的，我父親是個大商人，又是百戶長，現在是要開賽馬會，他預備去了。你既然是騎馬來的，咱們倆人就先賽一賽如何？等過兩天，我帶你去看賽馬會！」玉嬌龍卻搖頭，說：「昨天我走了一夜，現在已很累，我不能跟你賽馬。」美霞卻笑了一笑，她似乎要在玉嬌龍的面前施展施展身手，就拉過了玉嬌龍的那匹馬，扳鞍上去，就在這廣大的草原之上馳騁起來。在近處時，她在馬上還向玉嬌龍笑着，後來她越馳越遠，人馬越來越小，就如同一個小黑點兒似的。

玉嬌龍眼見着朝陽、原野、馬羣、騎女，覺着心中十分暢慰，精神也頓增了一些，遂也不甘示弱，由馬羣中挑選了一匹黑馬，飛身上去。這匹馬本來沒經人騎過，性情極劣，既無籠頭，又無鞍韂，玉嬌龍只仗着用手抓住它的鬃。可是這匹馬又不住地抬頭，跳躍。玉嬌龍又緊緊以拳頭捶打馬胯，這匹馬就如同飛似的，衝開了馬羣跑走了。那邊的美霞也催馬迎過來，大聲驚叫道：「不好！這馬可騎不得！」玉嬌龍縱馬從美霞的身邊掠過，並趁勢由美霞手中奪過了皮鞭，連揮幾鞭，馬更顛跑得快。

一霎時跑出足有二三十里，玉嬌龍回首看了一眼，覺得剛才那些馬羣全都離着太遠了。玉嬌龍趕緊用力揪着馬鬃，想要將馬撥回，卻不料揪斷了一大把鬃毛，這匹馬不但不回頭，反倒揚頭急嘶，前足蹺起，幾乎要立起來。玉嬌龍坐立不住，就被馬一摔，立時摔了下來。馬跑遠了，玉嬌龍的身子卻倒在亂草之中，她覺着頭暈眼黑，一陣迷糊，爬不起來。過了也不知有多少時候，她才漸漸地蘇醒，呻吟兩聲，才一翻身，但覺後腦發重，就又躺下了。兩旁的茂草被風吹着都覆住了她的臉，只見天空浮盪着白雲，四周聽不見馬嘶，也看不見人影。費了半天的力，她才在草中坐起。看了看，兩隻手已被地上蒺藜刺得出了血，如同染了胭脂似的，摸摸後腦，覺得頭髮上很粘，原來也出了血。玉嬌龍心裏一難受，不禁流下眼淚。勉強站起身來一看，就見綠草無邊，被風吹得起伏，如同波浪一般，自己的身子彷彿落在茫茫的大海之中，眼前除了禽鳥飛翔，什麼也看不見。玉嬌龍就將頭上罩着的羅巾解下，擦了擦手上的血，就一步一步地走去，想要再找着哈薩克的帳篷。可是她的兩腿已被摔傷，行走艱難，而且這麼廣大的草原，周圍不知有幾百里地，哪裏去找那馬羣和那小小的帳篷呢？

她走了半天，才走出不多遠，心中焦急極了，暗想：「這裏和沙漠一樣，恐怕我在這裏就要渴死餓死了！雖然武當書上所傳示的武藝不少，但也沒有千里飛行之術呀！」她的心中十分難過，勉強掙扎着又往下走，直走到日色平西，她還是沒有走出這片草地，腹中又餓了，而且雙腿疼痛。她便又臥在草地上，歎了口氣。待了一會兒，眼看天上的雲光俱已變紅，一羣羣的烏鴉從頭上掠過，晚風也陣陣吹來，眼看天色就晚了。玉嬌龍心中更懊煩，周身更無力，索性閉上了眼睛。

正在這時，就忽聽見耳邊隱隱有一陣馬蹄之聲，玉嬌龍頓吃一驚，趕緊翻身起來，雙腿一用力就坐起，藉着天際的霞光一看，從很遠之處，跑來了幾匹馬。玉嬌龍大喜，等到馬匹漸漸來到臨近之時，她就高聲呼叫道：「來人呀！」連喊了幾聲，那幾匹馬就都停住了。他們在馬上轉首四下來看，玉嬌龍這紅衣俏影在草地之中很是顯眼，當下就有一匹馬飛也似地馳來；移到近前，這馬上的人就說：「原來玉小姐在這裏，我們幾個人找了您一天呢！」玉嬌龍倒不禁驚愕，想不到來的這原是自己父親營下的官人；只見這人果然頭戴官帽，身穿很肥大的一件青紗袍子，一下了馬，站在草地上。玉嬌龍覺着這人的身材十分高大，臉色很黑，雙目炯炯有神，頷下刮得乾乾淨淨。看這人的面目很熟，可是想不起來他姓什麼，似乎不是父親衙裏的，此次出行那八個差官之中也沒有此人。遂就退後了一步問說：「你是從哪兒來的？」

這人說：「我從白沙崗來，昨天在大風裏小姐就走失了，老太太不放心，特命我來接小姐。我在沙漠跟草地裏找了一天，小姐快跟我走吧！」玉嬌龍這才信以為真，可是又抬頭一看，見剛才他們一同來的本是四匹馬，如今一找着了她，這個人一過來就與她談話，那三匹馬反倒踏着草地往北飛馳去了。玉嬌龍就趕緊問說：「他們怎麼倒走了呢？」這人就說：「他們本不是跟我一塊來的，他們是往莎車縣去的差人，與咱們無關。剛才是我們無意中遇見的，老太太只派了我一人來找小姐，老太太跟車馬現在全部都在白沙崗。離此不遠，請小姐快隨我去吧！」玉嬌龍漸漸覺得詫異，同時見這人的馬上有一個紅綢包裹，更覺着眼熟，彷彿跟自己由且末縣動身時，自己命繡香她們攜帶着的那幾個包袱一樣。玉嬌龍面上不露聲色，又直瞪了這人一眼，這人卻忽然垂下臉去。玉嬌龍心中怦然一動，就上了馬，這人就索着韁繩轉過了馬頭。

此時，夕陽照射着他們的背影，這男子在前一步一步地走着，玉嬌龍騎在馬上也走得很慢，她就看出這男子頭上那頂官帽不大合適，身上的青紗袍子更不合體。玉嬌龍就問說：「你姓什麼？」那人說：「我姓羅，我是羅差官，我跟小姐一同由且末城出來的，難道小姐不認識我了嗎？」玉嬌龍說：「營裏那些官人，我怎能全都認識！」那人沒言語，依舊策馬前走。玉嬌龍心中發出冷笑，但是見這人的雄壯的背影，卻又覺得十分可喜。此時這人已將韁繩放手了，天際霞光燦爛，看人倒還清楚。玉嬌龍驀然催馬趕到那人的前面，她又突然收住了馬，在馬上回首一望，就與這人正正地對臉。她就把這人的面看得清清楚楚，只見這人年約二十餘歲，生得極為英俊，雖然覺得面熟，然而自己確實沒見過此人。她不禁臉上一紅，可是心中倒產生無限的疑惑。此時這姓羅的人見玉嬌龍驀然看了他一眼，他也不禁一笑，就說：「我們都不曉得，原來小姐有一身好本領呢！」玉嬌龍問說：「誰告訴你說的？我若有本領，我還不至於落到此地呢！你休說閑話，快帶我到白沙崗就是了。」姓羅的趕上馬來，說：「小姐，白沙崗今天可趕不到了。」玉嬌龍說：「那難道就在草地上走一宵嗎？你告訴我白沙崗的方向，我自己會騎馬找了前去！」姓羅的說：「天快黑了，我就把方向告訴小姐，小姐也必走不到。倘或小姐再走失了，我回去見太太可怎麼交代？離這不遠，就有村舍，我可以帶着小姐到那裏去投宿，明天再去見太太。」玉嬌龍說：「想不到你對這裏的路徑倒還很熟？」姓羅的說：「我本來常走這股路，衙裏往伊犁的公文向來都是由我送。」玉嬌龍點點頭，又問：「你知道大人往哪裏去了嗎？」姓羅的說：「大人不是到北京去了嗎？」

玉嬌龍聽這姓羅的說得不錯，這才有點信他真是官人，便想剛才許是自己疑惑錯了。於是，就由這位姓羅的指點方向，她策馬去走。這草原上的天色已漸漸黑了，天上的星光和殘月，也都發出微光照着他們。晚風習習，吹得玉嬌龍的身體有點倦怠，走了半天，方才走進了一個村落，這裏不過十幾戶人家，狗兒見了有人騎着馬進村，就不住地汪汪乾吠。

那姓羅的人先打開一家柴扉進去，待了半天，才見有個年老的農人提着燈請他們進去。玉嬌龍下了馬，提着馬上的包裹隨老農人進了屋內，屋中空閑無人，老農人就把手中的一盞油燈放在桌上。此時姓羅的也進屋來，他就說：「有什麼吃的沒有？快拿來！」老農人連聲答應，彷彿很恐懼的樣子，就出屋去了。

這裏玉嬌龍就用手指甲將油燈挑起，燈光一亮，那姓羅的趕緊轉過臉去，指着炕上放着的包裹，說：「這裏是小姐的衣服，太太恐怕小姐在外飄流了兩天，衣服一定都穿不得了，所以才叫我把這些衣服給小姐帶來，好叫小姐更換！」玉嬌龍過去，這姓羅的人又趕緊閃到一邊，他的臉依然背着燈光。玉嬌龍打開包裏一看，見裏面確實是自己的衣服褲子，可沒有鞋襪，遂就不語，又轉頭看姓羅的，見他並不知退出屋去，玉嬌龍就拿着小姐的架子說：「你出去吧！不叫你不許進來！」姓羅的答應了一聲，便退出屋去。

這裏玉嬌龍就坐在炕頭，細細地想；忽聽隔壁有孩子哭啼了兩聲，又似被人用手捫住口了，孩子還使勁哼哼着哭啼。玉嬌龍趕緊將耳側近了板壁，就聽那屋中的孩子要哭，卻哭不出來，並有婦人壓着嗓音威嚇，說：「你哭！你哭就死啦！」玉嬌龍一驚，趕緊靜靜坐着。聽紙窗外遠遠有馬嘶之聲，隔着窗紙並彷彿有男子粗重地出入氣，玉嬌龍自向自冷笑了一下。

這時，屋門開了，見剛才那老農人拿進來茶壺、鹽碟和一塊鍋餅，一碗黃米粥。當這老農人雙手顫顫將這碟碗等物放在那張破桌上時，玉嬌龍就下了炕，揪了這老農人一下，悄聲問說：「你跟那姓羅的早就認識嗎？你們怕他嗎？」這老農人兩眼發呆，鬍鬚顫顫，沒有說話；卻見屋門開了一道窄縫，見那姓羅的正站在門外。玉嬌龍就大聲向老農人說：「你把飯放下，你也出去吧！等我回去，將來一定派人來謝你們！」老農人依然不說話，怯怯走出了屋。這裏玉嬌龍趕緊隨他去關門，同時等着老人出屋之際，她向門外看了一眼；見外面很黑，那姓羅的已然走開了。玉嬌龍把門關上，這門只有一道插關，無法關嚴；屋中又找不着東西可以將門頂上。便回身走到燈旁站立了一會兒，吃了一點鍋餅，然後就將燈吹滅，摸着黑到炕上將身一躺，側耳聽着窗外。待了一會兒，就聽仍有粗重的呼吸之聲，玉嬌龍也就假作呼嚕呼嚕地睡覺。

又過了許多時，忽聽屋門吧的一聲響，玉嬌龍立時打了個冷戰；但仍然不起身，側身臥在炕上。左手在身下按着炕蓆，右手伸出二指及中指，預備出點穴的姿式，臉微揚着，睜着眼向炕前去看，喉間還呼嚕呼嚕地發出鼾聲。就見慢慢地炕前來了一條高大的身影，這個人手中似有個東西，他輕輕地放在炕上，又伸手輕輕把玉嬌龍的頭髮摸了一下。玉嬌龍卻趁勢翻身坐起，右手向這人的身上點去，這人急忙用手擋住。玉嬌龍由炕上一躍而下，掄拳就打，那人用雙手抄住玉嬌龍的雙腕，連聲說：「不要動手，我無惡意！」玉嬌龍忿忿地說道：「什麼你無惡意！你別以為我不知道你是誰？」說時又一腳踹去。那人的身上被踹了一下，但沒有摔倒，他只急急地爭辯道：「我實在沒有別的心，不然在曠野荒郊之下，我就可以把你搶走，我豈能又將你送到這裏來。我是一片好心，不信你看……」這人就騰出一隻手來，從懷中掏出了取火之物，打着了火，叫玉嬌龍向炕上去看。原來炕上放着的是一口帶鐵匣的寶劍和一封銀兩。玉嬌龍此時的雙手仍然緊緊揪住這個人的胳膊，她就說：「你是半天雲不是？你為什麼冒充官人來騙我？我這身衣服你是從哪裏拿來的？半夜在我身旁送來這寶劍和銀兩，你是什麼居心？快說！」她見這人的腰間繫着一條青綢帶子，上插着一口不到二尺長的鋼刀，她就劈手抽出，只聽「唧」的一聲，原來刀柄有個銅環，刀身也閃閃奪光，這人趕緊擺手說：「慢着！這口刀鋒利無比，小心傷着了你自己！」玉嬌龍卻將刀尖逼住這人的胸膛。

這人本穿着那件青紗官衣，胸膛敞着，面無畏色。回首用火點上燈，他就說：「小姐息怒！你聽我說，我實是半天雲羅小虎。因為昨夜小姐闖進我的山寨裏，我見小姐貌美絕倫而且武藝高超，我想細問小姐的來歷，又知小姐必不肯對我實說。因此我才帶着幾個人連夜趕到了白沙崗，知道官人車輛都在那裏停留住了。聽說玉大人的小姐在風沙中遇盜失蹤，我因此才曉得小姐的來歷。我由女眷的車上盜了這身衣服，並將早先搶來的官服穿上，帶着三個人又來尋找小姐。聽一個哈薩克的姑娘說，小姐今天早晨到了他們那裏，曾騎着一匹馬走了，後來那匹馬回去了，可是小姐不見蹤影，怕是小姐已然出了事。我一聽了，就很不放心，遍處尋找，找了半日，才在草地中找着了小姐。我怕被小姐看出了破綻，所以才叫我手下的那三個人都避開，我假冒官人將小姐送到這裏。我本無他意，只是想到明天送小姐追上官車；可又想那些官車在白沙崗一定停留不住，他們一定是先到克里雅城，然後再派人出來找小姐。這一路也頗不好走，我又不便隨行，這才為小姐送來銀兩和寶劍，並要替小姐餵好了馬，馬上預備乾糧和水，明天我還要派人給小姐領路，實在沒有什麼惡意。只是我見小姐貌美藝高，我從心中佩服，想要為小姐效勞！」

這個半天雲侃侃而談，面上並帶着微笑，他說話時，身子有些搖動，有幾次胸脯都險些觸在刀尖上。玉嬌龍倒不由得趕緊縮回刀來，她漸漸心平氣和，覺得這口帶環子的刀太可愛了，侃侃而談的這個沙漠大盜半天雲尤為可愛。

在昨夜，半天雲是個長頭髮大鬍子的怪人，所以他的模樣自己沒大看清。而現在，燈光下的這個假官人、真強盜，卻是個二十四五歲的魁梧英俊的少年，倒真令自己難以置信！她想：這樣一個人就會在風沙中號令着數百名兇悍的盜賊，使得無人不知，無人不曉嗎？玉嬌龍就問說：「你先別說什麼為我效勞，送我去找着我們那些車馬的話。告訴你，我趁着風沙走出來，就是想到各地去遊一遊，並不想立刻就回去。只是你，我聽你說話不是本地人；你又年輕，你為什麼要來到這邊遠的地方作強盜呢？」半天雲搖搖頭，微笑着，說：「我的事情你不曉得，我也不便對你說，可是你別以為我真是個兇惡的大盜，其實我也通情理。我也非專以盜劫為生，我也養着許多匹馬，只是我這個人生來太不幸了，我才流落到此地！」說着歎息了一聲，扣上了他前胸的衣鈕。

玉嬌龍就把刀拿在自己的手裏，退回兩步，坐在炕上，還忿忿地說：「今天我算是饒了你的性命！」半天雲搖頭笑道：「我不怕死！小姐你長得太美了，我要叫你拿刀殺死了，我這生也不冤！」玉嬌龍怒喝一聲：「出去！」又瞪了他一眼。半天雲依然笑着，回身往外走去，玉嬌龍又忽然問說：「你叫什麼名字來的？」半天雲止住腳步，回着頭答道：「我叫羅小虎。」玉嬌龍哼一聲冷笑，說：「平日你們不定多麼兇惡了，這裏的人都怕你們，連隔壁的孩子都不敢夜啼！」半天雲羅小虎沒有言語，開了門走出屋去。玉嬌龍手把着鋼刀，依然側耳向外靜聽，就聽院中仍有腳步之聲來回地響，彷彿羅小虎是沒有屋子可容他棲住。又聽他似乎吟着：「我名曰虎弟曰豹。」

玉嬌龍真覺得這是一個奇怪的強盜，而且回想剛才他偷偷進屋來撫摸自己的頭髮之時，又不覺得一陣臉熱。更想：今天自己騎馬不慎，摔在草地上，路徑又不熟，倘使不被羅小虎領到這裏，恐怕此時自己依然在那片大草原上飄流着呢！這羅小虎對自己頗為有禮，而且他還為自己盜來衣裳，並預備上寶劍銀兩，要叫我明天回去。想自己此次失蹤，雖然是自己願意作的，可是沒有個人出來尋找自己，倒多虧遇着了這人。

此時，風打着紙窗，響得很緊，那羅小虎又在窗外低聲唱道：「天地冥冥降閔凶……」玉嬌龍就高聲問說：「你在唱什麼？」羅小虎走近窗前才回答道：「這是別人教給我的一首歌，我煩悶的時候就不禁唱出來。」玉嬌龍又問：「你為什麼不找間屋子去睡覺呢？」羅小虎說：「因為我捨不得離開小姐，我在窗外要陪伴小姐一夜，明天分手，我就永遠不能再和小姐見面了！」玉嬌龍忍不住一笑，雖然沒笑出聲音，可是她已低下頭去，臉上覺着發熱得厲害。屋門又一聲響，那少年強盜又走進屋來，才走了一步，玉嬌龍就說：「站住！」羅小虎趕緊站住。玉嬌龍又瞪了他一眼，就說：「你把你唱的那首歌再唱一遍叫我聽聽！」羅小虎歎了口氣，遂就低聲兒唱着說：「天地冥冥降閔凶，我家兄妹太飄零；父遭不測母仰藥，……」唱到這裏，羅小虎的聲音悽慘，玉嬌龍低着頭，芳心中也不禁一陣酸楚。

窗外夜風嗖嗖，桌上油燈發暗，這少年強盜又接着唱道：「扶孤仗義賴同宗。我家家世出四知，惟我兄妹不相知；我名曰虎弟曰豹，尚有英芳是女兒……」唱到這裏，他就說：「後面還有兩句，我已忘記了。只記得是什麼，廿年後若相見，切報恩仇莫再遲。」說完，他用左胳膊拭了拭眼淚。玉嬌龍咬着嘴唇，發了一會兒呆，就問說：「你唱的這是真事嗎？是你父親被人害死，你母親也服毒死了嗎？」羅小虎說：「我不知道，我是汝南府人，自幼我只知有個本家的爺爺開酒舖，我父親是個槓夫，但他不是我的父親。我九歲時，我那開酒舖的爺爺送我到書房唸書，他有一封信，拆開，裏面就寫着這首歌。老師教給我當作書唸，說是我還有弟弟妹妹，都在外鄉，他們也都會唱這首歌，將來我一唱出來，被他們聽見了，他們就能認我為胞兄。可惜我那時貪玩，沒將歌全背下來，過了一年，我就忘了。到外面走了數省，學了些武藝，我悶來時就唱這首歌，可是始終也沒會着我的弟弟妹妹！」

玉嬌龍悽惻地說：「你很可憐，可是你為什麼到了新疆呢？」羅小虎遲疑了一下，說：「不瞞你說，我十歲的時候，因為我那假父母待我不好，我又不願意唸書，我就跟個要飯的化子走了。那化子是個小偷，他教給我許多偷竊的本領，我幫助他去偷東西，被人幾乎將我打死。後來一個道人救了我，那道人把我帶到湖北武當山出家，那山上的道士全會武藝，我就跟他們學了一些劍法；後來我在山上作錯了一件事，師父把我趕下山來。」玉嬌龍就趕緊問說：「你做了一件什麼錯事？」羅小虎有點慚愧的樣子，說：「因為我調戲了一個姑娘，所以犯了廟中的清規。我離了山，就在江湖飄流了四年；後來我因為要找一個人，便來到了新疆。這裏本來就有一夥強盜，他們劫我，都被我打服，所以他們才尊我為首領，住在昨天你到過的那紅松嶺裏還不到一年。我並非想要永遠為盜，只想把馬羣養大，夠我們那夥人食用了，我們便洗手。若找着我認識的那個人，我也就走開了！」玉嬌龍就又問說：「你來到新疆，是要找什麼人？」羅小虎說：「我要找的是我的一個恩人，如今已有十多年沒見着他了。當年他曾告訴過我，我若想見他時，就到新疆來，我唱的那首歌，就是他給我編的；我到底是誰的兒子，我兄妹在哪裏，只有他一人知道。」玉嬌龍心想：「這可也是個奇人。」就又問說：「這人名叫什麼？」羅小虎說：「這人名叫高朗秋。」玉嬌龍十分詫異，又問：「高朗秋？是否他就是高雲雁？此人年有五十多歲了，有花白鬍子？」羅小虎說：「我只是七八歲時跟這人見過一面，現在若再見了他，我也不認識他了。我只聽人說他叫高朗秋，卻不叫高雲雁，此人是個文人。」

玉嬌龍站起身來說：「那一定是他，我認識此人，他是我的師父，他確實是個奇人。這次他也是隨我們一同出來的，他還有個妻子，也會武藝。前天沙漠裏那場大風，你們又去打劫，可不知他二人怎樣了？明天我帶你追上官車去找他，只要見着了他，他必可設法收留你，你就不必再為盜了！」羅小虎聽了也很是歡喜，點頭說：「好！只要找着我那高恩人，問明我兄妹的下落，我就要找他們去了，可是……」說到這裏，他的態度帶些憂愁，又說：「萬一小姐你這師父不是我那恩人呢？我隨你到了官人的羣中，被人曉得了我是半天雲，那時我可怎樣脫身呢？」玉嬌龍冷笑說：「你別疑我是故意騙了你去，想把你捉住。其實我這時要想捉你，就很容易！」羅小虎微微一笑。玉嬌龍又說：「可是我捉住你又做什麼呢？剛才我聽你一說，我覺得你的身世也很可憐；我雖是個富家小姐，但是我最喜愛天涯落魄的英雄！」羅小虎聽了，面現感動之色。玉嬌龍就把手中的那口帶環子的鋼刀遞給羅小虎，說：「給你！這是你的東西，還給你，我不要！」羅小虎卻不肯接過，他說：「這口刀是我初來新疆時，在迪化城跟一個索倫營官賭錢贏來的。雖然尺寸不長，可是善能削銅斷鐵，這一年來我永遠佩帶在身邊。現在我見小姐待我這樣的好，我無法報答，願意把我這件最心愛的東西送給小姐！」玉嬌龍把這口刀細看了看，雖然似乎有些喜愛，可是聽說他是賭錢得來的，就不願接受。「噹啷」一聲，向地下一扔，說：「拿去，我不要！」羅小虎只好由地上拾起來，他還直直地站立，望着炕頭坐着的玉嬌龍，不肯走去。

桌上的那盞油燈都將要自行熄滅，玉嬌龍又抬頭看了看羅小虎，就說：「你還不走開嗎？」羅小虎卻仍然不動身，呆了半晌，就聽他說：「小姐你長得太好了，你的武藝也太使我佩服！」玉嬌龍卻「鏘」的一聲由身旁抽出了寶劍，將劍尖挨在羅小虎的前胸，怒聲說：「快走！你好大膽，敢跟我說這樣的話？」羅小虎的身子仍然不動，他又說：「小姐你也想不開，你此次既然趁着風沙離開了家人，獨自遊覽江湖，那為什麼咱倆不一塊同行呢？我可以拋下我手下的人和那些馬，帶着你去走三山五嶽！」玉嬌龍怒說一聲：「去！」寶劍向前進了半寸，那羅小虎趕緊將身子閃開，只見他彎下腰去。

玉嬌龍大驚，抽回劍來，跳下炕去，又用指甲將燈捻挑起，只見那羅小虎已經直起腰來。他依舊昂然站立，右手提着他那口帶環子的寶刀，左手按着胸，只見由他的手指縫裏流出來鮮紅的血。玉嬌龍瞪目說：「你還不走？要死嗎？」羅小虎臉色慘白，但依然笑着，點頭說：「我走，我走！小姐你休息吧！明天請小姐帶我追上了官車。去見我那高恩人！」一面說着，他一面忍傷走出屋去。

這裏玉嬌龍倒很是後悔，覺得剛才不該驀然刺他，一定刺得不輕，此時忽聽院中咕咚一聲，玉嬌龍就趕緊拿起燈來出屋去看，一陣風又將燈吹滅，但是她已見羅小虎是坐在地上了。玉嬌龍一時驚慌，顧不得其他，趕緊放下燈，過去將羅小虎扶住。同時緊急地問說：「怎麼樣了？是我刺傷得你很重吧？咳！我若真把你這可憐的人刺死，我的心裏才真難受！」羅小虎卻搖頭說：「不要緊，只刺傷了一點。我的左臂本來就有傷，是正月間在山中打獵，被一隻大熊咬傷的，我半天雲是個石頭人，受一點傷不算事！」說着他挺身站起。玉嬌龍趕緊說：「你住在哪屋裏？我把你攙回屋去吧！」羅小虎笑道：「這人家只有一間閑屋，我叫你住了，我原想在你的窗外站立一宵。」玉嬌龍說：「那麼你回到我屋裏。」當時她扶着羅小虎的右臂，又往屋中走去。她就覺得這羅小虎的胳膊硬極了，真如石頭一樣。到了屋中，玉嬌龍回身要去拿回燈來，取火將屋子照亮；卻不料羅小虎就一把將她抓住，玉嬌龍真想不到，她一位千金小姐竟落於盜賊之手。

次日，一清早便有人來打門，原來羅小虎帶來三個嘍囉，都聽他的指揮住在不遠的人家裏，羅小虎就出屋去了。這裏玉嬌龍憤恨得不住地流淚，她預備下寶劍，想要等着羅小虎一回到屋中，她就一劍將羅小虎刺死。可是待了多時，羅小虎方才回到屋中；不知他從哪裏換來了一身乾淨的黑綢夾褲褂，前胸仍然敞着，新貼了一貼膏藥。他雄偉的身軀，英武的面龐，精爽的神態，彷彿又鎮懾住了玉嬌龍，玉嬌龍竟捨不得下手了。

羅小虎就笑着說：「你怎麼還沒換衣服？咱們用些茶飯就走吧！」玉嬌龍就手提着劍柄，雙眼流出淚來，氣得身上發顫，恨恨地說：「走往哪裏去？難道你真想叫我跟你滿處飄流，去作強盜嗎？」羅小虎搖頭說：「不是，昨天我本想送你趕上官車，我並不想親身去送你，可是你的美貌太使我發迷了。再說也不怨我一人，你也是喜歡我，當初你若嫌我是強盜，也不至如此。」玉嬌龍嘿嘿冷笑着。羅小虎又說：「我願將來咱們作夫妻，我知道你趁風沙出來，不過是一時的高興。真叫你各處去奔走，去受苦，你也必然受不了！你雖武藝高強，可是江湖上的閱歷你還沒有，你還是應當追上官車，暫時回家去吧！……」玉嬌龍抬起頭來問說：「那麼你呢？你往哪裏去呢？」羅小虎說：「我在後面跟隨着你，你請出來那位高老師來見我，如若他確實是我的恩人高朗秋，那就好辦了！」玉嬌龍問說：「那怎麼就好辦呢？」羅小虎昂然說：「我失足為盜，本非自願，只是沒人教我改邪歸正，我也自己頹唐罷了！所以我在山寨裏，臉是永遠不刮，衣服也時常不換；除了飲酒賭錢，就叫婦人給我唱曲兒取樂。我也自己時常唱我的那首歌，越煩越唱，越唱越煩。現在我要改過自新了，叫我那恩人高朗秋給我在營中謀上個出身，憑我這身武藝，必可作一番事業。等到我得了事，有了出身，那時我再託我的高恩人為媒，向你家去娶你。那時我的兄妹也就都見着了，我家中二十多年的大仇，也就容易報了。」玉嬌龍擦了一擦眼淚，問說：「你可真有這番志氣？」羅小虎拍着他那貼着膏藥的胸脯說：「這點志氣我若沒有，我半天雲枉稱男子漢！」玉嬌龍嫣然一笑，點頭說：「好，如果你有這番志氣，我願等你十年！」羅小虎說：「用不到十年，我自從見了你的面，我就不願意離開你！十年相思，誰能受得了？」玉嬌龍把劍一掄，半笑半怒地說：「快去叫這裏的人預備茶飯。」羅小虎笑着走出去了。

這裏玉嬌龍本想要更換衣服，但又想：「這包衣服是被羅小虎偷竊來的，倘若自己見着了母親和丫鬟僕婦們，忽然身上換上了那夜丟失的衣服，豈不叫他們生疑？自己在外邊結識了大盜半天雲，這話怎能對人說？」所以她便把那包裹並不動，好在身上的紅衣藍褲還不太髒，她只將辮子解開，兩邊分披着的又改成為一條，垂在身後。

這時，羅小虎幫助那老農人拿進來茶水和菜飯，玉嬌龍就見他對那老農人很是和善，那老農人也不像昨晚那麼懼怕他了。羅小虎與玉嬌龍對着面用茶吃飯，玉嬌龍不禁地笑，因為像羅小虎這樣的大口吃飯，一口就呷下一碗茶的人，她還從未見過。玉嬌龍卻吃得很少，只把又乾又硬的黑饅頭，勉強吃了一點。倒是她太渴了，雖然茶是榆樹葉兒煎熬的，她還喝了不少。

茶飯用畢，羅小虎說：「咱們這就走吧！」玉嬌龍點了點頭，又說：「這包衣服和寶劍我可都不能攜帶，你拿去吧！」羅小虎問說：「為什麼？」玉嬌龍說：「你想吧，我會武藝，我家中的人並不知道。臨走時我雖攜帶着一口寶劍，但並非這口；這包衣服雖是我的，但我怎能拿回去？你知道我若見着我的母親，我還要裝出小姐的樣子來呢！咱們這事是一字不能提！」羅小虎說：「自然不提。」遂就歎了口氣。先提着衣包和寶劍出屋。玉嬌龍隨他走出去，就見兩匹馬在院中已然備好，馬上都帶着盛水的牛皮口袋和裝乾糧的袋子。羅小虎將劍和包裹繫在那匹黑色的大馬上，給玉嬌龍的是一匹赤兔馬，非常的矯健。玉嬌龍接過了馬鞭，先牽馬出了柴扉，就見門外站着三個大漢，一齊向她行禮。玉嬌龍就知道這三個人都是羅小虎手下的嘍囉，自己此時竟像是個壓寨夫人了，不由得一陣慚愧。羅小虎已隨着牽馬走出，他就吩咐他手下的人說：「你們回去吧，我去送玉小姐一程。」三個嘍囉一齊答應。當下羅小虎就笑向玉嬌龍說：「上馬吧！」玉嬌龍披鞍上馬，羅小虎又笑着看了她一眼，就也跨上了馬。一揮馬鞭，他先在前走去，玉嬌龍策馬緊緊隨上。兩匹馬離開了這小村，就又踏上了廣大的草原。

今天是個晴和的日子，東方朝陽剛吐，天際浮盪着一絲絲的霞雲；柔風拂面，一羣羣的小鴉兒在草原上亂飛。玉嬌龍鬢髮惺忪，衣服上有許多摺紋，她騎在馬上，時時以柔媚的目光向羅小虎去看。羅小虎也常回頭來看，兩人的眼光交射在一處之時，便都不禁地笑了。羅小虎覺着玉嬌龍的笑是非常嬌媚；而玉嬌龍也認為這少年強盜的一言一笑，都能安慰着她的芳心。此時落在草地上尋食的小鳥，一見馬來，就都「噗嚕嚕」地飛起，馬行一步，就要驚起幾千幾萬的飛鳥，一層一層如濺起來的浪花一般。忽然，羅小虎從他的馬上袋子裏掏出來一個東西，原來是一小袋弩弓和幾枝細小的箭。羅小虎就裝弓披箭，嗖嗖很快地射去，只見飛鳥紛紛中箭下落。玉嬌龍不禁笑着說：「真好！來，給我看看！」羅小虎先把手中的弩弓向玉嬌龍一扔，玉嬌龍伸手接住了一看，是個很玲瓏的小弩弓。羅小虎又跳下馬去，從地上拾起來幾枝箭，每枝箭都穿在一個麻雀的身上。箭不過三寸長，很細，所以雖然射中在麻雀身上，麻雀還都沒死，還都撲拍着翅膀想要再飛。玉嬌龍就一個一個將箭拔出，將受傷的麻雀都扔了，她就笑着說：「這小弩箭可真有意思！」羅小虎說：「這是我做的，從小時我就會做，雖然不敢說百步穿楊，可是我的箭從未虛發過。我這些年行走江湖，曾遇見許多兇悍強霸的人與我作對，可是我總不願意傷人的性命，向來是以這小箭取勝的。你既喜歡，我就送給你吧！把這藏在衣袖裏，不能叫人看出。」說着，又由他那放乾糧的口袋裏，掏出來四把小箭，都給了玉嬌龍。玉嬌龍就笑着說：「你把這箭都給了我，以後你要使用時，可怎麼辦呢？」羅小虎搖頭說：「以後我就不使用這些小巧的玩藝了，我要憑長槍大刀，在疆場上立一番功名。這小弩箭不過是我飄流江湖時的一種玩藝，只要找鐵匠打了箭頭，我想做多少就做多少。」玉嬌龍又看了他一眼，笑着說：「想不到你的手兒倒很能幹的！」羅小虎說：「本來我自覺很聰明，我的武藝並沒怎麼樣苦學過，可是也頗不錯。書我也沒有怎麼讀過，但也認識不少字；只可惜沒人栽培我，不然我豈能流為盜賊！」玉嬌龍擺手說：「你別說了！早先你是盜賊半天雲，現在你可不是了。英雄不論出身，只要將來你能夠致力前途，不必作大官，我就能……」說到這裏，她的雙頰緋紅，似羞似笑。羅小虎卻得意地大笑，他敞着的前胸都一起一伏的，玉嬌龍就瞪了他一眼，說聲：「扣上前胸的鈕扣。」羅小虎笑着答應了一聲，把衣鈕扣好。

玉嬌龍又留心看着他的腳下，只見他光着腳穿着一雙青布鞋，鞋都很破了，玉嬌龍又問：「你還回山寨裏去嗎？」羅小虎說：「我還得回去一趟，把我那些馬匹賣了，將錢分給我手下之人，叫他們各自去謀生。不然他們一定還纏着我，不能叫我一個人把手洗乾淨了，去奔正路。」玉嬌龍又問：「你山裏那兩個婦人，你想怎麼處置呢？」羅小虎說：「那是他們給我弄來的，我一定要打發走。我跟他們混了一年多，他們也搶來過不少婦女，可是全都叫我給放了，因為我生平最恨人欺負婦女和小孩。我還時時想着，怕那些被欺的婦女之中就有我的胞妹。所以前天你一到我寨裏去，我就先問你是河南人不是。我原想着你這樣的美貌，你這樣的武藝，必是我的胞妹，可是沒想到你原來是玉小姐。」玉嬌龍問說：「你的胞妹也會武藝嗎？」羅小虎搖頭說：「不一定，可是我總想我的妹妹是貌美絕倫，武藝高強！」說到這裏，他不由得又唱起來；「天地冥冥降閔凶，我家兄妹太飄零……」玉嬌龍不禁地笑了。

兩匹馬相並行着，且談且走，就在這草原之上又走了二十多里地。前面又發現了一片馬羣，羅小虎說：「我們避着馬羣吧，倘若遇見哈薩克人，言語不通，難免發生糾紛。」當下他撥馬偏南，玉嬌龍揮鞭跟上了他。

這時，忽見由那邊馬羣之中，跑過來一騎黑馬，羅小虎立時勒住馬說：「快把弩箭交給我！」玉嬌龍卻已然看出來，那邊騎馬來的正是那哈薩克的女子美霞。待了一會兒，羅小虎也看出來了，就說：「這姑娘的馬術也很好，只是她的鼻子長得太高。」此時那美霞的馬已如一枝飛箭似地來到，這姑娘在馬上招手問道：「你還回去嗎？」玉嬌龍也收住了馬向她招手。美霞近前來，看了看羅小虎，又看了看玉嬌龍，她彷彿很詫異的樣子，就問說：「你們是一家人？」玉嬌龍臉紅了紅，搖頭說：「不是，他是送我回去的。」美霞說：「你要回哪裏去呢？將來你還能找我來嗎？」玉嬌龍說：「不一定，不過我要到趟伊犁，將來還要回且末縣。如果路過這裏之時，我一定要去看你。」美霞又說：「你的馬匹跟那口寶劍還在我那裏，你同我去取吧！」玉嬌龍說：「你那帳篷離這裏遠嗎？」美霞回手用鞭一指，說：「不遠，就在那裏。」玉嬌龍向羅小虎說：「那匹馬我倒不想再要，只是那口劍是我父親之物，雖非寶劍，可也是個古物了，我想要取回來。」羅小虎在馬上伸頭向那邊的馬羣去看，只見黑壓壓的一望無邊，羅小虎就說：「他們哈薩克人的馬鞭子是靠不住的。她隨手一指，說不定就得走一二百里，才能到她們的帳篷。一耽誤了時間，可就越發追不上你們的車馬了；不如先將寶劍寄存在她那裏，將來我再設法給你送去。」玉嬌龍點了點頭，向美霞說：「我們因為要趕路，沒功夫再去跟你取那口寶劍，暫且寄存在你那裏，將來或是我，或是他，再去取。那匹馬就奉送給你了，我們再會吧！」她向美霞一點頭，微微地笑着，美霞就勒住馬在那裏，目送他們這兩匹馬順着廣大的草原遠去。

此時羅小虎的黑馬在前，玉嬌龍的紅馬在後，她已將那小弩弓和細箭全都收在懷中，臉上仍然罩着羅帕，縱馬速行，並不多談話。走過了草原，又是沙漠，沙漠中並沒遇見大風，可是人飢馬渴，太陽曬得玉嬌龍的身上都出了汗，羅小虎又把胸鈕解開了。

找了個沙崗的後面，二人下了馬，羅小虎把乾糧和水碗取出來，玉嬌龍就坐在沙地上，拿着乾糧吃，由牛皮口袋裏倒出水來喝。羅小虎熱得脫去了上身衣服，露出他健壯的胳膊，露出他左臂上被熊咬的傷，和前胸上的那貼膏藥。他很敏捷地飲食餵馬，並且拿了大塊的乾糧嚼，就着牛皮袋口咕嘟咕嘟的喝涼水，然後躺在沙子上歇息。玉嬌龍就坐在他的身旁，四下去看，只見連天的黑沙，並無一人一物。天作深藍色，白雲如絲，裊裊地如她的心。玉嬌龍就也躺在沙子上，忽然她又流下淚來。羅小虎趕緊坐起來，坐在她的身旁，關心地問說：「怎麼樣了？玉小姐你傷心了嗎？」玉嬌龍搖了搖頭，眼淚順着鬢髮落在沙地上，她說：「你別稱呼我作小姐，我的名字叫作嬌龍。到現在我恨我那師父，他不該賣弄才能，背着我的父母傳給我武藝。我尤其恨我得了兩卷述說拳劍的書籍，所以弄得我不能安分隨着我的父母作小姐。」羅小虎說：「莫非你又不願意回去了嗎？那可容易，我也不必去謀什麼出身了，更不必當強盜。咱們倆就在沙漠跟草地上過日子，保管也有吃、也有喝，也有馬騎。」玉嬌龍搖頭，又說：「我也不願久離我的母親！小虎，我跟你相遇真是做夢也沒想到，我的性情最驕傲，但我被你制服了。我眼中除去了我父母之外，再沒有別的人，可是，我此後將永久忘不了你，你千萬也要永遠想着我！為我你要好好地致力前途，將來我們永久在一起。但是，眼前我們就要分離了，即使高老師能夠將你收容，可是你在外面，我在閨中，我們也不能再時時見面，我也實在不放心你！」羅小虎發了半天怔，就搖頭說：「不要緊，以後我們見面也很容易，你放心，一年之後我必能做個大官，我必能娶你！」玉嬌龍又叫着說：「小虎！」小虎答應着，他們這兩顆熱烈的情心，如在這荒沙之間開放了美麗的花朵，如從荒沙裏滾出洶湧不斷的甘泉。

此時天上的雲絲都繞成了一團一團的，在他們的眼前輕輕地飄盪，似乎望着他們。大漠中常有的狂風這時也不起了，沙粒都安靜的躺着。聽不見駱駝的鈴聲，聽不見雄雞的叫聲，兩匹馬也都躺在沙上，跟他們一樣，都不想走了。過了許多時，羅小虎才爬起來，備好了馬匹，他攙着玉嬌龍又上了馬。他依然策馬領路前行，玉嬌龍卻懶懶地不願快走，他就與羅小虎且行且談，越談越覺着親密。

走出了沙漠，又是一片草地，並有稀稀的田莊。兩匹馬踏着青草又走了十來里地，羅小虎就勒住馬不往前走了，他指着遠遠的一片樹林，說：「那邊就叫白沙崗，你們那隊車輛昨天就宿在那裏，他們因為你丟失了，尋不着你，他們所以不能往下走，此時一定還都在那裏。你就去吧，我因怕那營兵裏有人認識我，所以我不能往那邊去。」玉嬌龍將馬催近了兩步，緊緊挨着羅小虎，戀戀不捨地問說：「那麼你現在要往哪裏去呢？」羅小虎說：「我先到個別的地方去。記住了，此處名叫秦州村，這一帶的農家多半是由秦州遷到這裏開墾的。明天早晨我到那裏，如若你那老師果然名叫高朗秋，就請他明天來此見我！」玉嬌龍皺皺眉說：「萬一他不是你那恩人呢？」羅小虎說：「他若不是，我會另去找出身，早晚我要和你相見！」玉嬌龍眼睛一陣酸，又說：「你可千萬珍重，身上的傷必須好好醫治！」羅小虎拍着胸脯說：「這不要緊！」玉嬌龍又說：「也不可憂煩，我跟你說的那些話可都須切記！」羅小虎點頭說：「不勞你囑咐，我再也找不到你這樣美貌的人，我為要早些娶你，我一定好好去謀個出身。」玉嬌龍拭淚說：「那麼咱們再會吧！」羅小虎也說：「再會！」他的兩隻雄彪彪的眼睛直瞪着芳容黯淡的玉嬌龍，玉嬌龍就策馬走了，且走且回頭。這時，天上的雲光已變為金紅色，草原上的晚風漸漸吹緊，玉嬌龍的健馬俏影漸漸地小了，走遠了。

原來不遠就是白沙崗，那裏並不是個市鎮，只有一個驛站，有四五戶農家。日前，玉太太那隊車馬由沙漠之中逃出，就棲止在這裏。這裏的驛吏只能騰出兩間房來，請玉太太和丫鬟們跟那幾個小官員的家眷們居住；其餘的人有的投宿在農家，有的就在車上睡。

除了細軟之物，一切東西都存放在車上，因為沒有地方去擱。前夜可就有賊人從車上偷去了一個包裹，包裹裏是小姐的衣物。東西丟的雖然不多，可是把一些人嚇得都不得了，尤其聽一個農人說：就是那天，有兩個騎馬的人，深夜來敲門，把他們叫起，問：「在這裏停留的車輛是什麼人的？有位姑娘現在還在沙漠裏，她是這裏官眷中的什麼人？」這農人說：「我把實話都告訴那兩個騎馬的人了，那兩個人都長得很兇悍，都帶着刀，說不定就是半天雲特意來此打聽消息，還想要打劫。」因此，這裏的一些差官和營兵們全都驚心喪膽，都說：「這地方可不行，不能多住，還是再走一程到克里雅城吧！」

玉太太卻因女兒在沙漠中失了蹤，她憂煩得時時哭泣，卻不願意走遠，把女兒單獨拋在茫茫的沙漠裏，所以派了差官營兵找遍了沙漠。找了兩天，可始終也沒尋出小姐的蹤影，都說：「小姐一定是被半天雲給搶走了，在這裏越耽擱日子多了就越壞，這非得到克里雅城去勾來大隊的官兵，才能由半天雲的賊羣之中將小姐救出。」但是那位高師爺又忽然病了，他是住在一家農人的小土屋裏，他卻向他的妻子碧眼狐狸說：「你去告訴太太，自管往下走吧！玉小姐必然無虞。不等咱們走到伊犁，她一定已然先走到那裏了！」高師娘把這話又告訴了玉太太，玉太太卻說：

「這是高師爺病了，他口中說的是胡話。」所以玉太太死也不走，非得尋着小姐她才能放心起身。大家都得聽太太的話，所以雖住在這小小的驛站上，時時恐怕強盜襲來，可是大家又都不能走。所幸此地水源倒還富足，糧草也還夠用，但是小姐一天尋不着，眾人就要一天困在這裏。

就在眾人憂心歎氣之時，忽然小姐單身歸來；而且騎來的是一匹赤兔馬，馬上還有一個水袋和裝乾糧的口袋。這些營兵和幾個差官看見了小姐，就如同見了天仙忽然下凡似的，一齊都歡呼着說：「小姐回來啦！」這麼一喊，早有僕婦丫鬟由驛站的小房裏跑出來，都驚喜着把小姐攙下馬去。小姐微微地喘氣，臉有些紅，進到裏面見了她母親。

玉太太真疑惑自己是做了一夢，把女兒詳細地看了又看，就流着淚說：「龍兒，這兩天你上哪去啦？你可真急死我了！」玉嬌龍卻說：「那天颳着大風，我在車上被個強盜把我揪下去，搶我走了。在風沙裏走了很遠，我就用手打那強盜，強盜一怒把我推下了馬去，我就摔死過去了，就在沙地上躺了一夜。第二天早晨被一個放馬的哈薩克姑娘把我救了，那姑娘待我很好，她也會說咱們的話，她把我帶到她的帳篷裏，又住了一天。今天是她打聽出母親等人駐在這裏，她給我備了馬，還給我馬上帶了糧食跟水，指告了我路徑，我這才回來！」玉太太說：「哎呀！這位哈薩克姑娘可真好，明天咱們趕緊派人去謝謝她吧！」玉嬌龍擺手說：「暫時不用，我已經跟她約好，將來我們由伊犁回來時再去看她。」旁邊有小官員的家眷就說：「這一定是神佛指點，特意叫那姑娘去救小姐，不然在沙漠就是有人去救，要是個男子也不方便啊！」玉嬌龍又問：「我的老師和師娘怎麼了？他們那天沒遇着什麼驚險嗎？」她母親玉太太歎了口氣，說：「還提呢！你那老師那天也叫強盜給拉下車去，被烈馬連踢了幾下，當時還不覺怎樣，一來到這裏，他就起不來了。現在是住在外邊一個農人家裏，聽說今天他發燒得很厲害，人事不省，口中直說胡話。他催着叫我們離開這裏，他說你決丟失不了，你會一個人走到伊犁去。」玉嬌龍聽了不禁神色一變，趕緊說：「我去看看他老人家吧！」旁邊的丫鬟說：「小姐且歇一歇，換上衣服再去吧。這次出來把小姐的衣服帶得很多，可是前天晚上來到這兒，因為這兒的地方太小，車上的東西就沒全拿下來，不知怎麼會丟失了一個包裹。」玉嬌龍不等這丫鬟說完，就擺手說：「那不要緊！」因為這屋子太小，連玉太太都退了出去，叫女兒換衣服。

少時玉嬌龍就換上了新綢子的內衣褲，外罩雪青色的緞夾袍，僕婦又給她梳洗頭髮，重編辮子。屋中並已點起了燭台，丫鬟送上來紅茶、糕點，玉嬌龍卻都不去食用，她只急急地要去見她的老師高雲雁。玉太太也想着：「自七八歲時，女兒就作了高師爺的學生，如今高師爺在沙漠中遇見兇險，得了重病，也難怪女兒對他放心不下。」

當下玉太太就派了三個僕婦隨去，並叫了兩名差官，十名營兵，護送小姐去看高老師。此時，天上的雲影已然發黑，暮鴉成羣在空中飛叫，從沙漠和草原那邊吹來的晚風，是越發的寒冷了。其實高朗秋所住的那處人家，距這驛舍不過二三十步之遠，可是營兵個個持刀擁護，玉嬌龍就彷彿什麼顯官要員似的。她來到了這人家，就進了高朗秋棲住的那間小屋之內。這屋子真窄，除了炕上躺着的高朗秋，炕前坐着的高師娘，就幾乎再無隙地了。

玉嬌龍一進屋，她身後就是用草紮成的屋門，屋中又太暗，看不出來高朗秋的病容怎樣；只見高師娘霎地站起來她那高大的身軀，道：「小姐你回來了？這兩天內你一定見了不少的事，到底是徒弟比師父強，你師父只為那天被馬踢了幾下，他就爬不起來了。小姐，我們還以為你單槍匹馬跑到伊犁去了呢！」碧眼狐狸這樣高聲地說話，她身邊的高朗秋就揪住她的胳膊，連說：「悄聲，悄聲！」喘吁了幾聲，就聲音微弱地說：「嬌龍，我怕病不能起，當着你的師娘，你說實話也不要緊，我那兩卷書，你是否已抄出了副本？」玉嬌龍說：「師父且不要問這話，我先問師父，你是否名叫高朗秋？」碧眼狐狸突然抓住了玉嬌龍的手，悄聲問說：「他教了你十多年，難道他的真名字你都不知道？」此時高朗秋又呻吟着說：「我沒作過欺人枉法之事，真名字被人知道也不要緊。只是，奇怪！你是聽誰說的？」玉嬌龍悄聲對碧眼狐狸說：「請師娘暫且出屋，我要跟師父說一兩句話！」碧眼狐狸卻嘿嘿地笑着，大聲說：「哎呀真奇怪！女徒要跟老師說話，還有叫師娘躲開的嗎？」

此時屋門開了，兩個僕婦站在屋外，都說：「請小姐回去吧！不然太太又不放心，叫師爺跟師娘歇歇吧！」碧眼狐狸笑着說：「對啦，小姐請回吧！待會兒想着把那兩本書送回來就是了。」高朗秋躺着長長歎了口氣，玉嬌龍只好轉身出去。

營兵們把她保護着回到驛舍，她同她母親在一起用飯。這茶飯雖然比不得她在且末城時那一向的享用，可是比跟羅小虎在一起的那些，要強得多了，但她竟不能夠下嚥。今天，僅僅知道了高雲雁即是高朗秋，羅小虎所唱的那首歌是他編的。羅小虎的家門慘史，妹弟的下落，也都只有他知道，只有他才能幫助羅小虎，將一個草澤的英雄引上正路。可是，又偏偏有那高師娘從中作梗，不能叫自己將話對他說明。玉嬌龍手持着筷箸這樣悶想着，忽然她把筷箸放下，眼睛一瞪，心中想着：「今晚我去，先將高師娘殺死，然後對高朗秋說明，請他明天帶病到秦州村見一見小虎，以後求他給小虎謀個出身……」這時她母親玉太太卻瞪着眼睛看她，慈愛地說：「龍兒，你怎麼一點飯也不吃呀？你別淨想着這兩天的事啦。咳！這次咱們真真不應該出這趟遠門兒。」繡香也在旁說：「我給小姐熱點酒，叫小姐定定神吧！」玉嬌龍急躁着說：「不用！」又見她母親驚訝地望着她，她就勉強地噗哧一笑，說：「媽媽！我真想再回到那沙地裏去，那沙地裏真好，有馬，有人唱歌……」忽然她聽得窗外真像有人唱歌似的，她吃了一驚！趕緊側耳細聽，原來不是，是在窗外守衛的一個營兵，嘴裏哼哼着梆子腔。玉太太就叫僕婦出屋去吩咐說：「叫他們規矩點，因為小姐回來了，夜裏還得加嚴防備，要仔細防備半天雲那夥強盜再來搶劫。」玉嬌龍聽她母親口中說出了「半天雲」三個字，她就不由得臉上突然一下熱了，站起身來，背着燈燭。這時玉太太又連聲歎氣，叫繡香給小姐收拾牀鋪，請小姐歇息。這位太太並且拭了拭眼淚，向女兒說：「將來見了你父親，我也得瞞着，不能叫他知道你在沙漠裏丟失了兩天兩夜的事。雖然你也沒有什麼舛錯，但是，我究竟對不起他呀！」玉嬌龍心中又一陣難受，眼睛覺着發酸。

少時，繡香已鋪好了牀鋪，請小姐去歇息。這小屋中除了她母親，和一個僕婦一個丫鬟之外，還有五個官員的太太也在此睡覺。這許多人都在一間屋裏，玉嬌龍還沒有受過，她想起昨夜與羅小虎，那是多麼驚奇而繾綣的事呢！她輾轉尋思，忽悲忽喜。一夜，聽窗外永遠有巡更聲，人的往來腳步聲，刀鞘磨在靴子上的聲音。她雖想要偷偷起來去見師父高朗秋，但是不能夠；她又想不出這時羅小虎是在哪裏，荒涼的沙漠，廣闊的草原，可憐的他竟棲止在何處呢？……玉嬌龍又想聽聽那悲壯蒼涼的歌聲，然而聽不見了。

到了次日，一清早，玉嬌龍就見這裏的人忙亂起來，丫鬟僕婦們都急急地收拾東西，外面也是馬嘶車響，原來大家就要即時動身。玉嬌龍趕緊問他母親說：「高老師那樣的病重，他怎能隨着咱們走呢？不如我去告訴他，叫他待在這裏養病吧！」玉太太卻說：「你不用去，叫錢媽問問他吧！」於是就叫錢媽去了。待了一會兒，錢媽回來了，說：「高師娘也收拾好東西啦，她要一輛車，要送高師爺回且末城去養病。她說在這地方高師爺的病也絕養不好！」玉太太就說：「這也好，就叫張差官帶四個營兵送他夫婦回去吧！」玉嬌龍心中明白，那高師娘一定是要藉辭回去，要去搜我那兩卷書。關於書的事，玉嬌龍倒是用不着擔心，因為她看見自己的那隻裝首飾的木匣正提在繡香的手裏，連那上面的銅鎖也安然未動。高師娘就是回去，到自己早先住的房中去搜索也是白費事。只是，無論如何自己也得見高朗秋一面，並且須背着人跟他說幾句話。

於是她就向她的母親請求說：「我想再去看看我的老師，因為我昨天看見他老人家的病體十分沉重。今後我們到伊犁去，他到且末城去養病，他那麼大的年歲，就許從此與我見不着了！」玉太太面上卻現出不悅之色，說：「你也是個大姑娘了，對於老師也不可太近，何況高師爺也未必就死，他只是驚嚇得糊塗了。前天我要是聽了他的話，你回來了也找不着我們了。走吧，趕緊到克里雅城去歇息兩日，再往伊犁去吧！我看你由昨天回來到現在，彷彿精神總是不安。」玉嬌龍的心如同被她母親用針刺了一下，她便不敢再言語了。待了一會兒，差官就隔着窗子請示，問說：「是否即刻動身？」玉太太吩咐，「即刻就走！」

當下外面的車馬愈亂，玉太太帶着玉嬌龍出去，她就命女兒跟她坐在一輛車上。玉嬌龍的心裏很難過，可是面上不大敢現出愁態。她先由丫鬟攙上車去，坐在車裏；她的母親就坐在她的前面，並且放着車簾，跨車轅是一個僕婦和一個趕車的。她就聽得車聲轔轔地響，馬蹄嘚嘚地急敲着，她母女坐的這輛車也顛動着走了。她母親的身子又擋着車窗，她也不能扒着車窗向外去看。她想着這時車馬或已走到了草原，那羅小虎也許正在遠處騎着馬向他們這隊車馬張望着呢！咳，「侯門一去深似海，從此蕭郎是路人」。玉嬌龍的心裏突然想起了這兩句詩，她不禁悲傷欲絕，在她母親的身後滴下了眼淚。此時只覺車輪愈急，馬蹄愈驟，又覺風在窗外呼呼的響，玉嬌龍又盼望再颳起一場狂風，自己再趁勢逃出去，再與羅小虎相會。可是，沿路無事，至傍晚時，這一隊車馬就進了克里雅城。

克里雅城即是于闐縣，在這裏有縣官，有總鎮。如今玉領隊大臣的官眷來到這裏，本地朱總鎮趕緊請玉太太和小姐到他的衙門內宅裏面休息，朱總鎮的夫人恭謹接待。玉太太就告訴了走在沙漠遇匪之事，朱總鎮不住地告罪，自認查辦不嚴，致使官眷受驚。所以次日朱總鎮就帶領了大隊的官兵，往沙漠中去剿捕大盜半天雲的盜眾。

玉嬌龍聽了這個消息，她非常的擔心。但是在當日，她母親又覺這裏給預備的地方太狹小，不願多住，又吩咐起程。本地的朱總鎮親率官兵，保護着送到了和田縣。在和田縣又休息了一晚，次日再起程到莎車縣，由莎車縣又加派了人員保護北上。

一路風塵，越走越離着沙漠遠了，玉嬌龍時時擔心着羅小虎，不知小虎是在哪裏？也不知經過克里雅城的官兵征剿之後，他是被捕了？還是能夠僥幸脫身？玉嬌龍時時吞嚥着眼淚，但被母親監守着，僕婢擁護着，她一步也不能離開。

又行走了幾天，才來到伊犁。伊犁的將軍是一省最高級的長官，因為與她家也是親戚，所以早為她母女預備下了行館。她也在此時見着了她的母舅瑞大臣，和她的舅母于夫人了。她並且有兩位表姊，都比她的年歲略長，一個叫玉清，一個叫玉潤。

嬌龍一來到，當然表姊妹是住在一起。這裏的居住和飲食，是比玉嬌龍在家裏時還要舒適些，豪華些。而且庭中的芍藥已然開放，粉白紛披，芳香怡人。舅母又很和善，兩位表姊也都知書會畫，女紅尤為精巧。服侍她們的丫鬟僕婦也都個個馴服，只是玉嬌龍的一顆心仍時時馳往於荒沙曠野之中，她不耐煩陪伴着舅母談說家庭瑣事，聆聽閨閣的訓言；她更恨兩個表姊日夜跟她在一起，問她什麼《女四書》、《列女傳》，並弄些針線攪擾她的心。只是這裏有一隻小貓，全身是雪白的毛，只鼻梁上有一塊黑，是她舅母由北京帶來的，因為見她喜愛，就送給她了。別人都管這貓叫作「雪中送炭」，可是玉嬌龍給這個貓起了個名字，叫它「雪虎」。她時常把貓緊緊地抱在懷裏，叫着：「雪虎，雪虎！」有時不覺地就把「雪虎」叫成了「小虎」，假若此時身邊沒有人，她就不禁落下幾點眼淚。

她每天雖然必須盛裝豔容，可是從鏡裏她知道自己比以前瘦了。她的首飾匣中有四卷書，其中兩卷是很小的本子，抄得很潦草，那是她在十一歲時，她從師父高雲雁第一次外出，把木匣交給她代存之時，她就自出匠心，拿個小鐵片磨成一個鑰匙，將匣子開了，將書發現。她以兩個月的功夫將全書抄得，並訂成了容易收藏的小冊。這幾年來她背着師父，背着一切的人，在暗中刻苦地練習。還有兩卷，那就是江南鶴手錄的原本。這是當時碧眼狐狸高師娘被她師父領到且末城中的第一天，玉嬌龍就查看出來高師娘的來歷可疑，她與高雲雁必不是夫婦。所以那天夜內，玉嬌龍就到高雲雁與碧眼狐狸所住的小院去探窺；果然被她探出，碧眼狐狸是為這兩卷書而來的。玉嬌龍的心中就發生了嫉妒，她知道她師父雖然精研此書，但是她師父的膽氣太小，而且是照着唸書的方式去研究，不會活用。但這書若被一個武藝已有了根底的人得了去，一二年後，這人就將成為自己的敵人了。因此在那夜，玉嬌龍就縱火燒屋，趁勢將這兩卷原書也得到手裏。她將這正副兩種本子，永遠隨身珍藏，這次她是裝在她的一尺見方的烏木首飾匣內，交給了丫鬟繡香收着。可是來到這裏，因為兩個表姊時時在身旁，她竟連匣子也不敢打開。她的表姊們都有很多的金翠首飾，腕上的鐲子差不多是一天一換，彷彿故意向她炫示似的，可是她竟什麼也拿不出來。

那書上所繪的圖式她倒是不必時時翻閱，因她早已在心中記得嫻熟，只是這身手，若是不時常地練習，只在深閨中消磨，若再有半載，她就將成了普通女子一樣的纖弱。所以，她大膽地在深夜兩個表姊熟睡之時，她悄悄地出屋，在庭前打拳擬劍，往房上房下躥越。她住的這雖是衙署的重地，日夜都有人巡邏，可是她這樣的夜夜練習，竟沒有一個人察覺。因此她就想盜馬出城去找羅小虎，可是又難以離開她的母親。所以，她的身手、武藝，不但都沒有擱下，而且還日日進步。但是她的心永遠是十分優柔寡斷，甘願被情思煎熬，卻沒有決然一走的勇氣。

過了一個月之後，她的母舅就要攜眷離伊犁赴任去了，她們母女也應當就回且末城。可是因為天氣已至初夏，沙漠中炎熱難行，又不得不暫留此地，玉嬌龍覺得非常苦惱。

忽有一日，高師娘突然身穿重孝來到，原來高朗秋已於月前死在且末城了。這件事真給玉嬌龍一個嚴重的打擊，她當着人就哭泣起來。別人只說她感念師恩，卻不知道她是另有隱痛。因為高師娘一來到，夜間她也不敢再出去練武了。高師娘是跟僕婦們住在一起，正房裏還有兩位表小姐，她穿着孝的人是不能到這屋裏來的，所以她不能常跟玉嬌龍見面，見了面也是不能說什麼話的。

但是，有一日深夜子時以後，玉嬌龍忽覺外門房微響，有一個人進來，就伏在她的牀下。玉嬌龍伸手一摸，摸着牀下的人頭的髮髻，她就毫不驚慌，用低微的聲音向牀下說：「到外面去等我。」牀下的人似乎微微冷笑，就爬着又悄悄出屋去了。玉嬌龍也悄悄下了牀，此時屋中還睡着她兩個表姊，外間還有一個丫鬟，一個僕婦，但都不知道這屋中先後有兩個人進出。

碧眼狐狸高師娘到外面蹲在地上，一見玉嬌龍出屋來了，她就驀然站起來，走上前去，一把將玉嬌龍抓住，她冷笑着，悄聲說：「你放心，我來沒有別的事，就是你師父在死前說那兩卷書是在你的手裏，叫我來向你索要，你拿出來便沒事，不然你可……」她才說到這裏，忽覺玉嬌龍用手指向她的左肋去點，她大驚，趕緊用右手去揉，同時又翻左手向玉嬌龍去打，不料被玉嬌龍用手托住，下面一腳，碧眼狐狸就咕咚一聲坐在地上。她大怒，挺身而起；不料玉嬌龍如閃電似地趕到，向她的前腦又是一腳！碧眼狐狸閃身跑開，飛身上了房，想掀房瓦向下去打，卻不料腦門子忽然一痛，卻被射中了一枝小箭，她痛得不禁哎喲一聲。玉嬌龍卻如狸貓似地撲上房來，碧眼狐狸伸手要去點穴，更不料玉嬌龍早已抄住了她的腕子，反手一摔，身後又一腳，碧眼狐狸就「啪嚓」一聲整個身子摔在房瓦上。玉嬌龍就騎着她的身子，手按着她的雙臂，碧眼狐狸極力掙扎，卻不能夠，她就說：「我要嚷了，我嚷嚷起來，我被拿住，可也於你沒有好處。」玉嬌龍冷笑着，悄聲說：「我不怕！至多叫人知道了我會武藝，但你是個江洋大盜，我早已看出來了，只要捉住了你，翻起你的舊案，你就休想活命。」碧眼狐狸的身體有些顫抖，她就悄聲央求說：「你放了我，我就走！那兩卷書我也不跟你要了。」玉嬌龍說：「我也不能給你，今天你也可以看出了，我的武藝準比高雲雁還強上百倍！無論你怎麼抵抗，也是無用，無論你跑到哪去，我也能當時就把你捉回來。以後你就得依從我，我叫你怎樣，你就得怎樣，不許違背我的話。可是，我也不能錯待你，慢慢我還要把書中的武藝傳授給你呢，你應不應？快說！」碧眼狐狸這時忽然悲泣起來，她哽咽着說：「我應，我應！我現在本是無處容身，我當初的事都做錯了。如果小姐你肯收留我，我為什麼不願過安適的日子呢？只是你師父臨死時勸我趕緊逃去，她說你心毒手辣，必定容不下我！」玉嬌龍冷笑說：「我師父他是不曉得我，我待你如何，以後你就知道了。」當下她將碧眼狐狸放了手，她先跳下房去，回到房中安眠。

到了次日，她大表姊就說：「昨天半夜裏，我聽見房上瓦響，嚇得我用被蒙上頭，我怕是鬧賊！」玉嬌龍先是故作詫異，繼而她就笑着，搖頭說：「沒有的事，賊人無論如何大膽，也絕不敢到這兒來呀！」

當天，那碧眼狐狸高師娘就病了，用白布箍住頭，說是頭痛。玉嬌龍還特別到她屋中去看她，並說：「師父已死，師娘你也不必傷心了，你一定是因為路上勞頓，所以才頭痛。你就放心休息吧，我們怎樣待我師父，也就怎樣待你！」碧眼狐狸口中只得道謝。玉嬌龍見自己將這個兇悍的賊婆制住了，心中很是高興。原想派她藉個辭出去，找着羅小虎，傳遞一封信，以表示相思之情，勸他速謀個出身。可是又怕碧眼狐狸靠不住，倘若將自己鍾情巨盜半天雲的證據落在她的手裏，那她反倒將自己挾制住了。玉嬌龍心中猶豫不決，無論怎樣想主意，也無法得知羅小虎的近況。她實在是憂愁，時時想像着那遼遠的沙漠，暗頌着「天地冥冥降閔凶，我家兄妹太飄零」。那首殘缺不全的詩歌。她就不禁為那個身世淒涼，從困難之中長大，現在又失去了情人的少年英雄而惋惜墜淚。

又兩三個月，此時已到夏去秋來，忽然她的父親玉大人從京城回來了；玉大人在伊犁拜訪了幾位親友，便定了日期攜眷回任。到起身的那天，正是個新秋晴朗的日子。這次比來的時候聲勢可又大得多了，車約四十多輛，馬匹一百餘匹，五十名差官帶着百餘名營兵；玉大人有時坐在車上，有時也騎着馬押護。威風赫赫，直往且末城。

玉嬌龍的車上倒是只有丫鬟繡香，和繡香替她拿着的首飾匣，抱着的貓兒「雪虎」。但是這時即或再有一陣大風，可也未必敢有強盜再來打劫了，玉嬌龍也絕無辦法再乘風走去了。她如被囚在籠中的小鳥，離伊犁走了三天，就見車馬已走入了草原地帶。此時草地的草色已變為枯黃，成千上萬的牛馬嘶着西風，差官、營兵，全都振作精神走着。玉嬌龍隔着車窗聽他們互相談說道：「放心走吧！連夜走都不要緊，這次絕不能像來時那樣了；沙漠裏現在沒有強盜了，半天雲那夥人早叫官兵剿得一個也不剩了！」玉嬌龍無意聽了這話，她的心就如同被利刃扎了一下似的，暗暗悲傷地想：「怪不得半載以來聽不見羅小虎的音信，莫非他早已死了嗎？他死之前也沒得見到他的恩人高朗秋，也沒得見着我，他真是苦命！」玉嬌龍這樣地想着，就十分傷心。過了草原，又是沙漠，她又不禁想起幾個月以前，與羅小虎共臥沙上，對傾心曲，那一種纏綿難忘的情景。現在真不知羅小虎的屍骨埋在哪裏了！玉嬌龍暗暗地拭淚，繡香看出來了，就問說：「小姐，您是怎麼啦？一來到這裏，您又想起以前的事情來了吧？不要緊，這次有大人保護着，就是再遇見大風，半天雲也不敢再搶咱們來了！」又笑着說：「您抱着雪虎吧！它不願叫我抱着，直抓我，它是想小姐！」這個不解事的丫鬟，把個貓兒放在小姐的膝上，她原想藉它解開小姐的憂懼，可是沒想到小姐的眼淚反簌簌地如同小雨點兒一般都落在貓兒的雪白的毛上。此時車馬已走進了大漠的腹心，馬蹄遲重，車輪遲緩，個個人都不作聲，都不說話，沉重嚴肅地走着。玉嬌龍柔腸宛轉，自己也不知淚怎麼會這樣的多。

又走了半天，忽聽……呀！哪來的歌聲，雄壯而蒼涼，字句並很真切，唱的正是：「天地冥冥降閔凶，我家兄妹太飄零。」玉嬌龍大驚，就聽車外的人聲馬聲都嘈雜起來了，有人嚷着說：「大鬍子！一定是半天雲！」又聽她父親玉大人怒喊着說：「放箭！」只聽嗖嗖箭聲急響，玉嬌龍心頭一下一下地緊痛，她淚如泉湧，雙手按住自己的胸口。丫鬟繡香嚇得面色慘白，倒在她的身上。這時卻聽外面高昂的聲音，急急地唱着：「父遭不測母仰藥，扶孤仗義賴同宗。我家家世出四知，惟我兄妹不相知！」外面箭聲愈急，車也忽然停止住了，就聽她父親玉大人咆哮地說：「追！殺！捉不住賊人你們都不要回來！」喊聲中夾雜着緊急的箭聲，雜亂的馬蹄聲，並有歌聲忽斷忽續，顯見這人是一邊騎着馬飛奔，一邊唱出的，歌聲漸漸地遠了。

玉嬌龍把貓和繡香全都推開，她爬出車去，站在車轅上向遠處去望，就見有三四十名騎着馬的營兵，都持弓握刀向北追趕去了；那北邊極遠之處有幾匹馬，馬上的人時時回身，也似向營兵們放箭。一霎之時，那幾個賊騎就跑過了沙坡，玉嬌龍卻始終沒看見羅小虎的面貌。

這裏大隊的車輛已停住，差官營兵們都刀光閃閃地保護住了車輛，玉大人騎在紫色大馬之上，手舉寶劍，高呼：「追！」他雖是背着身，只見他花白的鬍鬚被風吹得亂動。玉嬌龍趕緊回到車裏，貓兒臥在車角裏仍然睡覺，外面一片怕人的沉寂。少時談話聲又漸漸地沸起，僕婦和丫鬟都過來掀開車輛看小姐，並安慰說：「小姐放心吧！強盜已被咱們這裏的兵給趕跑了！」玉嬌龍拭着淚搖頭說：「我倒是不怎麼怕，只是太太現在怎麼樣？」僕婦說：「太太倒也沒受着什麼驚恐。」玉嬌龍叫丫鬟給穿上鞋，僕婦攙着她下車去，到前幾輛車旁去看慰她的母親，玉太太說：「我倒沒有什麼，你沒受什麼驚嚇我就放心了。這次賊來得不多，只是四五個人，你沒聽見剛才有個賊人直唱歌嗎？」玉嬌龍拭淚搖頭說：「我沒聽見！」玉太太說：「你回車去歇息吧！待會就能把賊人捉了來，那半天雲真膽大，也不知是個什麼人。」旁邊有僕婦說：「我看見啦，那賊人是個長鬢鬍子，頭髮也挺長；跟個惡鬼似的，騎着黑馬，嘴裏唱着。」

玉嬌龍心痛得覺着站立不住，兩個僕婦又把她攙回車上去。她很擔心，就想：「如果少時官人把羅小虎捉獲送來，在車前梟首，他的血都流在沙地上，我的心將怎麼受呢？」她擔憂了多時，忽聽又是一陣雜亂的馬聲，又聽她父親震怒地喊道：「你們還都有臉回來，賊人一個也沒擒來？混帳！飯桶！」玉嬌龍這才放下了心，知道羅小虎已然逃去。她很欽佩羅小虎的英勇矯健，但是又不由得發恨，暗想：「別後半載，你依然在此為盜，你也太沒有志氣了！你這樣，我怎能和你相見呢？……」因此，她的淚又不住地流。車身又移動了，外面玉大人震怒着，罵他手下的人無用，一面罵，一面忿忿地指揮着車馬向前進。

這裏玉嬌龍經繡香勸慰，她不得不收住了眼淚，細想了半天，她的心是不怎樣難過了，只是依然懷着幽怨。這種幽怨無處去說，除非給自己一匹馬，讓自己追上羅小虎，讓自己痛快地數責他一番才行。

車馬加緊前行，越過了沙漠，找了驛站歇息，次日依然往下去走。又走了數日，便安抵了且末城。到衙前下車進內，玉嬌龍又倒覺得自己的家裏有些生疏了，有個看守房屋的僕婦說：「太太跟小姐走後，家裏倒是沒有什麼事，只是高師爺、高師娘回來了。高師爺得病死了，小姐的屋裏時時有響動，我們怕是鬧鬼，都不敢在小姐的屋裏住。」玉太太怒喝道：「不許再說！本來小姐在路上就受了很多驚嚇，如今才一回來你們就說這話，走開！」這個僕婦含着羞退出去了。玉太太就向女兒說：「你別信那話，你要不願住你那屋子，你就搬來跟我住在一處吧！」玉嬌龍就搖頭說：「我不害怕，我還要住我的那間屋。只是，每晚叫高師娘跟我作伴好了。」玉太太猶豫了一下，但想高師娘的年歲也很老了，平日人又規矩，如今她丈夫死了，她也很可憐。既然女兒喜歡她，那就叫她去，一半陪她，一半服侍也很好。她上了年紀的人總比丫鬟還靠得住，遂就答應了。

於是，晚間玉嬌龍就同碧眼狐狸住在一間屋內。玉嬌龍本來是心情愁悶，但自她與碧眼狐狸住在一起之後，每晚碧眼狐狸必要跟她說許多話；說她自己二十歲時走江湖，至今三十年來所遇的一些稀奇古怪的事情，說她自鳴得意其實是兇狠淫賤的種種行為；說高山大河、說名俠悍盜，並說她與高朗秋的關係，以及她怎樣害死了啞巴，高朗秋怎樣從她手中騙去了那兩卷奇書之事。因此玉嬌龍憑空知道了閨閣之外的許多事情，這些事情使得她驚異、羨慕，就解去了她心中一些愁悶。

碧眼狐狸的意思現在倒是沒有什麼，她在江湖飄流的年數多了，外面所結下的仇人，所作下的大案，所招惹下的那些必欲捉獲她而後甘心的各地名捕，也是太多了。現在玉嬌龍待她很好，吃喝很富足；每天除了縫縫衣服，也沒有什麼事幹，無論上下全都尊稱她為「高師娘」。她倒是很知足，很安分。只是時時防備萬一被人發現了她是碧眼狐狸，官人來捕，或是江南鶴來為她師兄報仇之時，到時她還要設計逃走，並想逃的時候還要帶走玉嬌龍，以作她的膀臂。所以她除了用江湖上的新奇事情，作盜賊的種種瀟灑，引誘玉嬌龍之外，並對玉嬌龍極為恭順，玉嬌龍吩咐她怎樣作，她就怎樣去作，絕不違背。

玉嬌龍是一面監視着她，一面又籠絡她，原想利用她到沙漠中，找羅小虎為自己傳信，但是自己總對這碧眼狐狸還是不能放心，總不敢把羅小虎之事向她公開說明。不覺又過了幾個月，此時天已嚴冬，郊外草木盡枯，野獸無法藏匿了，正是打獵的時候。此時又值邊疆平靖，衙中無事，玉大人幾乎每日要到郊外去打獵。他打獵時很是威風，至少要有二十名差官隨行，帶着鷹、犬、弓箭、火藥槍等等。每天出去必能獵到許多狐狸、兔子、獐子等等，有時一高興也叫玉嬌龍隨行。玉嬌龍總要帶着丫鬟繡香和高師娘，但是她對於打獵雖感興趣，可是自己從來沒動過手。她那現在已練得百發百中的珍珠箭，本來不用鷹犬就可以捉狐射兔，但是她絕對不顯露。在她父親的面前，她只做出活潑、天真、膽小的樣子；她父親只知道女兒的騎術不錯，可是不知道女兒還有一身超人的武藝，更沒想到隨着女兒的那個高師娘原是個江洋大盜。

有一天，玉嬌龍隨她的父親又在郊外打獵，她看見放出去的盤旋於空際的飛雕，頗歎息自己的武藝無處施用。又看見那撒出去的鷹犬，猛勇絕倫，又不禁地憐惜，想遙處沙漠中的那個人，那條勇猛強壯的漢子，俊美多情的男子，飄零不幸的人，現在不知他是怎麼樣了，因此又不禁一陣傷心。此時天色陰沉，似有雪意，時間也不早了。但是玉大人因為今天得到的野物太少，他跟那些藏匿起來的野物賭上了氣，他決定不回去，非打不可。但又想女兒如進城晚了也不大好，所以就派了兩名差官，先護送小姐進城。小姐玉嬌龍是騎着一匹赤兔馬，這匹馬人都知道是個哈薩克的姑娘送給她的，但只有她自己才曉得這匹馬的可悲傷可戀慕的來歷。她頭上戴着貂皮女帽，身披紅緞大斗篷，薄底的繡花坤鞋蹬着黃銅鐙；手戴着貂皮手套，提着皮鞭，握着轠繩。高師娘跟繡香都坐在騾車裏，繡香說：「小姐您上車來吧！您拿暖爐來暖暖手腳吧！」高師娘也說：「要不，小姐您上車來，讓我也學着騎騎馬！」玉嬌龍搖頭，微笑說：「我是最不喜歡坐車。」

兩個差官一個在前，一個在後，玉嬌龍的馬傍着車走。騾子、馬，口中都吐着白氣，天是很寒，而且越來越陰沉，雪花已紛紛落下來了。

走到將進城門之時，碧眼狐狸忽從車裏伸出頭來，向南指着說：「那邊就是你老師的墳墓，那墳前不是有一座新立的碑嗎？是你師父沒死的時候託付衙門陳文案，陳文案上月才把那碑給他做好，才立上的。」玉嬌龍知道師父的墳上新立了一座碑，聽說上面有碑文。她前些日子就想要去看看，如今她父親又沒同行，她遂吩咐車馬站住，說：「你們且等一等，我去看看我師父的墳，立時就回來。」她遂催馬跑了過去，不一會兒就跑到了墳前，只見墳上的蒿草未刈，新碑屹然。她下了馬，於細微的雪花飄飄之下，看見碑的上面刻着是篆文「綏江高先生雲雁之墓」。背後是楷字，刻的是：

嗟而高雲雁綏江一儒生
胸懷秋月朗身世羽毛輕
爾曾讀經史文章早有名
亦曾發韜略邊疆樹奇功
攜劍遊南北長揖傲公卿
肝膽交良友仗義拯孤伶
布衣五十載死葬且末城

雖死有遺憾人間猶不平
尚有侯門女雛鳳作鶵聲
更有楊小虎恩仇未分明

……

玉嬌龍才讀到這裏，就十分驚訝，因為雪已越下越大，天已越來越黑，後面的字還多，她也不能向下去看。她只想將那「尚有侯門女」五個字鏟去，但她此時身邊又沒有刀劍，只得恨恨地上馬，趕上了車輛，進城回到衙內。

這時她的心中十分悶悶不樂，想着：「師父高雲雁實在不明白自己，他以為我也是碧眼狐狸那樣的人，並且以為我將來比碧眼狐狸更能作出什麼惡事，他真是想錯了，或只是因為他對我私抄書籍，以及縱火燒房深為銜恨，所以臨死還氣憤不出，還作了詩，託人刻在碑上，來罵我勸我。他真是書生的度量，太狹窄了，太小器了。只是小虎，原來他是姓楊，怪不得他唱的那首歌有什麼『我家家世出四知』的話，真奇怪！這高老師既叫小虎恩仇分明，可又不早告訴他實話，歌詞又作得那麼含混不清，是什麼意思呢？真是書生的行為。無怪他讀了數十年書，學了數十年的武藝，不能做一點官，也不能當個俠客；並且連碧眼狐狸也制服不了，真是個酸書生，無用的人！」

玉嬌龍對她師父輕視着，並且有些憤恨，但她並未對碧眼狐狸露出一點意思，碧眼狐狸悄悄問她，說：「小姐你沒看見那碑上刻的是些什麼字嗎？」玉嬌龍笑着說：「看見了，是他自己作的一首詩，誇他的本領才學如何之大！」碧眼狐狸也恨恨地說：「那書呆子只會作詩，會騙人，早先那兩本書若不被他騙去，現在我得多麼……」玉嬌龍微笑說：「你手中就是有那兩本書，你必也學不會。書上的圖畫雖明白，但沒有細心的領會，巧妙的運用，也是不行的。你就別再掛念着那兩卷書了。你也老了，即使再教給你，你也學不會了，你就安心跟着我，反正只要有我庇護你，什麼事你也不要怕，少時我要出去一趟。」碧眼狐狸急問說：「小姐你要出去作什麼？」玉嬌龍笑說：「因為我師父墳前新立的那座石碑上有幾個字，我要把它削去！」碧眼狐狸說：「過兩天路過那裏再把它削去吧！何必深夜又去一次？隔着一道城！」玉嬌龍說：「隔着兩道城也攔擋不住我，因為那碑上有一句罵我的話，我不即時削去，我不放心，並且還有罵你的話。」碧眼狐狸氣憤地說：「他罵我什麼？他病了那些日，不多虧我服侍？我又不是他的真老婆，他也不是我的漢子！」玉嬌龍說：「他罵我是梟鳥，罵你是淫狐！」碧眼狐狸說：「我去把他那座碑劈了！」玉嬌龍擺手將她攔住，說：「你去把碑劈了，陳文案還能把碑重刻，因為他們生前是莫逆之交。再說那碑文除了兩句是暗中罵我們之外，其餘的話都是與我們無干。少時我去，只把那兩句話削下來就是，過後別人見了也不會怎麼留心。」玉嬌龍就叫碧眼狐狸給她預備下火鐮、火石，並囑咐碧眼狐狸好好看守屋子。

到了深夜，玉嬌龍命碧眼狐狸到外面看看雪住了沒有，碧眼狐狸說：「雪正下得大，小姐你還是不要去吧！我們久幹綠林的有兩句話，是『走黑不走月，走雨不走雪』，無論身子多麼輕，在雪上沒有不留腳跡的。」玉嬌龍卻笑着說：「我不聽你，雪越大我才越喜歡出去。」她遂就換上了雙白絨襪子，身穿白絨衣褲，背後插着雙劍。帶上火鐮、火石，頭用白紗布蒙上，在衣裳上再披了一件銀狐小皮襖，她全身上下盡是白色，真跟她那隻愛貓「雪虎」是一樣。碧眼狐狸將房門啟了一道縫，玉嬌龍就側身出去，碧眼狐狸只見眼前的白影一閃，玉嬌龍小姐就沒有了蹤影。

此時且末城整個籠罩在黑沉沉的夜色中，白茫茫的大雪裏，風停夜靜。市街上沒有一點還能活動的東西，城垣上的官兵卻巡邏得很嚴，然而攔擋不了玉嬌龍。一霎時這位小姐就到了城外，她在雪地上如同一隻白貓似地就躥到了高朗秋的墳墓之前。她蹲着身，先取出火鐮和火石，打着了火絨，就一手拭去碑上掛着的雪，一手執火去照這碑陰的字跡。因為風雖不大，但雪落得仍緊，她的火連打了四次卻滅了三回。在這荒郊曠野，大雪寒夜，墳前碑後，只有微微的火光明明滅滅。玉嬌龍將全篇碑文讀過後，不禁微微一笑。因為她師父高朗秋自作此墓文的用意有二：一是勸戒玉嬌龍，不可恃才作惡，應當效才女班昭、孝女木蘭，紅線聶隱娘亦非不可為，不過須出於俠義。並暗示那兩卷奇書，最好是燒毀，切莫落於惡人的手內。此外便是囑告楊小虎，倘若將來楊小虎能來到此地，讀此碑文，須知冢中人即汝父好友。因為二十年未晤，不知汝成了如何的人；但須速尋汝弟汝妹，彼等住汝州俠楊公久之家。至於仇人係一姓賀之人，問我胞兄高茂春必知詳細情形。全文盡用淺近的詩句，共約二百餘言，但意思極為隱晦，非詳讀細思不能知其用意。玉嬌龍才明白這是高朗秋臨死前的兩件憾事，所以他才囑友留在碑上，為將來使她和羅小虎來看。玉嬌龍便從背後抽出寶劍來，一手揮劍，一手執火，將文中與她有關的二十幾個字盡皆削去。

此時大雪紛紛，火光搖搖，寶劍閃閃削在青石碑上，只聽克克地響。忽然玉嬌龍覺得有人自後面將她的腰抱住，玉嬌龍吃驚一下，回身掄劍；身後的人卻撒開了手，跳到墳後藏着去了，發出嘿嘿的男子的笑聲。玉嬌龍一挺身躥上墳頭，掄劍向墳後趴着的一個穿黑衣服的人就砍，劍光如閃電似地落下。那人卻用手中的短刀橫迎，「鏘」的一聲，玉嬌龍的寶劍卻被斬成兩段。玉嬌龍大驚，跳下墳來問聲：「你是誰？」這人也直起身來，身材雄偉，哈哈笑着走近前來，說：「嬌龍，別怕，我是小虎。我來此五天了，看見了你兩次，可是我不敢上前招呼你。前天夜間我也到衙門裏去了一回，可是我不知你住在哪間屋裏。快有一年了，我時時想你，嬌龍，跟我走，找個地方我們談談心吧！」這半天雲隨說隨走過來，伸手就要拉玉嬌龍的胳膊，不料玉嬌龍驀然一抬臂，將羅小虎手提的寶刀擊落在雪地上。她又拳揚腳起，兩三下就把個壯漢半天雲打倒在雪地之上。

打過之後，玉嬌龍忽然地痛哭了起來，她說：「我為什麼要隨你去呢？你，你沒有志氣沒信義的人，在沙漠之中我跟你是怎樣說的？怎樣叫你去改過，去進取，去謀出身？你也怎樣答應得我？不想這一年來你仍在沙漠中作強盜！上次還敢追我的車，現在還敢來到這裏！你，你快走開！」羅小虎由雪地上爬起，拾起刀來，卻不敢再近前跟玉嬌龍說什麼了，只站在距離五步之遠，沉重地歎氣。

玉嬌龍抽噎了一陣，反倒走過去，拉住他的胳膊，溫柔地勸慰說：「你也別難過，你得知道，一年來我比你還難過得多。我時時思念你，時時地流淚，我也知道你謀出身也不是容易的事；可是你也應當先改一改盜性，離開那沙漠。你至今還作着賊，你想我怎能和你在一塊兒？我是名門的小姐，我雖會些武藝，但我並不同一般江湖女子可比；我絕不能離開我的父親，去長久與匪人厮混。你要想娶我，你非謀出身非做官不可！你明白不明白？你不要傷心，你去吧！反正我永遠等着你！」羅小虎點點頭，一句話也不說，轉身就走。玉嬌龍卻又把他拉住，指着身旁的碑墓說：「你來看！這座墳就是你那恩人高朗秋的墳墓。他有自題的碑文，上面說他臨死時還關懷着你，只是你們已有二十年未見了，他無處去找你。他還說你原本姓楊，你的兄弟妹妹都被什麼汝州俠楊公久擄去。你的仇人姓賀，須問汝南府高茂春，他是你恩人的胞兄，他必可以知道你的詳細的身世。現在高茂春恐年已甚老，楊公久和那姓賀的仇人，都許已不在人世，你那妹妹弟弟都已一定長得很大了。你不用為我，就為你家的恩仇，為尋你的弟妹，你也不可以再為盜賊！在那沙漠裏你永遠也不能見人！」說到這裏，她詳細地看着羅小虎的臉龐，藉着雪光還能隱隱看出，他的臉上倒是又刮去了鬍鬚，只是似乎比早先削瘦得多了。他緊鎖着雙眉，滿面愁悶之態。玉嬌龍又溫柔地安慰他，婉轉地勸勉他，羅小虎就點點頭，說：「我都知道了，我走了，咱們再見吧！」說着他把玉嬌龍的手輕輕推開，他就轉身踏着雪走去，他的雄偉的身影漸漸為雪色隱蔽住了。

玉嬌龍在這裏戀戀難捨地站立，她覺得兩隻手已凍僵，雪已落滿了她的全身，羅小虎已不知走往何處去了。她這才從雪中將斷劍找着，離開了這裏，潛行飛躍，回到城裏衙中。

一回到屋裏，碧眼狐狸就將燈點起，看見了她手中的斷劍，又看見她臉上的淚痕，就不禁驚訝，悄聲問說：「小姐，你剛才遇見了什麼人？」玉嬌龍搖頭，不叫她多問，遂就藏起斷劍，將衣服脫下，交給碧眼狐狸，她卻上牀掩被睡去。碧眼狐狸把小姐衣服上的雪全都掃落，然後收起。她驚訝地看着玉嬌龍，見玉嬌龍用緞被蒙着頭，似乎並沒睡着，是在那裏哭了。碧眼狐狸心中猜疑又雜着驚懼，她暗想：剛才她在城外莫非遇見了什麼武藝高強的人？是江南鶴？或是那啞巴的一派的人？她凜懼地關嚴了門，吹滅了燈。此時衙門更鼓已交四下，窗外的雪如風沙吹起似的那麼蕭蕭地響。

次日，雨仍未住，碧眼狐狸特意到院中去查看，見雪上一點痕跡也沒有。原來玉嬌龍昨夜在雪地上踏下的足跡，早被新雪給掩蓋住了。碧眼狐狸對玉嬌龍越發畏服，但玉嬌龍卻從此愈少歡樂。

時光荏苒，轉瞬嚴冬已過，新春又來。玉嬌龍除了有時隨她父親騎着馬到郊外去遊玩，稍為開心之外；便整日在閨中習字作畫，晚間仍然練習武技與弩箭。她練武必在深夜，並不避諱碧眼狐狸。所以碧眼狐狸的武藝也較前略好些，因為她從玉嬌龍學了一些拳劍招數，她也很感謝玉嬌龍，她更不想離開這裏了。玉嬌龍終日以筆墨丹青消遣她這青春的韶光，除了貓兒可使她稍解煩悶之外，並沒有一個人能夠來安慰她。羅小虎是毫無音信，關於半天雲的消息也一點聽不見。

不覺春轉成夏，夏又轉成了秋；庭草由青變綠，由綠又變黃，燕子飛來又飛去了。這日是重陽節以後，忽然有位哈薩克的姑娘到衙門來拜見玉小姐，衙中的人記得去年小姐在沙漠中失蹤之時，多虧有位哈薩克姑娘援救，所以趕緊通報到內宅。

玉太太立時命僕婦給請進來，這位哈薩克的姑娘美霞，頭梳雙辮，臉上搽着脂粉，除了腳下穿着兩隻皮靴，穿的衣裳也跟旗人的女子差不多。她是騎着馬來的，由馬上拿下來的除了寶劍一口，並有兩塊馬肉脯。劍就是玉小姐在沙漠中丟失的那口「斷月」，馬肉脯是她帶來的禮物。她隨着僕婦一進了內宅，玉太太跟玉小姐都由屋中迎出來，讓到客室中，丫鬟們敬茶，擺點心；玉太太就表示謝意，說：「我的女兒去年在沙漠中遇見盜賊，多虧姑娘救了她，臨走時姑娘還送給她一匹馬。我們早就要去給姑娘道謝，只是想那草地的地方太大了，恐怕找不着。」美霞聽了，卻有點發怔，答不上話來，玉嬌龍在旁邊趕緊說別的話，然後拉着美霞到她屋中去玩。

原來美霞此次來，是另負使命，到了玉嬌龍的屋中，她就從懷中掏出來一封摺疊不成樣子的信。玉嬌龍趕緊使眼色將高師娘和繡香支出屋去，她拆開了信，就見裏面只有一張信紙，密密地寫道：「嬌龍賢妻妝次：別後又將一載，深為思念。我現在依你之言，去奔前程，現在做買賣，買賣很發財。因為我想發了財之後才能做官，做官不難，至多再有一年，我就能高車大馬，冠帶見汝。到時必以花轎娶你，叫別人都說你的夫婿是英雄。今託美霞姑娘傳信，請你放心，並送上弩箭二十支，是我做的，請你收下可也。書不盡言，他日再見！小虎頓首。」玉嬌龍看了這封信，她的臉上不禁地發熱，又要笑，心中卻又有一種隱痛。美霞卻從靴筒中掏出一把短小的弩箭，玉嬌龍趕緊接過來，連信藏起。她把美霞拉到牀頭，與她並肩坐下，她就低聲問說：「你知道他現在是做什麼買賣嗎？」美霞說：「他是販馬，現在他很闊了！」玉嬌龍聽了，心中稍稍安慰，又悄聲兒說：「我也不給他寫回信了，將來你若再見了他，就說是我告訴他的，叫他改個名姓吧！他本來是姓楊，再說以後難免有人知道羅小虎即是……」美霞說：「你放心，他現在已不做強盜了，那夥人全散了。再說除了有些官人恨他，我們放牛馬的人並不恨他，他在沙漠裏這幾年，沒搶過我們什麼東西！」玉嬌龍點點頭，又說：「你還告訴他，也不可專做買賣，還必須趕緊求個出身，不然，我怎能……」

正說到這裏，忽然有個僕婦進來，說：「太太說，這位姑娘既是遠路來的，就請小姐留這位姑娘在這兒多住幾天。」玉嬌龍向美霞問說：「你能在我們這裏多玩幾天嗎？」美霞說：「我隨便玩，我一個人時常到各處去，半年不回家，家裏也沒有人找我。」玉嬌龍又因此想到了自己，自己有一身武藝，何處不可去？但只能在閨中度這煩悶的生活。自己的心又是太軟了，總是不願離開年老的母親。

由此，這哈薩克的姑娘就留住在這裏，每天玉嬌龍要帶着她出城去玩，二人都騎着馬，只帶兩個丫鬟，四名或六名營兵。玉大人和玉太太對她們也不干涉，秋原野草，駿馬西風，二人時常賽馬或射鳥打兔。在衙中，玉嬌龍就跟美霞學哈薩克的語言，玉嬌龍心中的愁緒漸漸解開。美霞居此也留連忘返，她一直住到年底，方才回去。她走後，玉嬌龍又感覺寂寞了，又時時刻刻想念着羅小虎。

過了年，玉嬌龍已然十八歲，她的容貌越發出落得美麗了，武藝也日益精深，那碧眼狐狸跟她的感情更密更厚。只是羅小虎卻消息杳然，哈薩克的姑娘美霞也沒有再來。

是年秋間，她父親玉大人忽奉欽命調任京都九門提督正堂，這個消息一傳來，衙內外全都喜歡，許多官員官眷都來賀喜。玉太太也很高興回北京；因為在京城有許多親友，不至像在這裏這樣寂寞，而且九門提督正堂的權位又比現在大。下人們更都是歡天喜地，都想回京城去逛逛，連碧眼狐狸高師娘都笑了，她私向玉嬌龍說：「天下的地方我都去過，只是沒到過京城，現在可遂了我的願啦！」惟有小姐玉嬌龍卻為此事發愁了兩三天。因為她想：自己一到了京城，就越離着羅小虎遠了，他在這裏的消息自己更無法得到了。並且到京城之後，自己就愈益尊貴。在這裏，羅小虎只要做個小武職，還可以冒昧求親；一到京城，他得到什麼爵位才能向一位正堂的小姐攀親呀！再說京城的親友眾，少年的顯貴多，自己年已十八，難道沒有別人來求親嗎？她十分的憂慮，倒願意朝廷忽然收回成命，可是行期已卜定了。

這天，許多的官員來恭送，營兵們擊鼓奏樂，商民們爭獻萬民衣，萬民傘，光榮顯赫的大隊車馬就離開了且末城。依然取西路先赴伊犁，然後再轉道晉京。因此又須穿過沙漠，沙漠中雖然風沙滾滾，可是沒看見半天雲那夥盜賊；過了沙漠是草原，玉嬌龍在此也沒遇見那哈薩克姑娘，她心中惆悵帶着悲哀。到了伊犁，她父親玉大人又向本地將軍拜辭，將軍和大小官員又來送禮、餞別，她的舅父瑞大人、舅母于夫人，表姊玉清、玉潤也都趕來相送，因此在這裏停留了五天。玉嬌龍天天幫助母親應酬這些女眷，她覺得十分疲乏而且煩惱。

好容易盼得動身了，但行走了數日到了迪化省城，玉大人在此又需駐師拜客。玉嬌龍跟母親帶着僕婦丫鬟，是住在一個很大的官舍之中。這裏有花園，花園中秋柳蕭疏，寒蟬聒噪，園中有樓，樓外就是一條長巷，巷中也有幾家舖戶，不少的人家。

來此的第二天，晚飯之後，因為在房中覺着煩悶，玉嬌龍就帶着高師娘和丫鬟繡香上樓來眺望。這官舍本歸迪化撫台所管，撫台每遇花月佳辰，時常招延本城的一些文官、紳士、名流，登此樓來飲宴賦詩，所以這樓上有一塊橫匾，題名「綠霞樓」。樓上陳設也相當款式，壁上的字畫詩文也不少。玉嬌龍就略看了看，然後推開後窗，只見樓外巷中人來人往，並有狗跑着，車走着。玉嬌龍就笑着說：「這樓蓋得可不大好，一邊是太雅了，一邊又太俗了！」碧眼狐狸問說：「北京宅裏也有這樣的樓嗎？」繡香在旁說：「沒有，我小時在北京宅裏住過兩年，知道宅裏沒有樓。可是院子又深又大，也有一座花園，那園裏沒有柳樹，可是有很多棵海棠樹，還有芍藥。

一到春天，海棠開過芍藥就開，好看極了，比這兒可好！」碧眼狐狸說：「小姐，咱們回到北京宅裏，可要找臨近花園的屋子，咱們住。」玉嬌龍並沒理她。

此時夕陽斜照在小巷裏，家家炊煙散出，都是正在做晚飯了，所以往來的人也漸少。忽見由左首來了一匹馬，這馬是全身紅色，鞍韉很新，嘚嘚的走來。馬上是一個身穿藍緞子夾袍，青團龍緞子的馬褂，頭戴鑲金邊的緞帽的人，似是一位官員，身材雄偉，在馬上揚着頭。玉嬌龍一看，她就神色立變，趕緊退身回首，身子緊張得有些顫抖。她向碧眼狐狸和繡香說：「你們都先下樓去！」她說話是命令的口氣。繡香還發着怔，碧眼狐狸卻拉着她說：「咱們下樓等着小姐去吧！」她拉着繡香往樓梯下走去，還沒走下，忽聽樓外有人扯開嗓子高聲唱道：「天地冥冥……」玉嬌龍又推開樓窗，向樓下厲聲喝斥一聲，外面歌聲止住了。玉嬌龍氣得身子發抖，向樓下瞪了一眼，見羅小虎正騎在馬上揚首向樓上笑，街中還有往來的人呢！玉嬌龍趕緊又退回身來，她暗暗歎氣。忽然一回首見一張几上放着墨盒和筆架，並有一疊紙張，她趕緊走過去，見紙上已有厚厚的一層塵土，她抽出一張，見印着是「綠霞樓詩箋」；墨盒因蓋得緊，裏面的墨棉倒是沒乾，她急匆匆地持筆蘸墨向信箋上寫：「君來此何意？速走去！他日若得意，可正大光明至京去見我父，勿再作此鼠竊。我為君憔悴甚矣，君乃不諒！男兒何竟如此無志氣？將相本無種，男兒當自強。為君為我，均宜奮翼直飛，今暫別，勿悲傷！相見之期不遠，惟在君為也！」寫畢，團了團，便摔下髮辮上的金簪，刺透信箋，隔窗投於樓下，只見羅小虎在馬上伸手接住，他笑了笑。玉嬌龍趕緊回身，心裏真恨。聽見樓下的馬蹄聲，她又趴着樓窗向下去瞧，見羅小虎健馬雄威，已走出了這條長巷。玉嬌龍心裏又有些依戀，回身到几前，收了筆紙，她不禁呆呆地發怔，心中想：小虎必是真不作強盜了，不然他如何敢到迪化城中來呢？他一定是知道我將離開新疆，所以才不知由什麼地方趕到這裏來與我相別，但他又太冒失了。

此時碧眼狐狸又一人上了樓，她向玉嬌龍做出來一種惡笑，說：「小姐，我知道了，原來半天雲……」玉嬌龍不語，轉身下樓。碧眼狐狸在前，一邊向下走，一邊還回頭，還是那麼惡笑着，悄聲說：「從今起，你得把書讓我看看了！」玉嬌龍驀然一腳，正踹在碧眼狐狸的腰上。就像把一個重的東西給整個扔下樓去似的，「咕咚」的一聲，正在院中揉柳絲的繡香嚇得轉身說：「哎呀！高師娘你怎麼啦？」碧眼狐狸已挺身而起，瞪起了兩隻兇眼，可是玉嬌龍已然下了樓，作為是攙扶她似地揪住了她的胳膊。碧眼狐狸的紫色的臉突然變為蒼白，玉嬌龍就笑問道：「師娘你老了，上下樓應當小心！」她手指用力，正揑的是已經被她給挫開的碧眼狐狸的骨節，碧眼狐狸痛得頭上滾下豆子般大的汗珠，說：「可不是，我真老了！好小姐！」玉嬌龍又用手一托她的胳膊，「格崩」一聲，骨節才合上了。碧眼狐狸一撇嘴，但是這才緩過氣來。玉嬌龍叫繡香過來攙扶高師娘，這才一同出園回到內院。

從此，碧眼狐狸對玉嬌龍更加畏懼，可是玉嬌龍待她卻比以前更好，繡香那聰明的丫鬟卻從這次起，就覺出她們的小姐有些奇怪！可是她不敢問，也不問，並且故意不去留心她小姐的行為。

在迪化城住了四天，又起程東去。玉嬌龍仍怕羅小虎在暗中尾隨，她時時地提着心，可是過哈蜜城、出猩猩峽、進嘉峪關、走祁連山、渡黃河、經蘭州、過長安、穿風陵渡、穿晉省，路上走了兩個月，在秋色滿城之下抵達北京，沿途閱盡了千山萬水，玉嬌龍自覺襟懷一暢。可是把個羅小虎已拋在萬里之外，她又有些悲哀。

到了本宅中，這裏庭園寬廣，起居食用較在邊疆時益為豪貴。她因有綠霞樓上的那件事，就不願再與碧眼狐狸同屋居住，所以她自己擇定了西房作她的香閨，命丫鬟繡香和吟絮住在套間。這裏是格外寬敞，而且有個後窗，窗外通着那向少人跡的花園，她每夜習武非常的方便。因為她父親就了新任，公事較在新疆時更忙得多了；她母親又終日與戚友應酬，所以她也比昔日更多些自由。

京城的富麗，生活的尊貴，也使她對於羅小虎不甚懸繫。京城中顯貴極多，彼此都往來甚密，喜慶慰弔之事幾乎每天都有，玉嬌龍的富麗、雍容、華貴，就立時壓倒了京城一切的名門婦女。同時，她的兩位胞兄和嫂嫂姪兒也都進京省親，家庭團聚，並解去了她不少的憂悶。她的兩位胞兄一名寶恩，一名寶澤，全是在京城長大的。後來都中了舉，做了官。一在安徽，一在四川，現任都是四品府台。嫂嫂也全是名門之女，姪子們都已很大了。十餘年來，因為父母和幼妹都在新疆，路途遙遠，他們很少去省視；只是有時候玉大人進京時，他們趕到京城去叩見。玉嬌龍只記得五六歲時隨父母在京，她的兩個胞兄同在一個月之內娶了嫂嫂；喜事辦得很是熱鬧，那是給她印象很深的一件事。

她的兄嫂在京住了約有半月，就又分別回任去了。玉嬌龍又覺着庭院雖大，但人口稀少，她又感到有些寂寞。得到她母親的同意，她就時常出去遊玩，與她往還密切的有許多名門女眷，但比較近的反倒是那落魄的小旗官德嘯峯之妻德大奶奶。這有幾種原因：第一，兩家本來是老親，而且玉大人最佩服德嘯峯之為人；認為他慷慨好義，而且幾年前德嘯峯所打的那場冤枉官司，玉大人非常不平。所以德嘯峯充配新疆之時，雖然他只到了伊犁，並沒到且末城，可是玉大人趕緊就派人去照應他。第二，德嘯峯現在雖然沒做官，但家道還很殷實，而且此時朝中的顯要鐵小貝勒，與他最稱莫逆。所以仍然有許多富貴人家與他往來，不以為辱。第三，德嘯峯過去在京城的名頭太大了，「鐵掌德五爺」，南北城的光棍地痞無人不知，無人不稱他是好朋友，尤其都曉得德嘯峯交結過李慕白，京城中的人都把李慕白的事跡神化了。都知此人有萬夫不當之勇，偷星換月之能。尤其是俞秀蓮，十六七歲的姑娘雙刀震京城，匹馬闖南北，天下更找不出第二個來，而俞秀蓮就跟德家人是一家人一樣。加以現在北方的名鏢頭神槍楊健堂、京城俠公子邱廣超，都是德嘯峯的好友。「一朵蓮花」劉泰保又時常在街上吹，說他認得德五爺，常到德五爺家中串門。所以，這幾年德嘯峯雖然整天在家中讀書習字不常出門，可是昔日的名氣絲毫未減。第四，德大奶奶最善交際，她丈夫從新疆赦還時，說是在新疆時多承玉大人照顧，並聽說玉大人有一女公子，貌美年輕，能書善畫，時常隨她父親騎馬打獵。德大奶奶腦裏就早存着印象，所以如今玉嬌龍一來到北京，她就極力聯絡；她並沒有什麼用意，不過她最喜歡女子可又有點男子脾氣的人。第五，玉嬌龍除了喜歡德大奶奶的為人暢快之外，並存着一種深心，因為德家現仍不斷與江湖人往返。名鏢頭、大俠客，只要初到北京，時常先去拜訪德嘯峯；並聽說李慕白、俞秀蓮仍與德嘯峯秘密往還，尤其德家的兒媳婦楊麗芳，最使玉嬌龍留意。因為在玉嬌龍所認識的這些人的家裏，簡直沒有娶漢人的姑娘作兒媳的。楊麗芳那放不大的腳，旗裝，這樣的媳婦在北京也沒有第二個比她美麗。她每逢三六九必隨同丈夫向名師楊健堂學槍，更是少見。因此許多親友都在暗地裏笑話，說德家簡直是胡鬧，也不知哪弄來個姑娘就算是他們的兒媳了！並且成天練武，難道將來還要叫兒媳出去賣藝嗎？

玉嬌龍卻從邱廣超之妻的談話中得到了楊小姑娘的來歷，才知道她叫楊麗芳，本是永定門外賣花老人楊姓的孫女。姊妹二人，因為她祖父被殺，姊姊被賊人搶走，那時俞秀蓮正在北京，她就仗義不平，先把楊麗芳安置在德家，免得孤苦無依，然後俞秀蓮又往外省去了一趟。聽說替楊家把仇也報了，並把楊小姑娘的姊姊也嫁到外縣什麼財主的家裏作妾，楊麗芳也就由俞秀蓮為媒做了德家的媳婦了。這邱大奶奶對楊麗芳的家世來歷不過略略曉得，但玉嬌龍聽了，卻非常地驚訝！想到羅小虎唱的「我名曰虎弟曰豹，尚有英芳是女兒」。她雖沒聽說楊豹現在何處，也沒得機會問問楊麗芳的姊姊是否叫什麼英，可是她很懷疑楊麗芳就是羅小虎之妹，因為楊麗芳的眉目之間就有幾分頗似羅小虎。

有此種種原因，所以玉嬌龍與德家來往得很密，只是楊麗芳比她低一輩，玉嬌龍有許多話不好意思向她問。再說當着德大奶奶，玉嬌龍也不能淨跟一個做兒媳婦的談話，並知道打探人家家庭悽慘的歷史也是很不對的。何況她也一定不知道她還有個姓羅的胞兄，她那胞兄現在是做什麼，自己跟她那胞兄又是什麼關係，簡直都不能說呀！但是玉嬌龍對楊麗芳卻很親近，而且只要一看見了楊麗芳，就不禁想起在遙遠之處的一個人，心中就不禁有些悲痛。

京城地大人多，藏龍臥虎，碧眼狐狸一來到這裏彷彿心就慌了。她常出門，名目上是到德勝門外一座小廟去燒香，其實她什麼地方全去。她也存不住話，回宅裏便對玉嬌龍談說，不是今天哪家鏢店比武，就是哪宅又出了飛賊作了大案，哪路的英雄要來了，某名拳師又新收了徒弟。把她在街上假裝老太婆所聽來的市井新聞，全都津津有味地秘密告訴了玉嬌龍，因此玉嬌龍也不禁技癢。那天她去看楊麗芳練武，她雖然裝着膽小，彷彿真拿不起槍來的樣子，但是那天幸虧她見楊麗芳的武技幼稚，不足一笑，否則她真許忍不住要跟楊麗芳比一比呢！

此時碧眼狐狸居心叵測，時常深夜私自外出。玉嬌龍暗中問她，她只是笑着說：「我得把北京城的地方都認熟了，得找幾個幫手。因為京城的人雜，倘若將來有人認出我來，我得想法子走。」玉嬌龍也在閨中安不下心去，她就叫碧眼狐狸秘密給她做了幾身男子的衣裳，有時不到二更她的屋中就熄了燈，其實她並沒在房中睡覺，她是趁着夜色鑽出後窗越牆出去了。

碧眼狐狸在京城有三個窩處；一是德勝門外的一家小店，替她養着一匹馬。一是前門外西河沿一個姓魏的家裏，這人是碧眼狐狸早先手下的嘍囉，現在鏢店作個小夥計。一是小乞丐長蟲小二，也是碧眼狐狸用錢買下的。有許多小乞丐可間接供她驅使，長蟲小二有個情人，叫醜丫兒，是個撿煤核的姑娘，住在一個極窮極僻靜的地方。這幾處，玉嬌龍都跟隨着碧眼狐狸去過。他們倒都知道她是個大姑娘，可是只知她是碧眼狐狸的徒弟，並不曉得她是提督正堂的小姐。碧眼狐狸在京城這樣招朋引類，似乎是別有用心。玉嬌龍猜着她是叫那些大府第給迷住了，又犯她的盜性，大概她是想着將來作幾件大案，偷許多珍寶，就離開京城。玉嬌龍暗笑着，想暫時利用她，不揭穿她的私心；但玉嬌龍自信絕不能叫碧眼狐狸得手，要叫她永遠作自己的奴僕。至於她自己跟碧眼狐狸作這盜賊似的行為，她倒並不是想做什麼壞事，只是覺得在閨中太悶，晚間出去玩玩也很開心。

二更天以後，僻靜的小茶間裏時常發現一個穿着青大褂，瓜皮帽永遠不摘，永遠坐在背燈光的地方，聽一些閑漢胡說亂笑，他卻永遠不招呼人的少年。南城花街柳巷之中有幾個名妓也接到一個闊少，這闊少是個「小白臉兒」，好像是個大姑娘似的，又像是個唱小旦的，可是這闊少只打個茶圍便不再來。德勝門外土城附近的住戶也時常聽見半夜三更之後，有人在外面跑馬，但沒有人對這件事太留心。她們的行動極為詭秘，宅內宅外均無人知曉。可是有一日，忽然宅門前來了個賣藝的父女，父親是要流星，女兒是走軟繩。宅裏的男女僕都出去看了一看，都說那女兒的軟繩走得極好，長的模樣也不難看。玉嬌龍出門站立在高坡上看了一會兒，她就覺得奇異，特意把那走軟繩的姑娘叫了過來，問了幾句話，還賞了幾兩銀子，回到宅中，她不禁悶悶沉思。

就在這天夜裏，玉嬌龍沒再出去，可是碧眼狐狸偷偷地到她屋中，哀懇着求助，並說：「那賣藝的人名叫蔡九，是甘肅會寧縣的捕頭，武藝極為高強，辦案尤為厲害。六年前我在會寧縣作過幾條命案，也是為報仇才作的，就為蔡九和他的妻子所迫，幾乎被擒。幸仗着早先跟那啞巴學過幾手點穴，才把蔡九點傷，將蔡九的妻子殺死逃走。這幾年我不敢出頭，也是為怕他，因為他的飛鏢太厲害。現在他又帶來個女兒，來到北京在宅前賣藝，一定是為我而來，他們已經探出我是藏在這裏了！」玉嬌龍聽了這話，也很吃驚，但又氣憤。因為碧眼狐狸若是被捕，連自己的隱事都許鬧穿，所以她就答應幫助碧眼狐狸與蔡九父女決鬥，並叫碧眼狐狸不要害怕。

過了兩日，這天就是鐵小貝勒的壽辰，她隨着母親前去拜壽。雖然受了許多僕婦小姐的豔羨，但她精神很是不安，她記着蔡九父女在宅門前賣藝之事，所以沒等到坐席用宴，她就催着她母親帶着她回家去了。不料晚間她父親回來，急匆匆地又尋找「劍譜」，劍譜現在玉嬌龍正閱着，她父親可不知道，她將劍譜交出，她父親還說：「你一個女孩子，看這可有什麼用？」遂又說：「剛才鐵貝勒將他家藏的一口寶劍拿出來給我看，那口劍確能削銅斷鐵，比咱們家裏的那吞霜、斷月兩口劍好過萬分！尺寸長約二尺九分，寬一寸多，護手長約一寸，寬約二寸六分，厚約七分，兩耳每耳長約一寸五，……鋼作深青色，七星之中第三顆特別顯明，你替我詳細查一查，此劍究竟是何名稱，明天我好去回復鐵小貝勒！」玉嬌龍聽她父親當作一件緊要事情似地，這樣地說着。她手中簌簌地翻着書頁，心中怦怦亂動，因為想起羅小虎曾有一口寶刀。那次雪夜在高朗秋的墳前，自己手中的劍曾為他的寶刀所斬斷，若沒有一口超過眾人的兵刃，徒有一身超過眾人的武藝，也是無用。現在自己為碧眼狐狸的那件事已成騎虎難下，不定幾時事情就鬧穿了，自己就在家中居住不下了，就必須走！走到江湖上若沒有一口鋒利的兵刃可怎成？當下她由書中查出那口劍必是「青冥」，告訴了她的父親，她父親又把書就近燈光看了半天，也點頭說：「大概不錯，這書上也說是青冥劍，劍身的七星迴異凡劍，一定就是它了！把這書明天我送給鐵貝勒看去！」玉嬌龍的心中卻決定了要取這口青冥劍，她並沒對碧眼狐狸說。

深夜，她就獨自離宅獨往鐵貝勒府。她到了鐵府裏，許多屋子裏的人還都沒睡，她如一隻狸貓似的無聲地走着，到各屋前隔窗竊聽。卻聽有一間屋中，有個小廝正跟同伴說話，說：「劉泰保今天弄了個大沒趣，他在西下黑摸咕咚地等了半天，一心要看爺的那口寶劍；可是得祿大叔一點面子也不講，說什麼也不讓他看，氣得他直罵……」玉嬌龍就按着院落的形式找到了書房，擰鎖進去，取了那口青冥劍。不料這時劉泰保也要想盜取這件東西，窗外的劉泰保覺察屋中有人了，他沒敢直撞進去，他跑到房上去掀瓦，去發威風。就在這時，玉嬌龍就像一股風兒似地，早已出屋上房，而且已轉到了劉泰保的身後。劉泰保剛一道出字號，玉嬌龍就一腳抬起，把劉泰保踹下房去，她走了。

第二天，碧眼狐狸由外面得來鐵府失劍的消息才背着人向她笑，並要看看寶劍，玉嬌龍卻冷笑着，說：「你若必要看劍，那我就在你看完之後，遂即割下你的頭來，去交給蔡九。」碧眼狐狸嚇得一變色，玉嬌龍拂手令她走開。玉嬌龍得了青冥劍，試了試，果然削鋼斷鐵，不同凡器，她就收藏在她睡覺的木榻之下。這木榻是不能挪動的，前面有隔扇，榻下藏着什麼東西，別人決看不出來，並且她在裏邊安設着伏弩，除了她之外，誰要是啟開那榻上的一塊浮板，弩箭就能把誰的眼睛射瞎。她囑咐繡香、吟絮鋪牀時要輕輕的，只許動被褥，不許動榻板，她並明告訴了碧眼狐狸，說：「高師娘，我臥室中無論什麼東西，你可也不要私動！要動了，你眼睛瞎了，或是咽喉破了，可別怨我！」這話她彷彿湊趣似地說着，可是碧眼狐狸真是什麼也不敢伸手去摸了，連屋中的椅子她都不敢坐。因為她知道玉嬌龍說什麼便能幹出什麼，高朗秋說她是一條「毒龍」，碧眼狐狸始終沒忘。玉嬌龍的木榻中不但藏着「青冥」，還藏着「九華劍拳全書」，和她的夜行衣及男子衣帽等物。至於她的小弩弓，是永遠藏在首飾匣內。她得了這口寶劍之後，本來可以心滿意足了，但她卻不禁由寶劍想起了寶刀，由寶刀又想起了羅小虎，就不禁一陣難過。

當日，聽說那賣藝的父女又到門口兒來，碧眼狐狸嚇得躲到玉嬌龍的屋中，她的身子有些發顫，同時緊緊地咬牙。玉嬌龍卻安嫻鎮靜地在几上練她的大字，她寫的是八分體的隸書，臨的帖是「漢曹全碑」，她寫的幾乎與原帖一個樣子。再把筆力運得渾厚些，就簡直與她們前庭掛的那幅對聯上的筆跡無異。當下她忽然停下了筆，看見了自己寫的這字，不由一陣發恨！恨的是常到她家中來，最得她父親歡心的那個魯君佩。魯君佩是位探花郎，現任翰林院編修，他的書法、文章、詩賦都很好，可是他的面貌可厭，言談庸俗，行為也太卑劣。自己來京已經四個月，隱隱聽得親友中來做媒的不少，別的人不中自己父親的意，難以成為事實，惟獨這魯君佩，確實是自己婚姻上的一個磨難，命運上的一個障礙。萬一父親作主把自己許配了魯君佩，過些日，羅小虎再得意而來，那自己應如何呢？她憂慮着，心中又萌了離開一切攜劍遠走的念頭。

這時忽然繡香又進來，這個丫鬟今天的態度也很驚懼，她悄悄向玉嬌龍說：「剛才大人回來了，從來沒有今兒這樣煩惱急躁的，跟太太都幾乎吵起來！小姐，您快過去看看吧！」玉嬌龍驚訝着問說：「為什麼事呀？」繡香說：「聽說是什麼宅裏丟失了一口寶劍，原主倒不願深究了，可是咱宅裏的大人氣得不得了，說是若不拿獲盜劍的賊正法就辭官，太太說大人是自己找着不省心，大人就急了！」玉嬌龍趕緊到她母親的屋中，見她父親已然走去了，她要問又不敢問，只找了幾句別的閑話說了，稍稍解開了她母親的愁顏，仍然回到自己的屋中。心裏猶豫了一日，本想離家遠走，作一件驚人的事。但又想：「那樣一來，父親也一定不能做官了，母親還不得為思念我而死嗎？再說，江湖上的顛沛困苦，我真能受嗎？走後再想回家來當小姐享福，那可就不能夠了！所以知道自己不能顯出形跡，不能離家。」至晚間她就寫了一封信，作出一種俠客的口吻，感謝鐵小貝勒不欲深究之情，並請鐵小貝勒轉囑玉正堂勿再為此事徒勞。信寫完了，她又覺着後半篇容易叫人猜出自己與玉正堂有關，並能表示出來自己的畏懼，或許因此弄巧成拙，所以又撕去了半篇，就將這半張信箋封好。夜深時她又潛離宅院，尋着長蟲小二，命將這信交到鐵貝勒府。回來之後，心中很痛快，因為她這封信寫的是隸字，筆跡故意摹仿魯君佩，即或鐵小貝勒忽然發威，要按照筆跡去捉盜劍之人，那很好，就叫父親把她寵信的探花郎拿下吧！

又過了一日，這時那蔡九父女因把碧眼狐狸逼得太急，碧眼狐狸就與他們約定當晚在德勝門外土城決戰，她來求玉嬌龍屆時幫忙。玉嬌龍本來不願再出門惹事了，可是這時她對碧眼狐狸感到些顧慮；因為自己鍾情半天雲羅小虎和最近盜劍之事，兩件隱私全都在碧眼狐狸的心裏。如若拒絕了她這請求，她就許翻了臉！翻了臉自己不怕，自己可以殺她，但那必要鬧得事情不可收拾。所以玉嬌龍心中一盤算，就爽直地答應她了。

到黃昏時，她令碧眼狐狸先去，隨後她假借如廁，暗攜寶劍，離了家宅，在城牆僻靜之處，爬到城外。到德勝門那家小店裏，換上青衣，取了馬，飛奔土城，正趕得碧眼狐狸為蔡九、蔡湘妹、劉泰保三人所圍，堪堪就要力盡就捕。玉嬌龍上前揮劍解救，並接過來飛鏢打回，以至蔡九負傷慘死，她將碧眼狐狸救走。令碧眼狐狸騎馬自去回那小店匿居，她於昏昏的夜色之下即時就回到了城裏。前後她去了共二十分鐘，回到閨閣中依然人不知鬼不覺，抱着貓兒玩。

但是第二天，碧眼狐狸來高興地報告，說是九城轟動了巨案，蔡班頭昨夜中鏢死在京城了。她非常地驚訝後悔，想自己這是作的什麼事呀？那蔡姑娘她是多麼可憐呀！再說蔡姑娘若不離開此地，案子早晚要發的。所以她趕緊命碧眼狐狸出去餂長蟲小二探出蔡湘妹住的那間店房，夜晚她就去了。雖有劉泰保趴在房上守夜，可是玉嬌龍的身輕如燕，舉動如閃電那般快。第一夜她在蔡湘妹的枕畔放下了白銀，第二夜又到劉泰保、蔡湘妹隱匿的另一個店房裏留柬，催促他們離京。第三夜劉泰保、蔡湘妹搬到得祿家裏去了，她也得了報告，夜間又去恫嚇。

她本想殺死那二人，但一來怕把事情再鬧大，二來她覺着湘妹可憐，不忍下手。可是不料第四天，大白天的，劉泰保帶着蔡湘妹來到她家的宅門前走軟繩，一頓大罵，從此北京城的人都知道巨盜碧眼狐狸師徒是藏在她的家裏。玉嬌龍憤恨、恐懼，又悲傷，因為她的父母從這天起也是日日愁眉不展，同時彷彿她與魯君佩的婚嫁也一天一天地將要成為事實了。他羅小虎依舊是音信杳然，外面的劉泰保又日益進逼，謠言喧動，她就想隱忍，斂跡，避難似地終日不出閨門。可是她又查出碧眼狐狸高師娘仍然在外獨自行動，頭一回不知她是在哪裏受了鏢傷，第二回這真是她家中的一件翻天覆地之事，忽然深夜中碧眼狐狸負傷逃歸。她趕緊去救，不料在花園中她遇見了一位手使雙刀武藝高強的人，她雖用寶劍斬斷了敵人的一口刀，但敵人越殺越勇！此時家中的守夜僕人和官人已趕到了花園，她只得鑽進了後窗，回到屋中，敵人也驚走了。可是高師娘的屍身已發現在園中，一口被寶劍削斷的刀也扔在地下。由此她父親玉大人才知外面的謠言確是事實，本宅中確實藏着賊人，藏着寶劍和贓物。就把高師娘秘密地抬出去埋了，因怕家人把此事洩露到外面去，對於誰是高師娘的徒弟反倒不深究了。玉大人既引疚自責，又怕將來之禍，所以他稱病辭官。

玉嬌龍憂心如焚，正無辦法，忽然聽德大奶奶又請她去赴宴，她就暗暗拿定了主意，想今天見着楊麗芳，自己設法跟她說上幾句私話，向她細細詢問她的家中歷史。如果她確實是羅小虎之妹，那自己就把高朗秋和羅小虎之事告訴她，叫她去找楊豹再去訪問羅小虎的下落。至於自己，如目前的事情逼迫太急，那就顧不得許多了，只好就離開家走吧！誰料事情出了意外，她一到了德家，就遇見了俞秀蓮，她才知道昨夜殺死碧眼狐狸，鋼刀被自己寶劍斬折的，那強硬的對敵原來就是這位久聞其名的俠女。玉嬌龍益為凜懼，可是見俞秀蓮並無意揭穿她的隱私，只是拿話刺激刺激，又用手段試一試，掐幾下，擰幾下，她全都忍受了。她倒很欽佩俞秀蓮，當日沒得機會跟楊麗芳細談，可是也用不着細談了。

回到宅中，她料到今夜俞秀蓮必來，所以她燃燈等待着。果然，深夜之間，俞秀蓮就前來索劍。她表示自己今後斂跡，請俞秀蓮勿再逼迫，並應允明日親將寶劍送回鐵府。俞秀蓮走了，她卻也隨之走出，立時到鐵貝勒府中將青冥劍交回在原處，又至德嘯峯家見了俞秀蓮，兩人坐在房上談了半天心。俞秀蓮勸她別再這樣胡鬧，說：「京城比不得別的地方，你是位小姐，你也比不得我，如果人家知道玉小姐是個飛賊，你父母一定都得氣死，你那兩位哥哥的官也就都不能做了！」她點點頭表示懺悔。回家後，次日就派人到德家送禮，聞知俞秀蓮已走，她就放了心。想事情已經完了，寶劍交還，碧眼狐狸已死，俞秀蓮雖已探出自己的事情，可是她為人慷慨寬容，必不能對別人去說。

玉嬌龍經過了此番教訓，本想從此洗心改面，安分在家中作個小姐，專等候羅小虎做了官來此求親。可是忽然一夜又鬧賊，她施放冷箭把賊人擒住，想不到又是蔡湘妹。蔡湘妹把她的父親大罵，並說要去喊御狀，幸虧她母親賢明，才把事情按住了，未致擴大。她又親自見了蔡湘妹，溫慰、朦哄，把蔡湘妹弄得綿軟了，她派人用車將蔡湘妹送回。心中很是平靜，覺得一切事情都已完了，所有的爭鬥俱已解開了，她就稱疾裝病度過了這慘淡的新年。雖然她父親氣病了，母親也病了，加以那個魯君佩又時時來活動，恨不得立時就要作她家裏乘龍快婿才好！魯太太並把個雙龍玉佩給她，說是壓驚鎮邪，其實已隱隱有下聘之意，她明白。但這些憂愁苦悶，她認為都很容易解除，只是，上元節的這天晚上，她隨着母親觀燈歸來，忽由人叢中施放出來一支小箭，正正射在她新改裝的兩把頭上，她真驚訝了！

過了幾日夜內，忽然羅小虎又鑽窗進來見她。她見她這個相待三年，一心所屬的情人，仍然是「鼠竊」一般地來了，仍然腰插短刀，舉止粗鄙，仍然是那強盜半天雲，仍然沒有出身，沒做官。她真沒有希望了，她不由得悲傷欲絕，哭泣了一整夜。

次日，她就藉辭說：「我怕屋裏的那個窗戶，因為高師娘就死在那裏，我想不到她原來是賊，我夜裏睡不着。」於是她將《九華全書》、夜行衣褲、及男子的衣帽、小弩箭，都嚴密地鎖在一隻鐵箱之內，囑繡香好好保管，她就搬到她母親的屋中，藉以躲避羅小虎再來纏她。此時她真恨羅小虎，並且恨自己當初行為不檢，她真病了！同時，她心中幾乎發生一種反感，倒情願下嫁於翰林魯君佩，作一個庸愚的媳婦，以消除自己內心的苦痛，而酬答補報父母養育之恩！

第七回　門外悵蕭郎歌哭拚醉　巷中追豔婦兄妹成仇

幾日之後，這天是正月二十九，北京人說：「節也過了，年也跑了。」這月是「小建」，明天二月初一，後天就「龍抬頭」了。花園大院住的那位劉太太蔡湘妹，雖然拖着一隻被箭射傷的腿，可是痛痛快快，高高興興、風風光光的，過了這個新年與燈節。

她跟得祿的老太太、德祿嫂，她跟李家的二嫂子，張家的三嬸子，馬家大姑娘，連鬥了二十多天的「梭胡」，贏了好些錢，比她走軟繩賣藝掙的錢還多。同時她的當家的一朵蓮花劉泰保在外面賭錢也贏了不少，她真快樂，買了「胖小孩子摸魚」的年畫貼在屋裏。她希望今年自己生這一個肥頭大耳的胖小孩子，她也不想搬家了。而且得祿的老太太現在跟她很好，還要認她作乾女兒呢！

可是這一天，——這天的前一天晚上，她丈夫劉泰保瞧着她的腿完全好利落了，現在要給她一條軟繩，她照舊能跳「八仙慶壽」；遂就說：「我說，喂！咱們明兒該幹正經的啦，明天買點禮，先到鼓樓西看看玉小姐去。年前她不是說以後你可以常常到她宅裏去玩嗎？那咱們就索性藉此拉攏拉攏她。我也不是想巴結玉宅，好在提督衙門找差事，那一箭之仇，咱們也可以不報。只是，爸爸死在土城的事咱們可別忘啦！跟她宅裏走熟活了，先打探打探碧眼狐狸的底細，那小狐狸到底是誰？自然，就是小狐狸跟咱們走個頭碰頭，咱們也是犯不上動手自討苦吃。可是，鬥雖鬥不了他，我劉泰保還會用智賺。萬一這寶押對啦，小狐狸落了網，咱們去年丟的那些臉掙回來是真的！你說怎麼樣？明天你辛苦一趟，把小狐狸捉住了，咱們威鎮九城，你看那時候得有多少鏢店請我去幫忙？得有多少宅門請我去教拳？等到五月節，叫你穿繡花裙子；櫻桃、桑葚、粽子，咱們成筐整簍地買！」蔡湘妹說：「你當是我跟了你淨圖吃穿啦，得啦，別說啦，明兒我去就是啦！你當是只有你記着，我把我爸爸死的事情就忘啦？」她拿新綢子的手絹蘸蘸眼淚。

次日，二十九，上午劉泰保就到街上買來了禮物，是兩斤福壽餅、一蒲包兒龍井茶葉、一簍福橘、半斤蜜棗。下午，蔡湘妹搽好了脂粉，梳了一個巧妙的盤龍髻，戴上鮮紅的綾絹花，鍍金首飾；換上了花邊紅緞襖，下邊是紅緞繡着金鳳凰的小弓鞋；手上戴着一串鍍金的戒指，胸坎下掛着一條紅綢手絹，還有個平金的紅緞荷包。對鏡端詳，麻煩了多半天。劉泰保從街上挑了一輛新車雇來，他拿着四樣禮物，蔡湘妹裊裊娜娜地走出了街門。街坊的馬家大姑娘正在門口買花樣兒，她瞧見湘妹就羨慕地笑着問說：「劉二嫂子您出門兒去呀？」蔡湘妹說：「可不是！我到鼓樓西瞧瞧玉宅三小姐去。」劉泰保說：「快上車吧！」湘妹蹬着車凳兒上了車，劉泰保也跨上車轅，車簾不放下，車夫收起了板凳兒，就趕着騾子走了。不多時就走到了鼓樓，劉泰保就跳下車去，說：「我在這兒等你，你一個人去吧！見了她……」蔡湘妹說：「你就別囑咐我啦！」車輛往西去了。

到了玉宅的高坡兒前，蔡湘妹就叫車停住，她下了車，手提着四件禮物，裊娜地走上了高坡。玉宅的大門洞裏現在正坐着四個僕人，其中的一個一眼就看見了蔡湘妹，就驚慌慌向他的同伴說：「來了！那走軟繩的小腳娘兒們可又來了！糟糕，她還提着禮物。」於是四個僕人一齊屁股離開了長板凳，都直着眼看蔡湘妹這豔麗的衣服。蔡湘妹走到近前，拿着點兒架子說：「你們給回一聲兒，我姓劉，住在花園大院，我是來看望看望這裏的太太和小姐！」說着，邁動了蓮足就進了大門檻，把禮物要交給僕人，僕人都不敢伸手去接。一個僕人就恭恭敬敬地說：「劉太太，您先在這兒等一等，我們進去問一聲，因為宅裏太太和小姐全都病着。」蔡湘妹驚訝地說：「全都病啦？我更得趕緊進去看看啦！」僕人又把她攔住，說：「您先在這兒等一等吧，我們太太跟小姐因為病，許多日子沒見客啦！我們先進去回稟一聲，然後再請劉太太！」說着，一個僕人趕緊轉身跑到裏院。

蔡湘妹把幾件禮物放在大板凳上，她就娉婷地站着，跟這裏的三個僕人閑談天。三個僕人全部恭恭敬敬地回答，可是同時都用眼溜看蔡湘妹，都有點神魂兒飄飄然地。這時裏邊出來了兩個僕婦和大丫鬟繡香，她們見了蔡湘妹，一齊請安。繡香過來說：「因為太太小姐都受驚得了病，房中供着神，所以來了客全都不能接見。小姐知道劉太太來了，還帶來禮物，就吩咐我們說：『謝謝劉太太了，禮物實在不敢受。』劉太太是坐車來的嗎？要沒坐車，我們這派人給您送回去。過些日，小姐的病好了，一定到府上看您去！」蔡湘妹怔了一怔，做出不高興地樣子說：「你們看，我大老遠的來了！」繡香說：「實在是屋中供着神，不能在屋中讓堂客，因為燈節那天，太太帶着小姐出去看燈，回來天晚了，街上的匪徒又鬧出了點兒亂子，所以娘兒倆全都病了，過了這些日子了。據大夫說，是受了點兒驚邪。」蔡湘妹發着怔，喘了口氣說：「那麼人叫我見不着，禮物也不收了？我這兒禮物可也太薄，這不過為表一表我的心，因為太太小姐都待我不錯。上次要不是小姐親口對我說過，叫我以後有功夫找她來談閑話兒，這回我可不敢來。我早知道，像我這樣兒的不配登上這高門大府！」繡香趕緊說：「那倒不是！前幾天我們小姐還問呢，說：『那位劉太太沒來嗎？腿上受的那一箭也不知好了沒有？』倒是很掛念着你的。現在真是因為病，昨天邱宅裏來的少奶奶也沒見着！」蔡湘妹咬着嘴唇，半天才說：「我也不能硬闖進去，帶來的這禮物我可不能再帶回去啦！你們告訴小姐，別混疑惑我。今天我是誠意來瞧太太小姐，一點別的事兒也沒有，也不是黃鼠狼給雞拜年，沒存着好心！」僕婦都笑着說：「劉太太您這是哪兒的話，禮物你既不能帶走，那麼我們就大膽替宅裏收下，回頭再稟報太太小姐吧！」繡香卻用眼瞪着兩個僕婦。蔡湘妹沒法子，無論怎樣她今天也見不着玉嬌龍了，她只好轉身，嘴裏還叨唸着說：「我真想不到，今兒我會白來一趟！」兩個僕婦把她送到大門外，都抱歉地說：「真對不起劉太太！等我們小姐病好了，大概她一定去瞧您！」

蔡湘妹也不言語，裊娜着身子走下高坡，那趕車的趕緊預備下小板凳，蔡湘妹蹬着板凳兒上車了。高坡上站着兩個僕婦都說：「劉太太，謝謝您啦！」蔡湘妹說：「你們告訴小姐，過幾天我再來瞧她！」說着，一低頭要進車，卻見南邊離着車不遠站着一個人。

這人長得極為魁梧英俊，年有二十餘歲，穿着青緞大夾襖，黑絨坎肩，頭戴一頂鑲金邊兒小帽，這人穿得很闊，兩隻眼可帶着些賊氣，不住地瞧她的頭，望她的腳。蔡湘妹就恨恨地隔着紗窗向外罵道：「兔子眼睛，瞧什麼？沒見過你家祖奶奶？」外面那人聽見了，可是並沒言語。

蔡湘妹自己放下車簾，叫趕車的快些走，可是那人依然跟着，並向趕車的問道：「車裏的嫂子娘家姓什麼？」蔡湘妹氣得趴着窗向外大罵說：「兔羔子！你管得着我姓什麼嗎？還問我娘家，兔羔子，瞎了眼！」車窗外的人也生了氣，怒聲說：「你這婆娘別罵人，老爺問你是抬舉你，是喜歡你！」蔡湘妹氣得說：「混蛋！」掀開車簾叫趕車的停住，那人卻冷笑了一聲，嘴裏還嘟囔着罵着，就走開了。

這時劉泰保趕緊地跑過來，見她媳婦抄着趕車的鞭子要下車去打人，他就攔住，問說：「是怎麼回事？」蔡湘妹指着說：「是那人，那兔羔子，他調戲我，他還問我娘家姓什麼，你說氣人不氣人！」劉泰保瞪了那人的背影一下，趕車的人笑着說：「那也許是個瘋子，劉二爺跟太太就別跟他一般見識了！」劉泰保又向他媳婦問說：「你見着玉嬌龍了沒有？」蔡湘妹說：「沒見着麼，玉太太跟玉小姐都病着，不見客。說了半天他們才收下咱們的禮，一下玉宅的高坡就遇見了這兔小子。」

劉泰保把媳婦勸得進在車裏，叫趕車的快些把車趕走，他卻氣忿忿追上那人。只見那人大踏步走到鼓樓前，原來這道旁有個黑腦袋臉上有兩塊刀傷的小伙子，正牽着一匹榴紅色的大馬和一匹青馬，在那裏等着這人。這魁梧的少年接過來鞭子上了紅馬，回過頭來看了一看，劉泰保就上前忿忿地問說：「朋友，你先別跑，剛才你跟我媳婦問的是些什麼話？」這人微微地笑說：「我看她頭兒腳兒不難看，才問問她……」劉泰保當時氣得拍着胸脯，說：「小子！你來到北京也得睜睜眼，一朵蓮花劉二爺的女眷你敢調戲？……小子！」一聳身要向馬上抓這人，不想沒有抓住，這人盪馬走開了。身後那臉上有刀傷的小子騎着青馬掠過，順手一皮鞭正抽在劉泰保的脖子上。劉泰保大罵，跑着去追，那兩人卻一齊哈哈大笑，催着馬向南跑去了。劉泰保本想今年得出出風頭爭爭臉，沒想到第一次上街，媳婦就受了調戲；他又吃了這個虧，他真氣瘋了，頓腳大罵，說：「好小子，反正你們兩人當天逃不出北京城，今天我要搜不着你們的窩處，不鬥鬥你們，太爺就不叫一朵蓮花！」

這時街上有許多人都擁了過來，劉泰保站在人叢中拍胸脯、道字號。忽然有個人上前來，拉着劉泰保的胳膊說：「劉二爺！我這兒有頭小驢，借給你騎，你快追趕那兩匹馬去好不好？」劉泰保一看，這是本地的流氓名叫花脖陶九，遂就說：「好！快牽來！」花脖陶九跑了去牽驢，這裏劉泰保又氣忿地說：「只要追着那兩個小子，劉太爺決不能饒他們！這些日我因為在家裏過年，不願惹閑氣，現在可就說不得啦！不但我們要鬥鬥這兩人，還得把去年的老賬算一算。諸位知道碧眼狐狸的事嗎？碧眼狐狸是被兄弟給剪除了，可是那小狐狸依然藏匿在京師，兄弟早晚要把它捉住，牽給諸位看看，是什麼模樣！」說着又低聲努嘴說：「我劉泰保若不是顧忌着玉正堂的面子，也早就把那檔子案子破了！」

圍着的人一聽到劉泰保又拉扯上了玉正堂，就有的懼禍躲開，有的向劉泰保使眼色，好意地悄悄囑咐劉泰保說：「劉二爺您在街上說話留點神，不然鬧出點什麼事，合不着！」劉泰保卻微笑，搖頭說：「不要緊，玉大人跟我有交情，剛才我給他送去的禮他全都收下啦！」這時花脖陶九把一頭草驢牽來，並悄聲向劉泰保說：「剛才我又聽人說啦，那戴金邊小帽的傢伙這幾天時常地在玉宅大門前轉；那臉上有刀疤的人就在鼓樓前牽着兩匹馬等着他，彷彿是等着玉宅的什麼人出來似的。說不定就與那狐狸案子……」劉泰保趕緊擺手，說：「老兄弟請你守嚴密些！我要不是看出這一點來，我也用不着跟那兩個小子賭這口氣，兄弟！再見！」說着劉泰保騎上了驢，向眾人一拱手，揮鞭嘚嘚地走去。

其實這時那兩匹馬早已去遠了，但劉泰保也根本沒有想要追上，他一直到了煤市街全興鏢店。此時他表兄神槍楊健堂是回延慶家中探望去了，劉泰保一到這裏更是隨隨便便，他就找着瞪眼薛八、歪頭彭九、花牛兒李成、跛腳金剛高勇，和那年前受傷現在還沒有十分好的鐵駱駝梁七，他把剛才的事情說了，然後就說：「這人是年有二十六七歲，身材與五爪鷹孫大哥差不多，可是腰軀挺拔，長得模樣不壞，比咱們哥幾個都漂亮。鬍子剃得很乾淨，身穿青緞大夾襖、青絨坎肩，頭戴青緞小帽，可鑲着金邊兒，彷彿是故意擺闊似的。不過他那匹深紅色的大伊犁馬，在咱們這兒倒是少見，也許他是由別處來的。他說話有點河南味，不知諸位近日在客棧和各鏢店裏看見過這麼個眼生的人沒有？」瞪眼薛八等人尋思了半天，都說：「沒大留神這個人！」跛腳金剛高勇就說：「戴金邊小帽的人現在不多，只要找着他那頂帽子就找着那個人了。」花牛兒李成說：「他這樣闊的人不能不逛堂子，今兒晚上我們到八大胡同串一串，也許能找着他。可是，萬一找錯了也是糟糕。頂好劉二爺你在嫂夫人跟前請兩天假，每晚跟着我們在南城串一串，也許能找着這個人。為辦正經事，嫂夫人也不應罵你荒唐。」劉泰保笑了一笑，說：「我先進城去一趟，真得向我媳婦請個假，然後我才能夠出來在南城住五天，不探出那小子的來歷不進城！」於是大家笑了笑，又說了一會閑話，劉泰保就走了。他不但回家去告訴蔡湘妹，並到東西城和北城都託囑了朋友為他打聽頭戴金邊小帽的人。晚間，他就換上一身闊衣裳到南城，去與花牛兒李成等人到八大胡同妓院聚集之所去尋訪那個人。

這時八大胡同裏非常熱鬧，最有名的是韓家寶華班，聽說數年前名俠李慕白困頓京門之時，常來這裏逛遊。這裏有個名妓翠纖與李慕白有過一檔子豔事，至今還有許多人能說得出來。寶華班之外尚有金鳳班、玉香班、紅林院、綺夢樓等等，都是藏香蓄粉，麗人雲集。每晚一般富賈豪商，來此走馬尋樂。不過清朝有例，凡是現任官職的人，一概不許涉足花叢；可是一般作吏的，職位雖小，掙的錢可多，他們出入此間卻沒有避忌。

這些日，名妓院中就出來了一位「大爺」，此人衣飾闊綽，有時還穿着官靴，似乎是什麼衙門中的師爺，又像是哪處王府的大管事的，簡直花錢如流水一般，任何人也沒有他闊。只是他沒有常性，在玉香班認識個姑娘，談上幾句話，他又往對門的紅林院；由紅林院出來，他又許到玉香班，他見了他剛才挑的那個姑娘他就裝作不認識，打算另挑。這在妓院裏按規矩說是決辦不到，可是他太肯花錢，又太不講理，有時妓院的夥計也就設法通融通融，不願鬧出事來。好在這人打茶圍從來不耽誤時間，他只跟妓女談上幾句話就走，他真正是「走馬看花」。有時出了頭等班子又許入三等下處，所以這人是近日花叢中的一怪人。

一朵蓮花劉泰保，花牛兒李成等人，假充嫖客來到胡同裏尋訪，頭一日聽說有這個怪人，第二天就被他們遇着了。遇着的地點是在胭脂胡同，堂名叫作「綺夢樓」。劉泰保分明看見那人走進去了，他也拉着花牛兒李成、瞪眼薛八、歪頭彭九往裏走去。這三個鏢頭雖也都是花叢中魔王，八大胡同裏的混混兒，但他們一向逛的只是些下等的娼寮。這綺夢樓的門口油飾得很新，牆上的磚都雕着花鳥；兩旁門燈，照如白晝，門前停着幾輛簇新的大鞍車，出入的人全是綢緞裏到底。他們這四個人除了劉泰保身穿青洋縐大棉襖，腰繫繡花汗巾，還夠點樣兒；其餘這三個，個個都是短打扮，衣服連釦子也沒有，只用一條帶子繫住，所為的是脫了衣服打架方便。花牛兒李成一臉鼻煙，瞪眼薛八是不怕瞪眼，而且永遠撇着嘴。歪頭彭九的那腦袋實在難看，四下剃得精光，蒼蠅爬上都得滑下來，當中可留着有麻繩兒一樣的一條小辮，紅頭繩上拴着一個小銅錢。他們也知道他們不配進「班子」，然而禁不住劉泰保往裏拉，並說：「怕什麼？你們哥兒們都是老江湖，什麼地方沒去過？難道這花錢的地方都不敢去了嗎？」花牛兒李成紅着臉說：「不好意思，咱們這身打扮不襯！」劉泰保揚眉吐氣地說：「有什麼不襯？有錢就襯！咱們來此是為辦案，若等你們回去換換打扮，賊早就跑了！」他隨說着，隨往門去走。門裏的毛夥見他們的打扮跟氣色就有點兒特別，一聽他們說什麼來此為是辦案，可又有點驚懼。

當下劉泰保大大方方地吩咐瞪眼薛八在院中巡風，他挑選了名叫春鶯的妓女，帶着李成彭九進屋去喝茶。這春鶯姑娘的房中雖都是些榆木擦漆的器具，但擺設得極為華麗，雪白的沉香牀跟月亮那般明亮的梳妝鏡，歪頭彭九簡直不敢往鏡中去看他自己的那根小辮。春鶯姑娘倒是毫無名妓的架子，穿得華麗，長得嬌美，又有點小姐和命婦的神色。她殷勤地裝煙倒茶，李成跟彭九坐都坐立不安；劉泰保卻還態度從容，他手托着茶碗，就問說：「春鶯姑娘，剛才我看見一個戴青緞金邊兒帽子走進來的闊大爺，那是哪屋裏的客？」立在燈下鏡邊的豔麗的春鶯姑娘卻指指上頭，說：「那是樓上素娥屋裏的客，姓羅。素娥跟我是乾姐妹，她說，那人倒是花錢不打算盤，只是沒常性，他來了一次以後再來，他就不認舊人，打算另挑了。」劉泰保望了李成一眼，悄聲說：「你們給我記住！那人姓羅。」又說：「你們二位在這裏坐一會兒，我出去解趟小手兒。」

歪頭彭九本來除了辮子上的那個小銅錢之外，另外是一個錢也沒帶，所以他怕劉泰保使壞，把他放在這兒，叫他丟人。劉泰保前腳出屋，他隨之也出去。劉泰保卻瞪眼說：「老九！別這麼怯怯吞吞，今天咱們是來此花錢，你也不是六七歲的小孩，來到外婆家裏就認生！」歪頭彭九不住搖動他頭上那個小銅錢，說：「我也是要上毛房！」劉泰保往屋裏推他，並悄聲說：「眼看大功就要告成啦，你別沉不住氣，在裏邊混攪！」他推回歪頭彭九去，在院中站了半天的瞪眼薛八又跑過來，悄聲說：「我聽明白啦，那傢伙是樓上素娥屋裏的客。」劉泰保說：「我比你打聽得更明白，快去給咱們取傢伙來！」瞪眼薛八趕緊轉身走了。這裏劉泰保站在庭中，燈照着他，許多毛夥都溜着他，他解開汗巾繫在裏面的小夾襖上，把辮子盤在頭頂，挽挽袖頭，腳站了個十字步，專等那戴金邊帽子姓羅的人一下樓，他就上前去打架。各屋中全都燈光搖搖，笑語細細，劉泰保在院中站立了一會兒，歪頭彭九又由屋子裏探出頭來叫他。這時卻聽樓上有男子聲音高唱，劉泰保趕緊向彭九擺手側耳聽樓上發下的歌聲。

他聽不大懂，因為這既不是梆子腔，可又不是二簧，倒有點像昆曲，只隱隱聽得漫聲唱道：……父遭不測母仰藥，扶孤仗義賴同宗。我家家世出四知，惟我兄妹不相知。我名曰虎弟曰豹……」劉泰保暗自冷笑，說：「哪裏來的老虎豹子，我劉泰保今天倒要在此施展施展虎豹的身手！」他就不管唱歌的人是誰，他扯開了嗓子高聲叫了一下：「好啊！」接着又說：「真好啊！」兩個毛夥過來向他請安，說：「大爺！請您到屋裏去坐吧！」劉泰保搖頭說：「不！我在這兒也是唱戲啦！再說許他唱就許我叫好，誰也攔不住我！他在姑娘跟前顯顯嗓子，我也賣弄賣弄嚷嚷！」這時許多香巢內的門簾全都打開，樓欄杆上也趴滿了人，花紅柳綠，燕語鶯聲，都藉着燈光向他來望。劉泰保揚臉向樓上招手說：「姑娘們，再請剛才唱戲的那位消遣幾段。我『一朵蓮花』劉泰保闖遍山南海北，還沒聽過這麼特別的梆子腔。那位消遣完了，我要請出一位金邊帽子的朋友跟我演出武戲。」

說到這裏，就聽樓上有人像霹雷似的聲音喊了一聲：「渾蛋！」劉泰保仔細一看，見一個穿紅衣裳的妓女旁邊站着一條大漢，這人此時雖未戴着金邊帽子，可正是那個姓羅的人。劉泰保就哈哈一笑說：「好！劉大爺來這兒花錢正為的來找你，你的花名兒叫什麼？」樓上的人不懂「花名」是什麼意思，只一拍胸脯說：「我叫羅小虎！」旁邊的許多妓女全掩着口格格地笑起來。那人大怒，向劉泰保說：「你上來！」劉泰保說：「你下來！」那人找着樓梯就往下走，卻被幾個嫖客把他阻住。有人說：「不要惹他，他是鐵貝勒府教拳的師傅一朵蓮花劉泰保！」羅小虎把腳頓得樓板直響，說：「管他是誰！」又怒聲說：「你有膽子上樓來嗎？」劉泰保哈哈一笑，說：「有什麼不敢？若要怕你，劉大爺犯不上費盡千方百計到這兒來找你。前天在鼓樓我就想鬥鬥你，被你騎上馬逃走了。今天，你騎上獅子我也要把你揪下來！」說着一扔大棉襖，拍拍雙手，表示手中無兵器，此次專憑拳鬥。他一步緊一步地往樓上跑，嚇得樓上的妓女全都哎呀哎呀地直叫。因為羅小虎的力太大，旁人都攔阻不了，劉泰保一上樓來，嚇得別人便全閃開了。

劉泰保曉得這傢伙必有幾下身手，他上樓來先發制人，一拳向羅小虎的當胸打去。羅小虎並不閃避，只用手去粘；劉泰保收拳閃避，羅小虎卻攻上前來，要伸手擒住劉泰保的腕子；劉泰保卻輕移慢躲，等到羅小虎的手驀然一抄手腕之後，他忽然披攔截砍，其勢極猛；右手打開羅小虎臂，左手向羅小虎的小腹猛捶。羅小虎一退身，身後就是樓欄杆。劉泰保一拳沒打着，再進一步去逼，不想兩隻手全被羅小虎握住，並且握得甚緊。劉泰保心中着急，怒罵道：「這算是哪一路的拳法？」他雙手用力去奪，膝蓋向前頂；不料羅小虎用力將他一掄，把劉泰保掄得身子趴在樓欄上。劉泰保又用腳驀踢羅小虎的臉，沒有踢着；羅小虎就一撒雙手，劉泰保的身子由樓上飄下來，樓下的妓女又都驚叫：「呀！……」劉泰保一挺腰，身子立定，擺手說：「別害怕！我沒摔着！」驀然，頭頂上一個光亮亮的東西又打了下來，瞪眼薛八大喊着：「不好！」劉泰保趕緊雙臂一掄，一隻由樓上飛下的大玻璃燈就掉在地上摔了個粉碎。

劉泰保益發大怒，見薛八已取來傢伙，他就說：「扔給我！」薛八把一口單刀飛起來扔給他，劉泰保輕巧地抄住了刀把，然後他向樓上指罵着說：「小輩！你用辣手暗算，不是好朋友！滾下來，我借你一件傢伙，咱們刀槍對砍，見個高低。」羅小虎在樓上說：「誰同你一般見識！」劉泰保持刀又往樓上去跑，說：「你別吹！今兒咱倆這武戲當場不出彩，就永不煞台！」他將要走上樓去，羅小虎迎下了兩三步，劉泰保掄刀就砍，羅小虎向旁一躲；劉泰保再一刀，又被羅小虎閃開，刀克的一聲，正砍在樓梯欄杆上。樓下毛夥一齊大聲喊：「御史大人查街來了！」彭九、薛八卻都說：「沒有，他們瞎說！劉二哥放心去幹！」

劉泰保抖擻着精神，單刀如電，嗖嗖進逼，那羅小虎不住向上去退，忽然他也由懷間抽出了一口兵刃，迎着劉泰保的單刀一削，嗆的一聲，劉泰保彷彿是撲了個空，大吃一驚，半截刀已飛下樓梯，噹啷落地。羅小虎以帶環的短刀進逼，劉泰保用半截刀招架，同時喊叫說：「好傢伙！你手裏也有寶劍！」翻身跳下了樓梯，瞪眼薛八趕緊追來遞給他一把扎鎗。劉泰保才將槍接到手中，忽覺有暗器飛來，他趕緊閃身；瞪眼薛八的手腕上卻中了一支箭，痛得他哎呀一聲。劉泰保嚇得身上一陣抖擻，說：「哎呀！原來你就是小狐狸！」

羅小虎此時卻回到那素娥的屋裏，扔下銀兩，戴上他那頂金邊帽子往外就走。彭九等人都已藏起來，只有劉泰保仍不氣餒；他手挺長槍，攔住樓梯，大喊道：「小狐狸你再滾下來，不動暗器，不用寶劍，咱們倆要拚個死活。走十里地沒有遇不見禿子的，想不到舊冤家在此相遇，原來你小狐狸是這般模樣，玉宅的高師娘大概就是你的媽……」他正使勁嚷嚷，羅小虎挾起衣裳，已由樓上躍下。劉泰保回身擰槍就刺，羅小虎短刀相迎。刀光槍影，一場打殺，妓女、嫖客全都藏在屋裏去了。毛夥趕緊跑了去叫官人，但此時羅小虎用他那口雖短卻極鋒利的刀，將劉泰保的槍桿削斷，順勢一腳將劉泰保踹翻。劉泰保翻身爬起，掄着槍桿再戰；羅小虎又一腳將劉泰保踢得滾開，身後卻有李成由屋中抄起一隻花瓶飛來，羅小虎一歪頭，花瓶從他耳邊飛過去摔碎在地上。有人呼哨着叫說：「衙門的人來了！」羅小虎這才轉身走去，薛八、彭九趕緊露出頭來去追，但追出門首，他們又都不敢走了。劉泰保怒罵着說：「你們倒是追上去呀！」

這時有兩個毛夥走來向他請安，說：「劉太爺！請您還是到春鶯姑娘的屋裏去坐會兒吧！我們不敢不去通知衙門，待一會兒官人準來。那個人是逃走了，劉太爺您……」劉泰保擺手說：「不要緊，我在這兒等着官人，一會兒的官司我也打！」毛夥們苦苦央求，劉泰保這才到春鶯的屋中去坐。只有李成陪着他，薛八、彭九都被劉泰保給派走追尋那姓羅的下落去了。

待一會兒，南城衙門就來了幾個人。可是來到這兒一看，動刀打架的人已逃走了，也沒鬧出什麼事來；妓院的人也沒有敢說出劉泰保的名字，官人在這裏待了一會兒，只好又走了。此時劉泰保卻在屋中悶悶地喝茶，眼前的美麗的妓女向他笑着談話，李成低聲叨唸剛才的事情，他全都不理。他悶坐了半天，才開了盤子，向這位春鶯姑娘拱手說：「對不起，打攪你半天！」春鶯笑着說：「不要緊，劉老爺客氣什麼？明兒來呀！」劉泰保點點頭說：「好，好，明兒見！」他同花牛兒李成到院中，又向毛夥們抱拳，說：「打攪打攪，兄弟叫一朵蓮花，南北城的人都知道。煤市街全興鏢店的神槍楊掌櫃的，那是我表兄。以後萬一有什麼麻煩事，就到全興鏢店去找我，別客氣！」毛夥齊都恭恭敬敬地說：「劉太爺您別囑咐啦，這兒您雖不常來，可是您一道出字號來，我們就都知道了。以後求您多維持，有一點小事情我們也不敢驚動您，大事情一定去稟報您！」

劉泰保一邊拱手，一邊同花牛李成出門。李成很高興地說：「真夠面子！老劉你一朵蓮花的名頭真叫得響！」劉泰保說：「還夠面子！叫人由樓上推下來一次、踢滾開兩回，刀槍全都被人砍折，這跟頭栽的還不夠大的？我劉泰保從頭年到年下，在南北城可真洩夠氣啦！咳，想不到小孤狸原來是這麼個傢伙，寶劍他送回去了，不知他又從哪偷來一口寶刀！」歎了口氣，又一拍胸脯，說：「現在倒好啦！我到底認出他是什麼模樣啦，只要他不逃開北京，就好辦！等着，我劉泰保要佈置下天羅地網，不擒住他我決不干休！」

兩人隨說着，隨回到了全興鏢店，此時瞪眼薛八跟歪頭彭九早就回來了，他們都說沒追上那姓羅的傢伙。瞪眼薛八的左腕上貼了一塊膏藥，他認輸了，連連地搖頭，說：「這個忙兒我可再也不敢幫了！原來他就是那神出鬼沒的小狐狸，咱們再派一百個人，也決鬥不過他，我可不再往裏摻腿啦！我還留着我這條命呢！」李成跟彭九等人卻都主張到延慶請回來神槍楊健堂，到全興鏢店再把受傷新痛的孫正禮請出來，再到巨鹿縣去請俞秀蓮……

劉泰保連連擺手說：「算了吧！算了吧！俞秀蓮跟這小狐狸是一手兒事，他們不定還有着什麼關係呢！」說到這裏，腦子裏忽然想起一件事來，記得年前在土城幫助蔡德綱父女共戰碧眼狐狸師徒，隱隱看見那小狐狸是個身材纖細的人，沒有今天姓羅的這麼高，這麼魁梧。莫非使小弩箭的人天下也不是小狐狸獨一份兒？這姓羅的傢伙莫非是小狐狸的師兄弟？一門中學出來的，這麼一說，小狐狸是又請來一個幫手嗎？……這樣一想，劉泰保不禁毛髮悚然，覺得禍事重重，都已被自己惹下；朋友全不中用，媳婦的技藝也不算高。跟頭是栽下了，雖然爬不起來，可是若來個「溜之乎也」那更丟人洩氣。若說不走，這姓羅的就許勾結上小狐狸；不敢惹俞秀蓮，可敢專門跟自己作對。既有小弩箭，又有寶刀，玉正堂還暗中縱養着他們。自己現在卻是個無業游民，而且「老虎掉在山澗裏，傷人太重」。這幾個月來自己的人緣兒一天比一天糟糕。劉泰保這麼一想，他不禁腦如上箍，心如煙堵，就哇的一聲咳了一口鮮血，把屋中的人全都嚇慌了。

這時夜已過了子時，八大胡同裏的燈雖沒滅，可是人也少了；附近幾個小館子也冷冷清清，鍋裏空冒着熱氣，沒人照顧。妓院也多半關上了門，掩住了妒燕嬌鶯，頰紅黛綠，也掩住了輕雲似的春夢。

離開八大胡同是一條大街，名叫西珠市口，這裏有許多家旅店。旅店裏的客人這時也都熟睡了，只有路南的一家客棧，臨街的樓窗上還有隱約的燈光並有一種濁厚的低吟聲，唱着：「我名曰虎弟曰豹，尚有英芳是女兒……」又有捶桌子聲，頓樓板聲及沉重的歎息之聲。這間屋倒是相當寬敞，一張木榻，一張八仙桌，四把椅子。屋中的半天雲羅小虎正在一人獨斟獨飲，渾身發燒，脫了個光脊背；脊背和胸膛有幾處刀劍傷和猛獸的噬傷，被油燈的微弱光燄照得發黑。他像隻中箭的老虎一般，暴跳得卻比老虎還厲害。一個人獨飲低唱，又捶胸頓足地說：「玉嬌龍，好？你真纏住了我，害死了我！我發了財還不行？還得叫我做官？官！兩年來我費盡千方百計，也曾花錢買賄，也曾低首向人，結果，沒摸得半個官做。玉嬌龍，難道我一輩子做不得官，你就一輩子也不見我了嗎？你有那身武藝，隨時可以到我這裏來，但你不但不來，反倒連你住的屋子也都換了？叫我連去了三次，也找你不着！」他越說越氣，他就把酒壺酒杯連油燈全都推在地上，又將兩把椅子踢翻，立時他這屋中就如天翻地動，亂響了一陣；然後他長歎一聲，在牀上睡去了。

昏昏暈暈地忽然覺着有人進到屋裏，羅小虎一驚，立時由懷中抽出來寶刀，進屋來的這個人卻發着南方話說：「哎呀！這可了不得了，幸虧我來看，不然要着起火來了！」原來油燈滾在地上並未滅，還在樓板上呼呼地燃着。這個人踏了兩腳，才算給踏滅了。羅小虎於火光中看見了這個人，見是個二十來歲黑臉的小個子，身體結實，但有點猴相的人。這人梳着個道冠，穿着短道袍，好像是個小老道。記得今天在店裏曾看見過他一回，大概他也是這裏住的旅客。羅小虎此時的腦子明白了一點，便將寶刀徐徐收入懷中，點點頭說：「多謝你，幸虧你把火踏滅，你去吧，不要攪我睡覺！」那小老道也沒言語，轉身就出屋去了。

屋中留下許多難聞的油燈氣味，羅小虎也覺着這是在客棧裏，不可任意地發脾氣，萬一起了火，縱使燒不死自己，把別人燒死了也不對。他歎了口氣，又想起今天在綺夢樓遇見的事：「那姓劉的刀法很好，他與我並不相識，為什麼要跟我打架呢？北京人真欺負人。可是，我來到北京十幾天，走遍了花街柳巷，看盡了少婦長女，竟沒有一個比得上玉嬌龍一成的。可恨！玉嬌龍真美、真狠毒，假若有個比她長得還好的，或與她一樣的，我羅小虎弄到手裏也就走了，也就不為做官求親，着這鳥急，生這鳥氣了！」「咚」的一聲，他又把牀使力地捶了一下，隔壁卻有個山西口音的人罵着：「你娘！不睡覺可幹什麼？半夜裏活詐屍！棧房不是為你一個人開的！」羅小虎大怒，由懷中又抽出寶刀，但又將自己怒氣壓下去，心說，別不講理，本來不該攪人。又歎了口氣，隔壁那山西客還低聲絮叨着，他也忍氣不言語。待會兒，他也就睡去了。

次日，快用午飯的時候他才醒，在樓下大房子裏住着的他那兩個嘍囉，一個叫花臉獾，一個叫沙漠鼠。這兩個人進屋來問說：「老爺！今兒還有什麼分派嗎？」原來一年來羅小虎離開了紅松嶺他那羣盜黨，身旁就只帶着這兩個心腹人，幫着他販馬，發財，求官。雖然官職始終沒求成，可是他永遠命這兩人叫他「老爺」，希望有朝一日，得個功名，娶了官太太，這兩人就是隨身的官人了。然而希望就跟夢似地，無法捉到，自己懷中仍插着寶刀，仍是半天雲。這兩人雖然也學了兩句官話，可是，花臉獾是一臉刀疤，沙漠鼠是兩隻紅眼，神氣慓悍古怪，依然是嘍囉模樣。

羅小虎心裏不大痛快，就瞪眼說：「沒別的分派，還是那兩件事，一個去向鏢行跟各處去打聽汝州俠楊公久；一個到鼓樓西玉家，只要看見那小姐出門，就跟着她，看她往哪裏去，就趕緊騎馬來告訴我。」兩個嘍囉齊都挺着胸脯，搖晃着腦袋高聲說：「好啦！」羅小虎又說：「再去打聽，昨天在綺夢樓和我打架的那一朵蓮花劉什麼，是個怎樣的人？」花臉獾說：「那不用打聽，街上的人都認識他，那是鐵貝勒府教拳師傅一朵蓮花劉泰保。在北京有些名頭，年前為在玉正堂宅中捉拿狐狸，出過大名！」羅小虎一驚，趕緊問說：「什麼事？玉家怎麼會叫他拿狐狸？」花臉獾把他在街上聽來的這件不完全的故事都說了出來，羅小虎就明白了。那所謂「小狐狸」，一定就是玉嬌龍！她現在匿名閨閣也一定是被劉泰保逼得無法，於是就冷笑了一下，又恨恨說：「把那劉泰保的住處給我打聽出來！」

兩個嘍囉又要轉身走，羅小虎又說：「站住！還有點事！」遂叫沙漠鼠把他靠牆的一隻木箱打開，這箱中滿滿地都是金銀元寶、零整銀子和大疊的銀票，一大包一大包的珍珠，這全是二三年來他在沙漠草原上劫來搶來和他販馬賺來的錢。羅小虎就說：「拿些銀子給這裏住的那小老道，昨夜要不是他，棧房早着起火來了！」沙漠鼠說：「給他十兩銀子吧！」羅小虎點了點頭，又問：「那小老道是個幹什麼的？他為什麼不找個廟裏去住？」沙漠鼠說：「那人好怪，他本不是老道，不過穿着道士的衣裳賣野藥。他有個串鈴、有個布招牌，有個藥箱，他昨天才來的，說是由江南九華山來的。他可很留心咱們，只不斷地打聽咱們是從哪來的，老爺是做什麼官的？」羅小虎笑了笑，也不介意，兩個嘍囉就出屋去了。又待一會兒，店中的夥計就給他送來了豐富的酒飯。

羅小虎是正月十三日來的，在這魁升店中住了已有二十多日了，他雖行為古怪，性情暴躁，但頗為仗義疏財。本店房中住着一個落第的舉子，貧病交加，房飯賬欠了已有五十多兩；店家無法，逼他搬走。但羅小虎頭一天來到時，聞知了此事，立時代他還清了房賬錢，並拿出五十兩銀子，讓那窮苦的書生回籍。前天店中又有個謀事未成，憔悴而死的小官員，死在房中無法抬埋，遺下寡婦孤兒在屋中啼哭，羅小虎又資助了二百兩，並贈那孤兒兩個大元寶。因此店中無論掌櫃、夥計和常住的客人，沒有一個不說這位戴金邊緞帽的人是闊官，是位善人，是位慷慨熱心的俠士。但羅小虎終日愁眉不開。

這天，他用過午飯之後，又騎着他那匹榴紅色的大馬在街上閑走。走着走着，不覺又走到北城，眼前又出現了巍峨壯麗的鼓樓。羅小虎不禁心中一陣煩惱，真懶得再往西邊去走了，因為即使到了玉宅門前，也不過只能徘徊一會兒，咫尺天涯。這畫棟雕梁的一大片房屋，簡直就像山嶽，玉嬌龍也就像被壓在山嶽底下了，無法與自己會面。這時他的嘍囉花臉獾從街旁一個酒舖走出來，招呼他說：「老爺！」羅小虎下了馬，上前問說：「怎麼樣？」花臉獾悄聲答說：「那宅門前停着兩輛車，可是那是別處來的；玉小姐還是沒有出門，我想待會兒，也許出來送客。」羅小虎一怔，心裏想起前幾天在玉宅門前看着的那個穿紅衣紅裙的小女人，那小女人還不錯，遂就問說：「你看清楚到她宅裏去的是女眷嗎？」羅小虎立時將馬交給花臉獾，他就向西走去了。

羅小虎原不是什麼好色之徒，他只是喜歡注意女人，他知道他有個未見過面的胞妹，大概名字就叫作「英芳」。茫茫天涯不知道那妹妹流落於何所，也許已作了別人的妻子，也許已淪落於煙花之中。所以他只要看見一個年輕的婦女，便覺着有是他胞妹的可能，他必要設法打聽打聽人家的姓氏和出身。同時他還有一種心理，就是玉嬌龍那樣多情而美麗的人，竟不能與自己朝夕相共，所以他恨不得找一個比玉嬌龍再美麗的人，以作玉嬌龍的替身。

當下他又來到玉宅的門首，見這裏只放着兩輛很平常的騾車，兩個趕車的人在高坡下坐在車上的凳兒上喝茶談話。時候已然不早了，夕陽斜鋪在這條街上，往來的人也不很多。羅小虎是走過去了又走過來，同時他可看見一個三十來歲的禿子，抹着一臉鼻煙像個地痞似的人，在這裏也轉了兩個來回，並且用眼溜了他兩下，後來拐進一條小巷裏去了。這小虎也不大注意這人，他只往東走去，揚着臉向高坡上看看；又轉身回來，再看看天空。天空上，二月的纖雲被夕陽照得黃中透紅，十分的美麗。晚風習習地吹着，雖然還很涼，但卻不跟冬天的風一樣，這是有點兒發暖了。雲霞之間鴉鵲亂飛，街上已有賣餛飩的擔子過來了。這古城的風光雖然沒有新疆草原上那種香氣，也沒有大漠高山那種奇景；然而卻別有一種風味，是一種柔美的掠人心底相思的風味。羅小虎又不禁頓了一下腳，悔恨地說：「玉嬌龍！莫非你是變了心？故意以『做官』來為難我嗎？」這時迎面來了十多匹馬，馬上都是佩刀的官人，保衛着一位身穿紫色馬褂的老將軍，下了馬往高坡上去了。羅小虎心想：這一定是玉正堂了，好大的威風！

他又徘徊了一會兒，心中十分急躁，就想離開此地。可是，坡上就送下客來了，果然是一羣女眷；可是送客的都是婆子丫鬟，卻看不見小姐玉嬌龍。被送出來的是兩位女客，都是旗裝，一位四十歲上下的太太，穿戴倒還樸素；另一位女眷年紀只二十上下，恭恭謹謹地在那中年婦人的身後隨着，她像是個作兒媳婦的。這小媳婦雖是旗裝，可像纏過足，走路還扭扭捏捏的，不大好看。可是那瘦長臉兒，嬌紅的脂粉，纖眉秀目雖比不過玉嬌龍，可是也遜不了三五分；穿的衣服是大紅緞子的，雖不如玉嬌龍那麼豪華，但卻更為嬌豔，羅小虎立時兩隻眼睛發直。此時那婆媳二人已帶着僕婦們上了車，車往東去了，羅小虎趕緊快步追上去。直追到鼓樓前，他找着了花臉獾，要過馬來，上馬就追着車去了。迤邐地過了許多條馬路，來到了東城；兩輛車就魚貫地走進了一條胡同。這胡同口有一座木頭牌坊，羅小虎仰面去看，四個字倒也還認得，寫的是「三條胡同」。往南一看，原來不遠就是東四牌樓。羅小虎催馬進去，見那兩輛車在一個門前停住了。這門雖不如玉宅那麼大，可是至少也是個官員之家，美麗的小媳婦於夕陽裏隨着她的婆母進門去了。

羅小虎張望了一下，撥馬就走，心中十分懊惱，暗暗恨道：「怎麼這些標致的女子盡都出在富貴之家，都是這樣裝腔作勢的連人也不看！可恨！」策馬出巷，順着大路向南走去，就想：「玉宅的院落太深，而且戒備得又太緊，我要想給玉嬌龍傳一封書信都辦不到。看剛才那家子，門戶還小一點，家中的人口也必定不多。那婆媳與玉宅不是近親也是好友，我不如去託她們，叫她們替我把一封信傳給玉嬌龍，不過要好好地去託她們。不然她們不肯管，而且還一定見不着，一定談不了話。這還得我深夜帶着刀去，雖然有些不講理，可是我除了請她們秘密捎書之外，並無別意，也不算什麼的。」於是他拿定了主意，要趕回店房去寫信。

馬出了前門，將走過正陽橋，忽聽身後有一陣細碎緊急的蹄聲。他回頭一看，原來是一頭草驢，騎驢的正是一朵蓮花劉泰保。他一身青布短打扮，掛着一個鏢囊，臉有點瘦了。羅小虎一聲冷笑，劉泰保的草驢向着他的馬緊追，並說：「姓羅的，我知道你今天進城去啦，我在門臉等了你半天啦！劉泰保現在把腦袋拿在手裏握着啦，要跟你回頭一碰，並且要碰到底；咱們兩人頂好找個旅館談談天。我不怕，我知道你更不能怕，綺夢樓裏的一場爭鬥，那不算什麼，不能由那就說結下深仇。我也知道你不是小狐狸，可是至少你跟小狐狸是師兄弟。來，下了你的坐騎，咱們談一談；也不妨請出那位小狐狸來咱們講講理！事情沒有什麼難辦的，如果你們真是俠義英雄，我劉泰保拱手叫你老師傅，過去的事算是我的錯；我帶着媳婦一走，永遠不回京城。不然，可以把我的腦袋送給你們作一件謝禮。再不然，你們兩人一齊放冷箭，我劉泰保單刀相迎，雖然明知多半必輸，可是我還不含糊。」劉泰保的草驢緊頂着馬屁股，他嘴裏如連珠一般說出了這一片話。羅小虎卻哈哈大笑，回着頭說：「劉泰保！我勸你趁早離開北京，你我既無深仇，你更不必苦苦追着我。你說那什麼小狐狸，那人我認識，可是……我不能告訴你，不過我知道你的武藝比她差得遠得多！」但是劉泰保瞪眼說：「差得遠我也要鬥，你告訴我那人的住址姓名吧！」羅小虎搖搖頭，沒功夫跟劉泰保多說話，催馬緊走，就把劉泰保的草驢丟在後邊啦！劉泰保在後潑口大罵，羅小虎忍着氣只是大笑。

少時他就回到了店房，下馬進門，命店夥將馬牽到棚下，「咚咚咚」地跑上樓去。一進屋，卻吃了一驚，原來那賣藥的小道士正在他的屋中站着，猴頭猴腦的，神情極為可疑。羅小虎就瞪眼說：「你為什麼趁着無人到我屋來？有什麼事？」這小道士昂然說：「我給你來送銀子，昨天我替你撲滅了火，那不算什麼，你叫人給我十兩銀子我不能收。好！現在你回來啦，我給你吧！」說着他就把十兩銀子放在桌上。這小道士因為鬢髮很長，所以顯得臉有點瘦；其實他不但不瘦，兩隻胳膊還很健壯。説完了話他轉身就走。

羅小虎只笑了笑，四下看了看，見屋裏的東西倒沒有挪動；羅小虎也不大介意，躺在牀上歇息。腦中不禁回想剛才所遇見的那旗裝的少婦，不由得由羨愛之中又引起一陣憂煩，長歎着，又捶牀唱起來：「我家家世出四知，惟我兄妹不相知。我名曰虎弟曰豹，尚有英芳是女兒！」唱過之後，又在屋中來回走了走，便喊叫店夥，拿來紙墨筆硯，羅小虎就跟惹氣拚鬥似的，用拳頭握着筆，在信紙上寫着大字，是：「嬌龍賢妻妝次：我來京已有半月，只同你會過一面；你不容我與你多談，便催我走去。我心中真熬煩，幾次去找你，你卻搬了屋子，可見你是故意避我，你的心是變了！別後一年多，我依你的話拋開朋友，改了行業，而且發了大財。但官是沒法弄到，真叫我堂堂好漢無計可施，只有歎氣而已！看這樣子，一輩子我也做不到官了，難道你也因此一輩子就不跟我見面了嗎？你有那樣高超的武藝，何必在宅中充小姐，受一朵蓮花那等小輩之氣！我勸你快些隨我走，咱們有錢，到處享福，何必非做官太太才行？這封信請你三思，收拾行李等候我，後天我要親自去接你。……」寫過之後，草草粘封了，就帶在身邊。

忽然，他的兩個嘍囉花臉獾與沙漠鼠就一齊回來了，羅小虎把桌上放的十兩銀子交給花臉獾，說：「那賣藥的小道士很有骨氣，他不肯要這銀子。給你們，你們兩人分了把它花了吧！」又問沙漠鼠說：「打聽出來了什麼沒有？」沙漠鼠擠着兩隻爛眼，說：「我今天打聽出來的事情可很多。我新交的那個全興鏢店的夥計，他告訴我說，他們鏢店的大鏢頭五爪鷹孫正禮，現在已然好了。今天劉泰保找了他去，聽說他在屋中直嚷嚷要打姓羅的，要拿小狐狸。」羅小虎微微冷笑，便說：「今天我也見着劉泰保了！那小輩他已自己說明他與我交手必輸，所以我也不願與他一般見識了。」沙漠鼠又說：「可是聽全興鏢店裏的人又說，孫正禮的師妹俞秀蓮又將來到北京！」羅小虎笑道：「倒盼她來，好叫我看看，長得比我的心上人如何！」沙漠鼠說：「楊健堂可也要回來，劉泰保更要四面八方去請朋友，我怕到時咱們孤掌難鳴！」羅小虎索性哈哈狂笑起來，說：「一點也不要怕，我有寶刀！」

正說到這裏，忽見有人把頭探進來，這人正是那小道士。小道士卻點手叫花臉獾，笑着說：「來！我請你喝酒！」花臉獾臨出屋時還向他的主人問：「老爺！今兒晚上還到哪裏去？我出去喝酒怕一時不能回來。」羅小虎說：「你不要管我，今晚我要到個別的地方去，用不着你跟着。」他拂拂手，也叫沙漠鼠出屋去，他獨自一人在屋中沉思了一會兒，又不住地冷笑。少時店夥又給他送來酒飯，他吃過飯，酒卻一點也沒喝。燈已點上了，羅小虎就暗暗紮束利落了身體，先躺在榻上養神。街上的更鑼敲到二更時，他就起來，又預備了一下，便撲滅了燈走出屋去。

樓上各房間中，有的客人已經睡着了，有的是留戀在八大胡同裏還沒回來，所以多半屋中都沒燈光。樓梯更是黑乎乎的如同一眼井似的，羅小虎將要往下去走，忽見一個人在自己的前面順着樓梯咚咚地跑下去了。羅小虎問聲：「是誰？」那人也沒言語，一下樓梯就沒有了蹤影，羅小虎心說：「奇怪！莫非是賊？」他也追下了樓梯，只聽大房子裏有許多人說笑，他就叫說：「花臉獾！」連叫了兩聲沙漠鼠才由大屋中出來。門一開，裏面有骰子在磁盆中亂轉之聲，羅小虎就問：「花臉獾呢？」沙漠鼠說：「花臉獾叫那小道士給灌醉啦！現在屋裏睡覺呢！」羅小虎悄聲說：「我現在要進城去辦點事，今晚也許不回來，樓上的屋子要好好看看，小心賊把咱那箱子裏的東西偷了去！」沙漠鼠點頭答應，羅小虎就向門外走去。

此時天上懸着一彎新月，路上行人已很稀少。羅小虎也沒騎馬，他慢慢地走，進了城走到東四牌樓，已然三更了。大街上的兩旁舖戶全都緊閉着門板，如人合上了眼睛，四周都是靜悄悄的，沒有一點活動的東西，一切彷彿都已睡了，只有遠處的梆鑼聲，隱隱地，直如夢囈一般。羅小虎進了三條胡同，來到那門前，忽然他有一陣猶豫，暗想：「白天我也沒打聽打聽，這家是姓什麼？是怎樣的人家？我貿然地進去，去找人家的兒媳；雖然沒有存着旁的念頭，就是只叫人家傳封書信，也就夠冒昧的了！」他轉身走去想要再到玉宅，設法將信直接交給玉嬌龍，不必無故地來攪人，來欺負人家的少婦。但又停住腳步想一想，卻覺得那少婦真是姿態動人，也真許是未嫁的姑娘，那麼，一半威嚇，一半請託，與她結婚。即或被玉嬌龍知道了也不要緊，叫她看看，我雖沒做官，然而也有女人跟我。

這樣一想，他就脫去了外面罩着的長衣，捲了個卷，連鞋都放在門前的上馬石的後面，一聳身上了牆。向下一看，各屋中都有燈光，羅小虎不禁吃了一驚，心說：「怎麼回事？這家為什麼這麼晚還不睡覺？」他由牆、房直往後院走去，就見有個人也往後邊來了。羅小虎趕緊趴在牆上，就見下面的人似是個僕人；走到了屏門就站住了身，向裏面叫着說：「鄧媽！」西邊燈光輝煌的屋中就走出一個僕婦，問說：「什麼事？」那男僕說：「老爺叫我來說，天不早了，請五奶奶跟少爺少奶奶歇息吧！不至於有什麼事了！」僕婦卻說：「五奶奶很害怕，少奶奶也不肯睡。可是，事情也說不定！前幾年我在服侍俞姑娘的時候，就遇見過這麼一回事！也是有個男子騎馬追車，果然夜裏就有人來了，不是俞姑娘的武藝好，可真不定出什麼事啦！」男女兩僕下面說話聲音不大，可是房上的羅小虎全都聽得清清楚楚。他心中不勝驚訝，暗道：「原來白天那小媳婦已然看出我來了，知道我今夜必來，那小媳婦莫非也有玉嬌龍那樣的本事嗎？好！我倒要會一會她。」於是爬在房上屏息靜氣地一點也不動。

等到男僕人轉身走了，女僕人回屋裏之後，羅小虎卻從房上一躍而下，並無多大的動靜；屋中有人正在說話，也似乎沒有覺得。羅小虎就壓着腳步走到了窗前，他用手指蘸了點吐沫，輕輕地將窗紙劃了一個小窟窿，他就彎着腰，向屋裏去看。只見屋子雖然不像玉宅那麼寬大，陳設器具卻十分講究；屋中沒有別人，只有一個年輕的男子和一個旗裝的小媳婦。男子像個文弱的書生似的，穿着一身青綢衣褲，辮子盤在頭上，正望着那小媳婦笑。那小媳婦是個背影，也是一身青，手中握着一口刀；兩人像是一對小夫婦，情景極為溫柔和諧。雖在這防守賊人的嚴重情況下，但小夫婦仍然互相嘻笑，悄聲說話。那小媳婦並且一轉身，燈光照着她的半面，嬌豔非常，正是羅小虎白天看見的那個小媳婦。她擺着手，又輕輕地跺腳，嬌笑着：「你別跟我鬧，奶奶就在裏間啦！賊也許一會兒就來！」她那少年丈夫仍然笑着，要膈肢她，小媳婦卻抬抬刀，彷彿要跟她丈夫打架似的，但她卻嬌媚地笑着說：「真別鬧啦！好文雄，別跟我鬧！聽聽動靜，呆會兒賊準來！可是到時候你千萬別先出頭，你沒經過大敵，我不放心！」那少爺文雄笑着說：「你也沒經過大敵，我也不放心。」兩人笑着，極為親愛。窗外的羅小虎心中卻非常難受而且嫉妒，心想：「怎麼人家就有閨房之樂，我羅小虎卻不能？」他瞪着一隻眼向裏看着，心裏把原來的目的也忘了，卻不料背後「吧」的一聲有一片瓦飛來，正打在他的背後。他不僅是痛，而且吃驚，趕緊掄刀回身，屋中的燈光也突然滅了。他跳到院中向房上去看，只見黑乎乎的什麼東西也沒有。

此時屋中那小夫婦一齊出來，掄刀撲上他來；羅小虎卻後退了幾步，一手握着寶刀，一手搖擺，說：「別動手！我來沒有惡意！」不料話未說完，那文雄掄刀向他連砍，大怒着說：「白天你尾隨我的妻子，晚間你還敢來？還敢說沒有惡意！」鋼刀如電光一般的削下，羅小虎疾忙以寶刀相迎。那小媳婦急急地說：「文雄快躲開！叫我……」小媳婦的刀法新奇，兩三下殺得羅小虎不得不退後，同時羅小虎不願傷着人家，他回身一聳，上了東房，還向下邊說：「我來是求小嫂子給我辦點事！我這兒有一封信……」不料小媳婦已然飛身追上房來，鋼刀在他眼前一晃，羅小虎疾忙用寶刀相迎，刀碰在刀上，只聽「嗆啷」一聲，小媳婦手中的刀被削斷，驚訝得往旁邊一閃身，羅小虎也向後退了一步。不料後面早有個人，不知是誰，一腳向他踢來，羅小虎就咕咚一聲摔下了房去，下面的文雄掄刀向他就砍，羅小虎情急，一腳踢去，踢在文雄的手腕上，踢落了文雄手中的鋼刀。同時羅小虎急快地滾起來，以寶刀向文雄砍去，只聽一聲慘叫，文雄臥倒，羅小虎倒吃了一驚。這時那小媳婦由房上跳下來，手中的刀雖被削去了一截，可是她仍然舞動如飛向羅小虎來砍，羅小虎忿忿地迎戰了兩下。這時屋中就有喊叫聲，外面並有人語嘈雜，羅小虎就一聳身又上了房。不料房上趴着一個人驀地一抄他的腳，「吧叉」一聲，羅小虎又坐在房瓦之上，趴着的那個人挺身而起，撲了過來，模樣雖然看不清，但那影子很是短小，羅小虎將寶刀一晃，問說：「你是誰？」這短小的人卻連話也不答，只徒手過來要奪羅小虎的寶刀；羅小虎一滾身就滾下房去，雙腿一挺，站住了身。這原是個偏院，正院中卻人聲雜亂，並有女人的哭泣之聲。羅小虎就想跑開，可是房上那短小的影子又如一隻夜貓子似的，沙的一聲撲下來；羅小虎將刀一晃，那人一縮頭，手反抄上來要奪羅小虎的刀。羅小虎施展刀法，寒光閃閃，那人徒手應敵，左躥右躍，簡直像個猴子一般，身手極為敏捷。羅小虎的刀雖然沒有被他奪了過去，可是覺得此人十分厲害；尤其幾個掃堂腿，假使羅小虎沒有點兒真功夫，早就被他給掃倒了。羅小虎刀法愈急，那人卻愈不稍後退，拳腳的來勢反愈猛，羅小虎就虛晃一刀，飛身越過了牆去。

牆的這邊是另一家住戶，這家住戶也被西鄰的吵鬧之聲驚醒了；各院中也全都點上了燈，並有人在屋中向外問「誰？」羅小虎又上了房，踏着房瓦快走，走過了許多層院落，不防身後又有短小的身影追來。羅小虎急忙由房越牆，跳到外面，這裏已出了胡同，是一片黑茫茫的曠野。短小的黑影又如箭一般地追來，羅小虎回身掄刀，怒喝一聲：「你是誰？這樣苦苦地逼我？」黑影兒嘿嘿一笑，並未答話，又撲過來要奪他的刀。羅小虎真氣極了，嗖嗖地掄刀，那黑影疾忙躲閃，才躲避開卻又撲上來，並趁空打了兩拳，踢了一腳。羅小虎身體結實，拳打上腳踏上的都不倒，可是這條黑影兒卻真真叫他生氣，纏住了他，叫他沒有一點辦法。這黑影是一步也不放鬆，看那樣子他並非要害他的性命，只是要奪他這口寶刀。羅小虎緊緊地握住了寶刀，且戰且走，黑影一步一步地追上。

忽然，羅小虎覺得一腳登空，原來身後就是一個大深坑，羅小虎一下子掉在坑中，坑裏很髒，大概有不少泥水。上面的那人卻哈哈大笑，羅小虎向上面怒罵了幾聲，上面也沒有還言。羅小虎在坑中生了半天的氣，這才爬上來，還緊緊握着寶刀提防那人來奪，可是四下去看，不見黑影，大概那人是已走了。羅小虎喘了喘氣，信步走着，兩隻腳覺着很濕，心中又不放心剛才自己闖禍的那家。那個小媳婦的武藝不錯，還會上房，想不到北京城處處有這樣的奇人！只是她那個女婿本領不濟，被自己誤傷了，豈不要叫那小媳婦傷心嗎？咳！自己太不對了。可是又想着趴窗偷看出的那些香甜的情形，心中卻又嫉妒得慌。

羅小虎就想：「我幾時才能與玉嬌龍成為夫婦呢？她在京城這幾個月，並不是安分守己，不出閨門，她也盜寶劍，作飛賊，可是她就不肯出來與我私自會會面。她認識的這個會武藝的小媳婦，她一定還認識不少的能人，無論哪個，還不能替她捎一封書信給我嗎？但她就不那麼辦，我沒做成官，她就要把我拋了。好個負心的女子，今夜我非得去找她不可！」當下羅小虎將寶刀插在腰帶上，在黑沉沉的夜色之下，他又辨別着路徑，往鼓樓走去。此時街上就有更聲緊急地敲着，並有馬蹄聲嘚嘚地走，似是查夜的官人來了。羅小虎穿越着小巷，迤邐地走到了北城，尋着了鼓樓往西，少時就來到了玉宅的門前。這裏很是清靜，除了門前的八棵大槐樹被風吹着蕭蕭地作響，此外更沒有別的動靜，屋中也似乎沒有什麼防備。

羅小虎來到門前，就一伏身，才要躥上屋去，卻聽有人嗤的一聲叫！羅小虎大驚，抽出刀來，問聲：「是誰？」只覺得前胸驀然一痛，原來中了一鏢。羅小虎痛得幾乎坐在地上，他才一彎腰將鏢拔出，不料流星鎚又自後打來，又打中在他的脖頸上。同時樹上嗖的一人又跳下，刀光向他來砍；身後一流星鎚險些又打中了他的屁股。羅小虎一面揮刀迎敵，一面閃身，就負傷跑下了高坡，嗖嗖的兩鏢又自上飛來，一鏢打空了，一鏢被羅小虎接住。他不敢再鬥，轉身就跑，後面的兩人卻緊緊地追來，並發出聲音來向他大罵，一個是女的聲音，說：「你快些站住，不然我可就要拿鏢打死你了。」羅小虎趕緊一低頭，但是鏢並沒有飛來，又聽是一個男子的聲音說：「朋友，站住吧！你已受了傷，還想跑嗎？站住咱們談談，你是為小狐狸來的，我們也不為別的事，只要你告訴我們，那小碧眼狐狸是玉宅的什麼人，咱們倆就算是一條線兒上的了。」這聲音非常斷熟，是那一朵蓮花劉泰保的聲音，羅小虎不由得更加氣憤，回身說：「好！你也敢來欺負我？」就要過去與劉泰保斷殺。但是那女人的飛鏢又打來了，幸虧沒有打着，羅小虎回身再跑，並後悔自己今晚沒有帶來弩箭，可是那弩箭帶也沒有多大的用，並不能將人射死。

他急急忙忙地跑出了很遠，後面的人才不追了，他這才慢慢地走。胸前的傷痛，身體疲倦，他並不在意，他只是懊惱。因為自己的武藝最好是一刀一槍，或是角武比力；今天遇見的那條黑影，神出鬼沒，不知使的是哪一家的拳法。他完全不要以巧勝人，又加上劉泰保那冷不防就打來的流星錘；劉泰保女人的飛鏢，真令他難防難當，他胸中的肝肺都氣得爆炸了！古城中這窄小的胡同，他真覺得行不開！他在沙漠裏，草原上，是蓋世無敵的好漢，然而要在京城中他就要受一般小輩的欺侮。忿忿地走到了南城，找個僻靜的地方爬過了城牆，就回到了西珠市口。

他住的這家店房，樓上樓下全都沒有燈光，他跳牆進內，也無人覺得，他就摸着了樓梯向上走去。不想走到了樓上，忽見眼前又有一條黑影走來，要從他的懷中奪他的寶刀，他趕緊一手護住胸，一拳打去；那人閃開，又來了一個掃堂腿，掃着了，可是羅小虎沒被掃倒。羅小虎怒極了，反身去撲，並問：「你是誰？」黑影仍不回答。羅小虎拳飛腳起那黑影也舞拳相敵，但這個人竟敵不過羅小虎的力大。他們在樓上這樣咕咚咕咚的一陣亂打，各屋中的客人就全都驚醒了。有人嚷嚷着問：「什麼事？」羅小虎就說：「有賊！」同時拳腳不停。那黑影一轉身跳上了樓欄杆，一跳而下，羅小虎還要下樓去追，卻聽下面一聲冷笑，黑影兒就不見了。

此時各屋中都點上了燈，羅小虎偷偷溜回自己的屋內，就趕緊掩上了門，往牀上一躺。胸口上的鏢傷十分疼痛，脖子也發酸；一口怒氣頂在心裏出不來，他恨一切的人。此時外邊吵嚷嚷地，腳步踏得樓板咕咚咕咚亂響，店家也彷彿被驚醒了。羅小虎就暗自尋思：覺得那條短小的黑影兒實在可恨，不知他是誰？偏來和我作對，由東城追我到南城來，而且他知道我住在這裏，以後這東西一定要時時跟我為難，妨礙着我的事，我怎樣將他剪除了才好？

當夜羅小虎的心中既亂，他的傷處又痛，所以沒有怎麼睡，到天明他才迷迷糊糊地彷彿入了夢境。直睡到過午，外面有人咚咚的亂捶門，羅小虎這才忍着傷痛起來，將門開了，就見門外是他帶來的那兩個嘍囉花臉獾與沙漠鼠。這兩人本來是見他們的「老爺」到這時還沒有起來，他們就很疑惑；如今一開門見他們的「老爺」是兩腳污泥，滿胸血跡，他們就大吃了一驚！二人進屋，隨手把門緊緊地掩上，沙漠鼠悄聲問說：「怎麼了？老爺！」羅小虎瞪眼說：「少問！」他低頭看看：胸前的血跡實在不少，無怪乎痛！又掏出自己寫的那封信，就見也被血跡浸紅了一半，他一氣嗤嗤地撕扯了！花臉獾，沙漠鼠全都直瞪着兩眼發怔。羅小虎一邊換衣褲和襪子，一邊又吩咐說：「快出去給我買刀創藥，再買一口朴刀來！」沙漠鼠答應了一聲，轉身就走。花臉獾又把屋門緊緊閉上，然後他走近前，悄聲問說：「昨天夜裏的事？」羅小虎擺擺手，不叫他多問，只說：「你們要防備一點，現在有許多人都在暗中要害咱們！」花臉獾壓着聲音說：「今天外邊可都傳開了，東城鐵掌德嘯峯家昨晚去賊人，驚了他家的少奶奶，傷了他家少爺。羅小虎一聽，便不禁驚愕。因為德嘯峯是個很有名的人，自己向來很敬慕他，不想自己昨晚去的那人家，就是德嘯峯的家。誤傷了他的兒子，實在是太不應該，心中一懊煩，就又躺在牀上。花臉獾又說：「今天內外城都很嚴，茶館酒店全有衙門的探子；咱們這兩天，還是別出門才好。」羅小虎點了點頭，又歎氣。花臉獾將羅小虎脫下來的那染着血的衣裳藏在牀底下，把那口寶刀也壓在褥下。

這時外面又有人搥門，羅小虎趕緊坐起身來；花臉獾向他擺手，請他先躺下。並拉過棉被蓋在他身上，將地上放着的兩隻泥襪子也踢到牀下，這才又開門。原來外邊是沙漠鼠帶着那在本店住的小道士，小道士背着藥匣子，迷嘻地笑着，羅小虎卻不禁吃了一驚，臉色改變了。沙漠鼠近前來悄聲說：「這位道爺，他有好的藥，專能治刀傷，他在江南給許多人治過。」羅小虎瞪着小道士，突然問說：「你行走江湖有多少年了？」小道士把藥匣放在一個板凳上，往近走走，說：「至少也有十年了，我們是世世走江湖賣藥，我匣子裏的藥都是祖傳的秘方。」羅小虎瞪大了眼睛說：「你倒不會武藝？」小道士猴子一般地迷嘻笑着，搖頭說：「我沒學過那些，我做生意的人，也用不着武藝，可是我常給會武藝的人治病！江湖最有名的俠客、鏢頭、山大王，他們受了傷都請我去治。我的補鐵平金散、生龍活虎膏，都是四遠馳名！」說着，花臉獾又把屋門關好。

羅小虎自己掀開了被袱，露出了血色模糊的鏢傷，小道士就打開了他那藥箱，取出來兩貼膏藥和一包麵子藥，羅小虎又問說：「你行走江湖，你可曉得江湖間誰的武藝最高？誰的名氣最大？」小道士說：「若論武藝，誰也超不過江南鶴，李慕白、猴兒手老小三輩！」羅小虎笑道：「猴兒手是個什麼人？我還沒有聽人說過，大概人物不會出色，武藝不會高強吧？」小道士說：

「哈哈！你是不知道，猴兒手的名頭可大極了！他是鳳陽府譚二員外的少爺，李慕白的大弟子，誰比得了？」羅小虎笑了笑，又問：「你可知道有一位高朗秋？」小道士搖頭說：「沒聽說！」羅小虎又問：「你可去過武當山？」小道士點頭說：「去過，那山上道士們的武藝是一代不如一代了。」羅小虎又說：「你知道新疆有個半天雲羅小虎？」小道士搖頭，點上半截蠟燭，烤化了兩貼膏藥，並往膏藥上灑那麵子藥。羅小虎又問說：「你可知道有個楊小豹？」小道士說：「三年前江湖聞名，偷盜了宮中四十幾顆珍珠，後來死在保定府的單刀小太歲楊豹我倒是曉得。可是沒聽說過什麼楊小豹！」羅小虎吃了一驚，同時心中湧上來一陣悲哀，又瞪着眼趕緊問說：「楊豹死後他家中還有什麼人？」小道士拿着膏藥說：「昨天新出事的，鐵掌德五爺家的兒媳婦楊麗芳，那就是楊豹的胞妹！」羅小虎立時怔了。

小道士把兩貼滾熱的膏藥向羅小虎胸前的傷處用力一按，羅小虎立時「哎呀」一聲，昏暈了過去，把小道士嚇了一跳！花臉獾和沙漠鼠趕緊過來喚救他們的「老爺」。小道士驚訝着說：「怎麼，他的身體是這麼虛？連一點膏藥都禁不住？」花臉獾要去找草紙好點着了熏救，沙漠鼠是連聲叫着：「老爺、老爺、羅老爺！」那小道士發怔，忽然羅小虎甦醒過來了，他急急地擺手驅一切人全都出去，他卻在這裏不禁痛哭，這大的英雄竟如同是個女子一般的嗚嗚地啜泣。從此，他也不出屋子了，飯吃得也很少，酒也不再喝，更聽不見再唱那「我名曰虎弟曰豹，尚有英芳是女兒」的悲歌。同時也不知那小道士給他貼的什麼膏藥，傷不但不好，反倒腫起來了！

過了三四日，這三四日內外邊的風聲很緊，都說京城藏着大盜。內城提督衙門、外城御史衙門，都正在飭派官人到各處尋查形跡可疑的人。並說一朵蓮花劉泰保、神槍楊健堂、五爪鷹孫正禮等人，現在日夜在街上亂轉，他們必要捉獲殺傷德大少爺的那個賊而甘心。

除了沙漠鼠還時常出門去打聽打聽消息，臉上有刀疤的花臉獾簡直不敢出門，他成天跟小道士在一起賭錢，他的「老爺」給他的銀子被小道士贏去了很多。小道士不僅會賭錢，並且江湖的見聞極廣，但他們到底也猜不透小道士是個何許人。

在樓上的羅小虎雖然身負重傷，而且心灰意懶，可是他時時謹慎地防守他那柄帶環子的寶刀；他知道有人正在想念着他這口寶刀，而且那個人大概住在這裏。因為每夜他覺得屋外有響動，只是那個人不能得手，他疑惑那小道士是個綠林中人。但是細瞧可又不像，叫沙漠鼠、花臉獾他們去探查，也是一點可疑的痕跡也探不出來。

天是漸漸暖了，羅小虎的傷上了兩貼膏藥卻更加重。這天不過是晚間二更天的時候，突然有一個人走進了他的屋中，他這屋中的桌子還正燃着明晃晃的燈燭，羅小虎聽見了腳步聲，就趕緊忍着痛一翻身；同時按住了褥子，褥子下面就是他那口寶刀。他瞪大了眼，看見燈光照着牀前的一個青緞衣青緞小帽的少年男子，細條身子，俊俏的臉龐，啊呀！不是個男子，原來正是他的情人玉嬌龍！他說：「啊！你這時才來？」

玉嬌龍卻向他擺手，俊俏的臉上如鋪着一層秋霜，一點兒也沒有溫暖，一點兒也沒有柔媚。

只走進一步，低着頭，嚴厲地向他質問，聲音極小，說：「你住在北京是什麼用意？為什麼這些日你都不走？你到德家做出的那是什麼事？你可知道那楊麗芳就是你的胞妹嗎？你殺死的那德文雄就是你的妹夫，你簡直是強盜，我當初錯認了你！」羅小虎心痛得如刀割一般，他翻身坐起來要爭辯；玉嬌龍不容他說話，又往下忿忿地說：「你在這裏再住幾天，一定要事發被捕！我現在無法救你，我自救尚且不暇。我等了你三年，希望你有個出身，沒想到全成了泡影。你反倒日趨下流，我的父母已將我許配了現在順天府丞魯翰林，我無法違背；我今天來就為的是把這些話告訴你，是怪你自己不長進，非我無情！」羅小虎張着手急叫道：「嬌龍！」玉嬌龍連看也不看就出了屋，羅小虎又悲哀地叫了一聲：「嬌龍！賢妹！」

玉嬌龍已走了一兩步，忽又頓住了腳轉身，她的意思似乎要再回屋去看看；但這時驀然有一人從她的身後撲來，玉嬌龍疾忙回身閃開。這個人如同是個猴子似的，很短小，舞着雙手又向她撲來；玉嬌龍飛快地閃避，同時拳飛腳起，就把這人一腳踢倒。這人一滾身站了起來，玉嬌龍追過去又是一腳，就把這人踹得咕碌碌的滾下了樓梯。玉嬌龍不敢在此多留，便從欄杆一跳跳到了樓下，那猴子似的人卻爬起來又一躥，倒把玉嬌龍頭上的青絹帽打落在地下。玉嬌龍憤憤地一掌打去，打的那人又後退了兩步，玉嬌龍向外急忙就走。

此時櫃房中已跑出幾個人來，玉嬌龍早已走到門外。可是她才一出門，不防門前正站着兩個人；一個手中點着松香的火摺子一晃。玉嬌龍的眼前就起了一片火光，她趕緊去閃開，同時這拿火摺子的人可也嚇了一大跳，這人驚愕的聲音說：「哎呀！原來是她呀！這些日子我劉泰保做夢也沒想到是她呀！」玉嬌龍一驚，回身以小弩箭連珠一般地向那說話的人射去；那劉泰保跟着另一個人卻往西撒腿就跑。那店中也人語喧譁，街上還有舖戶未關門，玉嬌龍就疾忙地向東走去。此時夜色漸深，更鼓已敲到了三下；巍巍的古城，已入了沉睡的狀態，玉嬌龍越城潛回到宅中，她的心緒萬分的不寧。

劉泰保原是帶着花牛兒李成，這些日每夜要在羅小虎住的店房門前探望；今天不料探出來出他意料之外的一件事，倒把他嚇得呆了！兩人向西跑出了很遠之後，花牛兒李成因為屁股中了一支小箭，他就跑不動了，喘着氣說：「站住吧，站住吧！到底剛才你拿火摺子照的那個小伙子是誰呀？那小伙子怎麼那麼厲害呀？沒說話就放箭！」劉泰保卻說：「那就是小狐狸，我真沒想到是她！怪不得俞秀蓮不肯告訴我實話。如今，如今，今兒的事連我的媳婦都不能告訴，現在知道了她是誰，倒難辦了！」這兩人於是走回全興鏢店去了。

此時，那個羅小虎住的店房之內卻大亂了一陣。賣藥的小道士是被人打得鼻青臉腫，可是他拾着了一頂青絹小帽。店掌櫃是暴跳如雷，指着這小道士嚷嚷說：「怪不得我這店裏這幾天常出事，鬧得客人都不安，原來你不是好人，趁早兒你滾！要不然我可要把你交官了！」小道士掩着臉生着氣，也不言語；倒是有常住的老客人和管賬的先生，勸着掌櫃的，說：「還是別聲張吧！現在街面上正緊着，叫他再住一晚上，明天一定叫他搬走就是了！」店掌櫃的這才不得不壓下點兒氣，又向小道士說：「明天請您走吧！您欠的店錢我們也不要了！求您別再給我們這兒生事啦！我們這兒是正經買賣！」小道士點了點頭。

此時沙漠鼠早跑到樓梯上去告訴了羅小虎，說：「那小道士原來是賊，剛才被個外邊進來的人給打啦！」羅小虎似乎沒聽見這些話，他只仰面躺着，瞪着兩隻大眼睛發怔！他那兩眼被火光照得通紅，紅得可怕！沙漠鼠嚇得趕緊退身出去了。後半夜店房中無事。

次日早晨，那小道士連他的那隻藥箱忽然都不見了，房門還沒開，不知他什麼時候就走了。在一進門的白照壁上留下幾個用炭寫的字：「我乃江南大俠猴兒手譚飛，我走後店中仍有賊人，一定還要出事，請店家小心為要。」

第八回　彩輿迎新娘途逢惡虎　香車隨寶馬私走嬌龍

羅小虎自更換了醫生之後，他前胸的鏢傷漸漸地好了些，只是胸中氣憤，而且傷心！有三件事最使他痛惜：第一是太對不起胞妹了！本來相違數載，一旦兄妹得到機緣相見，正應當相敍過去家庭的慘變，骨肉分離後各自遭受的痛苦，然後再相議如何復仇之事等等。鐵掌德嘯峯也應當算是自己的親戚了，可是自己不才，那天偏偏把一件小事弄成了大事，將德文雄殺傷。那天聽玉嬌龍來說，他已然死了！咳！我將我的妹夫殺死了，使胞妹年輕守寡，我還有什麼面再去見我的胞妹呢？就是我自己將自己凌遲處死，也不能贖去我的罪愆。第二即是玉嬌龍那天晚間來此所說的那一番話，簡直是義斷情絕！忘了沙漠中的盟誓、草原上的恩情，她已甘心去嫁什麼魯府丞了。她只恨我不長進，不能做官，然而我怎樣才算長進，怎樣才能做官呀？第三是恨那猴兒手，累次在自己的事情中間搗亂；臨去時趁着我的傷重還將我的寶刀盜去，真真可恨！

羅小虎一想起這些事，就痛心懊悔，炸了肺似地氣憤，本想要掙扎着傷勢去見胞妹謝罪，去見玉嬌龍嚴辭質問，去尋猴兒手索要寶刀，可是覺得仍然體力不勝，精神不濟。這天，花臉獾、沙漠鼠二人來悄悄對他說：「大爺！咱們在這兒也沒有什麼事啦，你老的傷也快好了，玉小姐要嫁魯府丞就叫她嫁魯府丞去吧！咱們還是回到新疆販馬去吧！」羅小虎搖頭，愁悶地說：「要走你們就走吧，我可以給你們盤費！」花臉獾說：「盤費倒不要緊，只是大爺——老爺，你這樣地住着，早晚要出事呀！」羅小虎冷笑道：「我倒要等着出點事叫我看看，我看人能把我怎樣了？」正在說着，忽聽樓梯一陣緊急的響，花臉獾探出頭去望了望，他的臉上就立刻變了顏色，回轉頭來，驚慌地悄聲說：「來了，來了！劉泰保！」羅小虎也悄聲說：「快把刀給我預備在手下！」花臉獾把新買來的一口純鋼的薄鋒厚背的朴刀放在羅小虎的身旁，羅小虎用被將刀蓋住，依然假裝安靜地躺臥，此時外面的劉泰保等人已上得樓來。

除披着青綢夾襖的劉泰保之外，還有一位穿布衣服的，高身方面黑鬍的人；花臉獾認得這是新由延慶府回來的，全興鏢店掌櫃子神槍楊健堂。後面跟着一條大漢，手中就提着一口明晃晃的鋼刀，這人是五爪鷹孫正禮，他去年被碧眼狐狸所傷，現在已然把傷完全養好了。當下楊健堂同孫正禮使個眼色，囑咐他不可莽撞。劉泰保在前，三個人就走進屋來。羅小虎將要扶枕坐起身來，劉泰保卻擺手說：「不要客氣！不要客氣！你自管躺着養神吧！我們早就想來拜訪你老兄，只因你病着，怕騷擾了你。現在我們哥兒三個知道你的病快要好了，所以特來向你問問；德五爺家裏的事不提了，因為德少爺被你傷得並不太重，德五爺曠達為懷，他是寧叫人負我，我不負人；所以他不願深究，並且他夫婦勸着他的兒媳息事忍氣。」羅小虎一聽了這話，心中倒不由立時鬆展了，就想德少爺原來沒死；玉嬌龍那天的話卻是傳聞之語，或者是自己聽錯了，但是仍然不勝慚愧。又聽劉泰保把聲音壓得略小一點，說：「今天我們哥兒三個前來，非為別事，就是我們早已探出了……」說着用眼看看花臉獾和沙漠鼠，又笑着說：「你們二位可否暫且出去回避回避，我跟羅大哥說幾句私話，你放心，我們決打不起來。我們決不能逼他，我們若想逼他，還不能等到今天才來呢！」

花臉獾兩人都用眼看着他們的「老爺」，羅小虎卻努努嘴說：「你們去吧！」那二人又疑又懼地出了屋子。孫正禮是手握着朴刀昂然站立，瞪着兩隻大眼睛看着羅小虎；楊健堂是擋在孫正禮的前面，是怕他驀然動手，同樣也觀察着羅小虎的神態。劉泰保又向牀前走了一步，說：「我們知道你是從新疆來的，你常在玉宅的門前轉，玉小姐並曾扮成男子到你這兒來過，我們都知道你跟玉嬌龍必有深交。去年死的那碧眼狐狸耿六娘，你們在新疆時也一定都是老朋友；這件事關係重大，玉小姐後天就要出閣……」羅小虎吃了一驚，劉泰保又說：「過去的事全都算完了，連玉小姐都算上，咱們全是江湖的朋友。你們既然讓了步，我們也不願意逼之過甚，同是拿刀兒動槍兒的，打拳踢腿的，打一回鬧一回那是見面禮，以後彼此要關照的事情還很多呢！只是，今天乘着你的傷略輕，請你說實話，你跟玉小姐到底是怎麼一回事？是師兄妹？是朋友？還是你兩人有特別親密的交情？還有玉嬌龍的武藝到底是跟誰學來的？碧眼狐狸怎樣會混入到玉宅？正堂玉大人到底對他的女兒能上房、家中養着賊老媽兒的事，知道不知道？你說完了，只要是實話，我們哥兒三個是拱手就走，以後決不打攪你。」

劉泰保這一席話，羅小虎聽了，只是變色地微笑着，心中盤算了又盤算，結果是說：「你們真問着了，玉嬌龍是如何的人連我也不知，什麼碧眼狐狸，我更是連面也沒見過！」劉泰保一怔，孫正禮立時把刀舉起，推開了楊健堂，一躍步進前向羅小虎就砍！羅小虎也由被下亮出了刀，同時翻身滾起，鏘鏘兩下，也敵住孫正禮。楊健堂趕緊將孫正禮拉開，並推出屋去。劉泰保並連連擺手，說：「別這樣！咱們還是好好地說話。」羅小虎忿忿地說：「是他想要暗算我，你們三個人沒等我的傷好就前來，就是沒懷好意。不錯，我羅小虎與玉嬌龍相識，可是什麼碧眼狐狸我卻真不認得！」劉泰保點頭說：「這就好說了！你既自認與玉嬌龍相識，那麼趁着她現在還沒作府丞夫人，就請你去找她一次，訂個地點我們私下會個面。你可聽明白了，不是我們要向她高攀，是因為我們也打了小半年的交道了。我的老泰山死在她的手裏，寒舍她也曾光顧過幾回，並且她在我的媳婦的腿上還射過一弩箭。我們兩人在德家也見過面，現在我手中還有她的親筆跡。總而言之，這半年來我們雖然為敵，可是非常的密切；現在，再有兩三天她真是一位命婦了，我們更不能高攀了。在她沒上花轎之前，無論如何也得跟我們見面談談，把以前的事情交代清楚了，省得日後再出事端。玉宅的大門我們是不能進去，所以只有煩你老兄給我們引見引見，地點可以隨她訂。還告訴她，請她放心，我們決無惡意。不然我們現在的人也不少，真要是不講面子，把她的底細揭穿，她雖不至於被父親押在提督衙門裏，可是後天也準保叫她上不了那頂花轎！」

羅小虎放下刀，卻不禁長歎着搖了搖頭，說：「你們不知道，我跟她見面也很難！那天你不知道，那天的夜裏，我也是想躥房去找她，可是，幹你甚事？你就在暗中打了我一鏢！」劉泰保說：「那天是我們的不對，可是，咳！現在你就告訴我實話吧！那天玉嬌龍女扮男裝特來找你，到底是有什麼事？」羅小虎說：「她是跟我說幾句話。」劉泰保說：「說什麼話？老兄你可否告訴我？」羅小虎搖搖頭，說：「不能告訴你們，那是我們的私事，與你們並不相干！」劉泰保的神色一變，此時楊健堂和孫正禮又齊都走進屋來，孫正禮怒目圓睜，用刀向牀上指着說：「跟這小子說什麼廢話，把他拉出去殺了，給德五哥出氣就得啦！」楊健堂又向他擺手。劉泰保卻繃起臉兒來說：「姓羅的朋友，事到如今我們已給你留夠了面子，你可一句實話也不肯說，一點兒事也不肯給我們辦！」羅小虎說：「還有什麼實話？我說的沒有一句假，我除了知道玉嬌龍的師父高朗秋，她的武藝都是由兩卷書中所學來的，聽說那兩卷書是江南鶴所作！」

劉泰保的臉嚇白了，楊健堂也有些驚愕的樣子，孫正禮卻手握着朴刀，瞪着眼說：「你可別拿江南鶴來嚇咱！」羅小虎說：「我拿別人的名頭來嚇你們作甚？不過我只曉得這件事，把實話告訴你們；可是你們切莫輕視玉嬌龍是個女子，她的武藝你們三個人也非對手！」楊健堂也生了氣。羅小虎又說：「我的武藝，刀槍不說，柔軟的功夫我也比她差得多。但我也不怕你們，我若畏懼你們，我早就走開了。以後你們或是對付她，或是對付我，全由你們的便！」孫正禮拍胸說：「來！你立刻就出去，咱倆較量較量！」劉泰保又橫臂攔住他。羅小虎坐在牀上又說：「只是求你們替我拜上德五爺，那天我實在不曉得是他的兒子，我也無意殺害他的少爺。前幾天聽說他家的少爺死了，真要把我愧死！我在此不走，就是願意叫德五爺來殺我，替他的兒子抵命。今天我聽劉朋友一說德少爺原來沒死，我才鬆了心。煩你們拜上德五爺，蒙他不願深究，但我羅小虎早晚要給他們登門叩頭認罪！」劉泰保、楊健堂和孫正禮一聽了這話，全都更是詫異，楊健堂就說：「你怎會認識德五爺呢？」羅小虎搖搖頭說：「並不認識。」說到這裏，他又長長地歎了口氣，便不言語。

當下劉泰保與楊健堂面面相對，此次來，除了略略探出玉嬌龍那身武藝的來歷，並無什麼結果。劉泰保向楊健堂使了個眼色，然後他向羅小虎一拱手，說聲：「多打攪了，再會、再會！」他們三個人就一齊走出屋去了，一陣沉重的腳步聲後，三個人已經下去走了。

這裏羅小虎坐在牀上呆呆地發怔，想起德文雄沒死，他有點歡喜；但知道了玉嬌龍後天便要嫁人，他卻又氣得幾乎要跳起來。緊咬着牙，忿忿地說：「好，玉嬌龍你變了心！叫你後天去嫁人！我有辦法！」待了一會兒，花臉獾和沙漠鼠才偷偷地溜了進來，悄聲問說：「剛才是怎麼回事呀？劉泰保他們是幹什麼來了？」羅小虎說：「他們都是好漢，剛才找我來，不過跟我說些講交情的話，並沒有別的。你們不要多問，把信封信紙給我拿來，我要寫信。」沙漠鼠趕緊出屋，花臉獾就在這裏磨墨泡筆。少時沙漠鼠將信封信箋拿來，羅小虎就命人攙扶着他下了牀，坐在椅子上，並命二人躲避出去。他就握起筆來，一彎身，胸前的傷處仍然很痛，並且心裏充滿了辛酸，他就向信箋上歪歪斜斜地寫道：

「字達德少奶奶楊麗芳姑娘尊鑒：前次我攪鬧貴府，真大不該！我那次去本無歹意，只是要託你辦一點事罷了。不想我又一時失手，傷了你的夫婿，我真該死！我非他人，我本姓楊，河南汝南人氏，我的來歷自身也不大曉得，可是高朗秋曾留下過一首歌：天地冥冥降閔凶，我家兄妹太飄零；父遭不測母仰藥，扶孤仗義賴同宗。我家家世出四知，唯我兄妹不相知；我名曰虎弟曰豹，尚有英芳是女兒。……高恩人叫我兄妹將來由此歌相識，想你必也會唱。我聞你有兄曰楊豹，已死，他實是我的兄弟，你是我的胞妹，我是你的大哥。我本想前去一見你們，共敍當年家中慘事。但我那晚把事辦錯了，我實在無顏到德府去見你！現今，我又有一件為難之事，恐怕後天我就要死了；但父母之仇未報，我死實在有罪。那天無意之中相見交手，我知你的武藝高強，在我以上，倘能得德五爺、劉泰保、楊健堂諸公之助，必能報仇。仇人姓賀，他的名字我不大曉得，你可派人到汝南去打聽。汝南開酒舖的羅老實，即咱們的外祖，他還有族人，也許知道此事。高恩人有一胞兄叫茂春，此人更盡皆知曉，高恩人已死矣，他胞兄還許活着。總之，這件事我是託付你了，因我已無力顧及。明後天我就要在京城之中作出一件驚人之事，我命亦必隨之死去。天地冥冥，無有辦法，揮淚書此，不盡欲言。胞兄小虎作拜啟。」

寫過之後，他的眼淚不禁滴垂在桌上。封好了信，在信皮上寫着：「呈德少奶奶楊麗芳」，然後他又慢慢回到牀上去休息。等到天色晚了，用了一些酒飯，他就用一條綢帶子將前胸緊緊地繫住，忍着未痛的傷痛，出店下樓。命沙漠鼠給他備上了馬，他就騎馬進城去了。

此時天色才過初更，東城大街還很熱鬧，但三條胡同裏卻是冷冷清清，德宅的雙門也緊緊閉着。羅小虎來到這門前下了馬，看見兩旁無人，他就將這信柬由懷中取出來，隔着門縫兒投了進去，然後他上馬撥轡就走。出了三條胡同本想要再到鼓樓西去一次，可是他已覺得傷勢有點兒支持不住了，又怕前門關了，自己騎着馬，而且這樣的身體也不能爬城，所以他就撥馬向南。馬一顛，就覺得傷勢一痛，他就得駐馬緩半天氣才能往下走去。出了前門，沙漠鼠就跑過來，將他的馬接過去，並揚着頭悄聲說：「剛才劉泰保跟那拿刀的大漢子，又在門口直來回地走。」羅小虎吃一驚，便說：「不怕他們，他們不過為是偵察我的行動就是了，你們只要謹慎些，不要惹出事來，他們便也不能奈何咱們。等一半天我的事情就辦完了，或走或是還在此地，就都不要緊了！」他下了馬，進店扶着樓梯上了樓，樓上黑乎乎地，總像那小道士猴兒手還在那裏蹲着似的。

他小心防備着進了屋，點上了燈，就站着發怔，心想：「信我已然投了去，想我妹妹必然明白了。她大概不會派人來找我，即或找我來，我也一概不認。明天我在這裏再呆一天，後日，玉宅門前我要鬧它一件大事！魯府丞必去迎娶，玉嬌龍必要上轎，我就要闖入人羣將他們全都殺死。然後，我逃走也值得，死了也值！」胸中怒氣向上湧着，愁緒千條萬縷，自己無法撕開，無法斬斷。便喊來花臉獾，叫他拿酒來。羅小虎就一臂扶桌，坐在椅上，大口地連喝了幾杯，身上覺着發熱，頭腦暈沉，他又連斟連飲，並且以手擊着桌子，高唱起來：「天地冥冥降閔凶，我家兄妹太飄零。」想起當年高恩人作歌，原是為叫自己報仇，並沒叫自己為一個女人去捨命。但事情已走到了這地步，除此不能發洩胸中的怒氣！不能把這件事情辦完，即活着，也不能再去辦別的事，可又有什麼辦法呢？咳！……又想自己二十年來失身綠林，以至把前途埋沒，因為誤結了一個玉嬌龍，以至到此地步。因為莽撞才傷了妹丈，才得罪了德家，而無顏去見胞妹；因此又恨自己，恨不得橫刀自殺了！他瘋狂似的唱歌痛飲，直到天明，才因體乏，就趴在桌上睡去。蠟燭燒盡了，蠟油都流在他的頭髮上，他也不曉得。

直到次日早晨，沙漠鼠跟花臉獾進屋來，想要把他扶到牀上去再睡，羅小虎卻宿酒未醒，大罵着：「玉嬌龍！」一腳踹去，把花臉獾踹得滾在桌子下面了。沙漠鼠說了一聲：「老爺！你醒吧！是我們……」羅小虎這才睜眼看了看，似乎覺得他踹錯了，又問：「沒有人來找我嗎？」沙漠鼠說：「這麼早，能有誰來找呢？」羅小虎又問：「咱箱子裏一共還有多少兩銀子？」沙漠鼠說：「我也數不出來，大概連莊票還有一千多兩，金子不算！」羅小虎說：「都拿出來，問問哪家店裏住着窮困不能回鄉的人，給他們銀子叫他們回家！問問誰家窮得要賣兒女，給他們銀子叫他們骨肉團圓！到街上找些小叫化子窮漢，每人贈他們十兩！」沙漠鼠張着嘴說：「老爺！你為什麼要這麼行善哪？」羅小虎又怒聲叫着：「花臉獾！」花臉獾趕緊由桌子底下躥出來，說：「老爺有什麼吩咐？」羅小虎急急地說：「快騎馬到鼓樓西玉宅去看，看那裏有什麼事，如若那裏有人娶親，就飛馬來告訴我！」花臉獾趕快地答應了一聲，即刻就走了。這裏沙漠鼠扶着羅小虎躺在牀上，羅小虎閉着眼，急遽地喘氣，似乎是睡了一個覺。

半天，花臉獾滿頭是汗，氣喘吁吁地回來了，一進屋，他叫了聲「老爺！」，羅小虎瞪大了眼問說：「怎麼樣？」花臉獾指手畫腳地說：「我到了鼓樓西，見玉宅的大門前已高掛上了紅彩。」羅小虎冷笑着點頭說：「哼哼！」花臉獾又說：「宅裏搭了比這樓還高的喜棚！」羅小虎咬牙，花臉獾又說：「明天玉嬌龍小姐就出閣，明天鼓樓西一定熱鬧！」羅小虎怒罵聲：「媽的！」一伸腳幾乎又踹着了沙漠鼠。花臉獾壓下了聲音說：「咱們何必還在這呢？跟這些人搗亂作什麼？老爺的傷也好一些了，不如咱們明天就走，不願回新疆，咱們可以到別處去，天下有的是標致婆娘！」羅小虎皺着眉拂手，把兩人全都趕出屋去。他獨自頓足捶胸，胸中如燃着一把烈火，恨不得那魯府丞即時就去迎娶，自己就即時跑去把他們殺死，才能痛快。這一天，他真難捱，度一日如同十年似地，好容易盼到天黑了，卻又睡不着覺。他就又飲酒，又唱着一首記不完全的詩。他唱來唱去，酒又飲得酩酊大醉，睡了，這才捱到了明天。

這天，是三月十一，東風正暖，天氣晴和，飄盪着花兒似的雲朵，是個大吉利的日期。從早晨起，這客店的門前就走過了兩起娶親的了。今天事情已到了臨頭，羅小虎倒是非常的鎮定，只是滿臉的殺氣，兩眼有些呆板，呆板得那麼怕人。他今天彷彿忘了胸前的鏢傷還沒有十分好，精神非常的興奮；叫沙漠鼠到外面剃頭舖子找來個剃頭匠，給他打了辮子，刮了臉，修飾得乾乾淨淨。然後他又換了一身青綢夾襖，青綢夾褲，外罩醬紫色的緞子大夾袍，青雲緞的馬褂。又叫花臉獾拿着他的鞋出去給配了一雙軟底官靴，他穿上了。真像要到那裏去賀喜的樣子。

然後他就擦刀，將刀擦得雪亮，又收拾他的小弩箭，揣在懷中，帶上細箭三十餘根，命沙漠鼠去備馬。他就向花臉獾說：「今天，還是你同着我去，你帶着我的刀牽着我的馬，還在鼓樓前等候，不要害怕！今天的結局還不知怎麼樣，闖了禍，出了我的氣，也許我逃不了，都說不定。我也許能從容走開，反正你記住了吧！我若是被擒，你就趕緊跑，我被殺了你也不要去領屍。我若是逃走，那更好了，咱們能一路行便一路行；不能，便將來在汝南見面！」花臉獾聽了這話，嚇得臉都白了，兩條腿不住地發顫；羅小虎就昂然地下了樓，花臉獾捧着那口帶鞘的朴刀，隨在他的背後。走到店門前，沙漠鼠已將兩匹馬備好，拴在那裏等着；花臉獾將刀掛在那匹紅馬的鞍下，羅小虎就鞭馬走去，連頭也不回。那花臉獾卻跟他的夥伴沙漠鼠兩人急急地、悄悄地又說了幾句話，他才騎上馬趕上了他們的老爺。當下兩匹馬一黑一紅，一前一後，踏着石頭道緊走；少時進了前門，一進前門街道不像南城那樣繁忙了，路上車稀人少，他倆便連連揮鞭，催馬疾走。羅小虎那一身闊綽的裝束很像是位官員，花臉獾像是他的「跟班兒的」，所以有許多人都為他讓路。他們走不多時便到了鼓樓前，只見有許多簇新花轎，大鞍車，全都往鼓樓西邊走去。到此，他們的兩匹馬反倒慢了，花臉獾的臉色更是慘白，臉上的刀疤更是清楚！羅小虎卻面色發紫，在鼓樓前的地安橋邊下了馬，他把馬交給花臉獾，就說：「你還是到那酒館等着我，不要顯出形跡來！」

他轉身向北大踏步走去，此時天色已經不早，約十一點鐘左右，街上的人確實比往日多得多；男女老幼，都如湧潮似地往鼓樓西邊去擁擠，有的還說：「大概轎子都快來了！」羅小虎胸中的怒氣擁塞着，簡直喘不過氣來，瞪着大眼隨走隨看。卻見這些人羣中，最多的還是些裝飾豔麗的少婦長女；其次是乞丐們，另外有些穿着短褂，三三五五地橫着走路的，是街頭的流氓。但是轉過了鼓樓才一往西，就見是出大差似地，路兩旁全都站着官人。有的帶着腰刀，有的拿着皮鞭，喊着說：「要看熱鬧的人貼着南牆根兒走！別亂擠！」又吧吧地掄着皮鞭，驅趕得那些想去討帖喜錢的乞丐們往四下逃奔。羅小虎就雜在人叢之中，順着南牆根兒去走，被前後的人擠着，他出了一身的汗，同時胸間的傷處也很痛，眼見着轎子、官車、騾子、馬，一起一起地都往西邊走。人叢中就有人指着說：「快瞧！這是張大人家裏的轎！」「這是李侍郎家的車！」「瞧！這是韓御史家的女眷！」又有人喊着說：「二姑娘別往前走啦！就在這兒瞧吧！回頭轎子一定要從這兒過！」又有人悄聲地接談，說：「你們瞧吧！今天一起轎就許要出事！劉泰保他還得顯一手兒嗎？」另一個就說：「那他可不敢，今天無論是誰要敢在這兒鬧事，那可是找着砍頭！」並且有人似乎故意地從羅小虎背後一膀子撞過來；羅小虎扭頭一看，見是兩個流氓，他也忍着了氣，向旁躲一躲，就讓兩個流氓先走過去。

此時，這條大街上如同熱鬧的集市，但又有一種森嚴的氣象。馬鐙、轎頂子、官人出鞘半截的刀和看熱鬧的婦女頭上的金釵都在閃閃發光。日麗天晴，風兒一點沒有；靠南邊的一帶住戶，牆頭探出來的杏樹還留着將謝的嫣紅花瓣。少時，羅小虎就擠到玉宅的大門前，但在這裏隔着一條馬路，前面又有人擋着他的視線，他可不能完全看見那大門。只見高坡上有許多人來往着，有穿官衣的，有便衣的；車轎都是先到坡上，等人下了車進去了，再退下坡來。坡下有許多個小廝，每人都牽着幾匹騾子或馬，來回地溜着。羅小虎在此被擠得實在受不了，同時心中急躁得實在按捺不住！他就把心一橫，心想：既來到這裏了麼，豁不出去還能夠辦事！於是他走出了人叢過了馬路，直往坡上走去；他此時極力鎮定，不使聲色露出。原想一定有人要攔住自己盤問，自己就謅他一個「韓御史宅中的」，或是「李大人家中的」；自己現在雖沒帶着刀，可是懷中藏着弩箭，要打起來，他們也不能一人不傷，就將自己拿住。

他邁着大步往坡上走，想不到竟沒一個人攔他。雖然有人注意了他一眼，可是他穿戴闊綽，腳下又蹬着靴子，便沒有覺出可疑。他態度昂然只走進了大門，才將進二門時，還有個官人模樣的人正從裏面出來，與他走個對面。這人還趕緊閃開，低着頭，恭敬地讓路。羅小虎昂頭邁步，順着廊子直往裏走，只見有個穿緞子衣服四十多歲的僕婦，正從裏院出來，被一個男僕攔住，問說：「裏邊全預備好了麼？」那僕婦着急說：「沒有麼，小姐的頭拆了兩回，到現在還沒梳好呢！偏偏要嫁了卻又在前兩天她親自把繡香打發走了。自從小姐改梳頭之後，不是天天繡香給梳麼？」男僕又問：「現在小姐歡喜點了沒有？」僕婦說：「喜歡什麼呢！到現在還掉眼淚兒呢！」

男僕說：「這怎麼辦？喜轎快來了！」僕婦說：「來了就叫它等着，咱們可不敢催！」說着，這僕婦急急忙忙地從羅小虎身邊走過去了，往外院去了。

羅小虎心中十分難過，眼淚也幾乎落下！他往裏院直闖，但被剛才說話的那個僕人攔住，恭恭敬敬地說：「官客是在西院，這後院都是堂客。老爺，您的跟班的在哪兒啦？您跟我到西院去吧？老爺！您是哪府裏來的？」羅小虎也不言語，只點了點頭，隨着這僕人順廊往西。進了個屏風門，這院裏十分的熱鬧，原來這院裏也是極款式的房子。今天客廳都是專為擺筵之用，這裏是招待官客的所在；北房是招待貴冑顯官，東房是與玉大人等級差不多的官員，西房中是近親好友，這全是由玉二少爺寶澤接待。

寶澤就是玉嬌龍的二胞兄，三十多歲，現在四川任知府。此次來京，一來是襄辦胞妹的喜事，二來也要在京活動活動想要調任個京官，以便在京料理家務，侍奉父母。他此次來僅攜着僕從，並沒帶家眷。至於大少爺寶恩，現在作着鳳陽府，因為近來鳳陽境內引出了幾件案子，所以他不能離身，只派了親信的僕人和升、連喜二人來了。

當時羅小虎一進到這裏院，正跟二少爺寶澤走個對面。二少爺也不知小虎是個什麼官員，是他父親的同寅，還是他哥哥的同年，就趕緊叫僕人招待，他又跑往裏院忙去了。僕人見羅小虎的穿戴雖說不俗，可是沒戴官帽，又不像是什麼特別顯貴的賓客，就把他讓到了西樓。西樓三間，坐着賓客二十多人，羅小虎一個也不認識。他找了個紅木凳坐下，也沒有人理他，因為此時全屋中的人都正聽一個人說話。這人是坐在一把椅子上，穿戴雖闊，但不甚官派。年紀有四十多，身材不高，精神飽滿，有兩撇鬍子，手托着水煙袋，他正在說：「有人說我交結天下豪傑，至今有許多江洋大盜，還時常與我秘密往來。那都錯了，那真冤枉了我！」羅小虎一驚，心說：此人是誰？便瞪目去看這人，只聽這人又說：「本來直到現在我還是個罪人，三四年來我的行為極是謹慎。早先我倒是認識個李慕白，可是我們早就斷絕了來往；即或彼人尚在人世，他也必然不認識我了。」說到這裏，忽然抽了口水煙，看了羅小虎一眼，羅小虎不禁吃了一驚。旁邊就有人說：「其實現在李慕白就是進城也不要緊了，他還許弄個差事當一當呢！」又有人說：「李慕白要是當一名官差，那可真是一把好手，江湖上大大小小的賊人哪個不怕他？譬如去年本宅裏鬧的那些事，外面傳說的那些謠言，若有李慕白在這裏，誰敢給這宅中的小姐，造出種種令人難信令人生氣的壞話呢？」那托水煙袋的人卻擺手說：「少談，少談！今天宅裏辦喜事，我們還是不要談宅裏的事吧！」有人就笑着說：「嘯峯現在連說話都謹慎了！」那托水煙袋的點頭說：「實在！我現在連針尖一點大的小事全都不敢惹！」

羅小虎一聽，原來這人就是德嘯峯，同時見德嘯峯所坐的地方雖然離着自己很遠，可是他一連用眼掠了自己兩下；羅小虎便覺如坐針氈，坐不住了。起來假裝看了壁上的字畫，他便揚着頭背着手出屋去。又往前院去走，卻見有個人從身後跑來，似有什麼急事似的。羅小虎吃了一驚，趕緊走出了大門；就見那人同着個差官，出來召集官人說話。立時情形又緊張起來，揮着鞭子的官人向後驅人，喊着說：「往遠處去！近處不能站閑人！」羅小虎依然背着手兒大模大樣地上坡站着，就有個掛着腰刀的官人，過來向他笑着說：「您也是來這賀喜的嗎？」羅小虎點了點頭，這官人又問：「您貴處是……」羅小虎變了色，生氣說：「你盤問這些作甚？你問問玉大人，他認得我，他在且末城時就認得我！」這官人趕緊賠笑，說：「哦！您是由新疆來的，宅中大人的老同寅，我們不知道。」又悄聲地說：「這宅裏的事情大概您也曉得，外面風聲很大，都說有飛賊要來跟本宅作對。剛才東城德五爺又囑咐了宅中的二少爺，說還是門上嚴一點，讓門口這些閑人離着遠一點才好，因為魯宅的迎親的轎子眼看就要來了！」

羅小虎吃了一驚，因為由這官人的話中聽來，可見剛才德嘯峯是已看出了自己，好厲害的眼睛！只是他還存心忠厚，只叫宅中驅閑人，守門戶，並未指出自己就是賊。當下那官人又請羅小虎進去，羅小虎卻搖頭說：「宅裏太亂，亂得我頭昏，我要在這裏涼快涼快！」官人微笑着說：「對了，樹底下倒是很涼快！」說畢話，這官人轉身進門裏去了。羅小虎卻趕緊下坡走入了人羣，人羣正在亂着，因為官人們的皮鞭已打破了兩個人的臉。羅小虎雖然有力，可是被人擠得也不住地往後退。

這時，忽然有許多人嚷嚷說：「來了！來了！來了！」眾人的聲音立刻平息了下去，個個都伸直頸項。官人的皮鞭也不抽了，只聽一陣陣細細的管樂之聲，送來了一行最講究的儀仗，旗人娶親沒有什麼「金瓜、斧、朝天鐙」，只是高杆子挑着牛角燈，燈上寫着雙喜字；白天雖然不點着，可是六十對或八十對，擺列起來也極為好看、威儀。嗩吶也是「官吹」，單調的只是一個聲音，沒有什麼「花腔」，顯着怪沉悶的。隨着樂器是來了一頂轎；轎子是大紅圍子，不繡花，這就是接新娘用的。後面有七八輛大鞍車，是「娶親太太」，大概新郎也坐在車上，都是趕到高坡上去了。

羅小虎的前面還擋着兩層人，所以他只能企着腳兒，伸着脖子，看了一個大概。他胸頭的火燄就要噴出來，立時要撞出人羣到高坡上去抓，去打死那個新郎！但是他又使力地攔住了自己，心說：「別忙！且等一會，看看玉嬌龍怎麼樣，看她肯上轎不肯？她若是肯上轎，那我可就非殺死了她不可！」緊緊咬着牙。這時那頂紅轎已卸下了轎杆子，由八個轎夫托着往高坡上去了。有個長着鬍子的官人過來，向一些看熱鬧的人擺手，說：「還不散散嗎？轎子你們也都看見啦！就是那頂轎子。你們要想瞧瞧轎子裏的新人，那就瞧不見了！」又有掄鞭子的過來，羅小虎又身不由己地隨着人向後退了幾步；他卻反分開眾人，獨自跑到前面來，熱得他把馬褂都脫了，直瞪大眼向高坡上去望。

這時高坡上是一陣沉悶，不知鼓樂和轎子進宅中是作些什麼去了，更不知玉嬌龍此刻是哭，還是笑；尤不知玉嬌龍此時的心中是否還記得沙漠、草原。羅小虎等得心急。摸着懷中的小弩箭，他又恨自己，當初為什麼不練會鋼鏢，毒藥餵成的鋼鏢？卻弄這打不死人的小東西。他跳起來，又要跑上高坡，闖進那大門；可是這時忽聽樂器又奏起來了，那頂大紅轎子已由高坡上緩緩地托下。托到下面就放在轎杆上，準備要抬起，要走；宅中也有許多錦衣翠鈿的女眷們送了出來。

羅小虎卻如暴獅出籠似的，他扔了馬褂，猛躍出人叢，直奔喜轎，立時一片嚷嚷：「哎喲……」官人們個個抽刀攔住了羅小虎，羅小虎卻用弩箭突突突連珠一般地射去。同時並射官人，他跳躍着，一個官人撲向前，他一腳就將官人踢倒。他的靴子也踢飛了一隻，他舞刀仍撲喜轎；但官人眾多，哪容他上前。

此時高坡上的女眷們已紛紛逃回宅內，那人羣似潮水一般地向後亂擠亂退亂跑，呼聲震天。羅小虎有如一隻猛虎，舞動鋼刀如飛，東砍西攔；一隻腳光着，一隻腳穿着靴子，往前撲，往旁閃，但決不後退。兩眼怒睜，大罵道：「玉嬌龍！你喪良心的女子，忘記了沙漠中的事？忘記了我半天雲？」弩箭嗖嗖地向轎子射去，十幾個官人擋住轎子，幾個官人來捉他，但一羣鷹雖厲害，哪裏捉得住他這條猛虎？此時，由退後的人潮之中，又跑出來十幾個人，原來都是街頭流氓。剛才他們是混在看熱鬧的人羣裏，此時都跑出來了；原來個個都帶着一支梢子棍，都大喊：「拿兇手呀！」但他們不幫助官人，只在裏面亂攪。羅小虎腳下不便利，「吧叉」一聲摔了個跟頭，兩個官人已掄刀趕到；可是幾個流氓又跑過來抖着嘩啦亂響的梢子棍說：「老爺們！別真殺他呀，宅裏大吉祥的日子！」羅小虎卻趁此時又爬起來，另一隻靴子也掉啦，光着兩隻腳又掄刀，卻被一個人自後抽了他一棍。他趕緊掄刀回頭，卻聽這人說：「還不快跑？快跑出德勝門去吧！」羅小虎一看，原來是一朵蓮花劉泰保，他倒不禁大吃一驚；劉泰保又使眼色，羅小虎就光着兩隻腳向東跑去。前面的看熱鬧的人亂跑，羅小虎也緊跟，官人緊追。劉泰保帶着那夥流氓，一同幫助追，一半礙着官人的路。

羅小虎那兇樣子，手中又有刀，誰敢阻擋他？便一任他跑到了鼓樓前，由花臉獾手中接過了馬，拋了刀，上馬就向鼓樓後跑去。一直跑到北城根，又轉向西，順着城飛奔而去，少時就奔到德勝門。守城門的官員一看他滿頭大汗，氣喘吁吁，光着兩隻腳蹬着馬鐙，紅色的大馬飛似地奔來，就大聲喝着，想要截住。羅小虎用弩箭就射，馬往起一跳，嘶叫了兩聲，又撞翻了一個賣菜的車子，羅小虎又揮幾鞭，馬就衝出德勝門去了。

在關廂中又撞翻了兩個人，他人兇如虎，馬似怒龍，一霎時跑出了關廂；一直往北，過了土城子。但此時羅小虎的心肺都要由喉嚨跳出來，他喘吁得太厲害，不能再快走；只得緊緊勒韁，回頭去看。見身後並無追兵，只有一頭小驢自後飛也似地跑來，驢上正是一朵蓮花劉泰保。羅小虎吁吁地喘着，說不出一句話來。少時劉泰保就來到了臨近，收住了驢，他就說：「羅老兄弟，想不到你原來是個粗人。精細一點兒的人，今天也不幹這怔事！這有什麼用呢？難道你還能一個人把玉嬌龍的花轎搶走？今天我是受德五爺之託，德五爺昨天就找了我去，他說他見到了你的信。雖然他兒媳婦楊小姑娘還不信你是她的哥哥，可是德五爺覺得楊家家庭慘變，骨肉早已分離，也許他兒媳婦還有個胞兄多年在江湖上流落，所以他一方面今天親自到玉宅去賀喜，囑咐玉宅防患於未然；一方面又託我招些朋友加入人羣，到時萬一有事發生，好救你老哥逃命。我早就看見你沒帶兵器，我知道你的寶刀也叫猴兒手偷去了，你也許不至作出什麼事來，至多你不過看看你的心上人怎樣上花轎，傷傷心就是了。可是沒想到你老哥真怔！你當初就辦錯了，應該早就跟我一朵蓮花合成一夥，協力對付玉嬌龍！現在咱們先找個地方避一避，過兩天再想辦法。你先別傷心，別想尋死；玉嬌龍拿定了主意要嫁魯翰林，是誰也攔不住。下馬吧，喘喘氣兒，我先帶你找個地方歇一歇去吧！」

羅小虎這時面如白紙，氣息喘得極為急促。他聽了劉泰保的話，要下馬，但不防頭往下一栽，整個身子摔下馬來，同時由口中噴出飛泉似地鮮血。劉泰保趕緊過去將他攙扶起來，叫路旁的行人幫忙，攙他到離着大道很遠的一株柳樹下去歇息，並把馬和驢也牽過去拴在那株樹上。劉泰保不住望着羅小虎笑，並說：「你這樣剛強的一條漢子，竟為玉嬌龍傷心成了這個樣子，到底是怎麼回事呀？你是個綠林英雄，她是個深閨小姐，她怎會把你給迷住了？」羅小虎卻如一隻死熊似的，躺在這裏，胸脯仍然緊緊地喘氣，話也不願多說。

此時，雖然也有耕地的農人過來看他們，但卻沒有官人追到，因為這裏距德勝門已有二十多里，而且城中不過是驚擾一陣，只在兩三個官人的帽子上衣服上中了小弩箭，並不要緊。轎子也被射了幾箭，並沒射透；新娘玉嬌龍絲毫無恙，穿戴着鳳冠霞帔，在轎中安然坐着，連驚得哭也沒有。於是玉大人氣忿忿吩咐仍然起轎，並說：「只要我把女兒嫁出去，我要殺盡了北京城的流氓，然後我也死！」於是鼓樂齊奏，儀仗紛紛，並有官兵護送，轎子又走了。但這時街上十分清靜，看熱鬧的人早就驚跑了；那些掄着梢子棍攪亂的流氓也都四散無蹤。這隊娶親的儀仗嚴肅地前行，雖有官人押護，可是那些打燈的、抬轎的，仍然個個提心弔膽，恐怕有冷箭飛來。所以都走得很快，不多時就到了西城魯宅。魯家的宅院比玉家還要廣大，魯侍郎為官半生，寅友甚多；新郎魯君佩又有不少的同年，所以都很早就來了，比玉宅裏還要熱鬧。女眷也來不少，都等着要看新娘，看看這位京城聞名的美人玉嬌龍小姐。

所以轎子一到，大家就歡狂了，但是又帶來了剛才在玉宅花轎出門之時有莽漢發箭之事，有的人聽了，就嚇得目瞪口呆。同時新郎魯君佩去的時候是歡歡喜喜，如今回來卻氣得胖臉發紫，一點笑容也沒有。隨轎來的幾名官人，一來到就嚴守大門，並請宅內上下都要加小心，不要混進閑人去，這就把大家的一團高興嚇散了。有些人還勉強笑着，說吉利的話；有些人卻都坐立不安，有些人又紛紛談論，說是：「玉大人得想辦法，鬧了有半年多了。這次事情之後，再捉不住強盜，再鬥不過劉泰保，那他不用辭官，他的官也自然就幹不成！」卻又有剛才隨轎子從玉宅回來的人，就暗暗擺手，向他的知己人悄聲說：「全不是那麼回事，這與劉泰保毫不相干！剛才那兇漢在肇事時，罵的話清清楚楚。乾脆，才娶來的這位新婦在新疆時就……」這二人說話的聲音極小，但那聽話的人把話一聽完，就嚇得趕緊避席而去。

堂上此時新郎新娘正在拜天地，過了幾時，就開了晚筵。新娘玉嬌龍梳着兩板頭，穿着繡花衣裳，由丫鬟僕婦隨侍着，又挨着桌子為眾賓客敬酒道謝。這樣雍容華貴美麗的新娘誰看見過呀？誰能相信，剛才曾有個莽漢以箭射轎，指着她的名字大罵。

玉嬌龍低着眼皮，不像害羞，也一點不像為剛才的事而驚擾，她只是有一種凜然的令人不敢正眼去看的威嚴態度，如寒梅，如冷霜。她斟過了謝酒，便被丫鬟僕婦送回了新房。新房是五間很大的房子，此時明燈四照，最東首的一間是洞房。紅燈映着紅門簾、紅帳褥，豔麗得如同花塢一般。新娘一進洞房，就叫丫鬟吟絮向外面說：「我們小姐頭痛，要上牀去歇一歇，請太太奶奶小姐們在外屋說話吧！別進裏屋！」一般女客的來頭也都不小，見新娘這樣大的架子，就都不高興，有的說了幾句閑話就往外走。

此時天色已晚，男女賓客多已走去，只有一些至近的親友，還在客廳中暢談。新郎魯君佩剛才是有些煩惱，此刻卻又十分高興，他挺着大肚子，一個人跑到書房，搵着腦袋，拿着筆去作「催妝詩」。他剛寫好了一兩句，這時忽然院中就亂了起來，他連忙放下筆出屋，卻見燈影之中，許多的人都往新房去跑，並有人嚷嚷着說：「新娘丟了！新娘不知往哪兒去啦！」魯君佩嚇了一大跳，也趕忙往新房裏去跑，就見屋中人很是雜亂，個個驚慌，都說是怪事！同時有兩個僕婦由洞房中抬出來一個丫鬟，這丫鬟正是吟絮；她目瞪口呆，手腳都不停地顫動，如同服了毒，又似是中了風一般，因此眾人更驚慌了。

這五間屋子全沒有後窗，不知新娘是如何走去的，新娘的衣服全都亂放在牀上，牀上有一片鮮紅的血，倒像是新娘是被誰殺害了似的。可是往各處去檢查，卻別無痕跡，守門的人也說沒有看見新娘出門。魯君佩急極了，趕緊命人套車，親自到玉宅去通知。這時就約有二更多天了，黑夜沉沉，京城商家都關門閉戶，只有魯宅和玉宅兩邊的人來回坐着車騎着馬跑。

玉宅裏，玉大人聞訊，是氣得幾乎昏暈了過去，只是頓腳，說：「果然是這麼一回事！咳！咳！」此外他什麼話也沒有，一點表示也不作，玉二少爺也甚驚異，趕緊勸他父親勿憂，並且伺候着，也不敢離身了。玉太太因為今天女兒出閣，本來是又悲又喜，更因白天有人攪亂之事很是生氣！忽然聽說了這事，她趕緊就來到了魯家，一見牀上血跡，她就哭起來，說：「龍兒呀！我的多災多難的可憐的女兒呀！……」她因這片血跡，就斷定魯家把新娘害了，並認為害死的原因，就為白天有瘋漢撞轎，魯家的人疑新婦不貞，但又不能退婚，所以才出此下策，殺人滅跡，並逼着陪房丫鬟服了毒，以圖滅口。

魯家是極力爭辯，說：「這是絕沒有的事！無論是誰家，無論是大門小戶，誰能娶了新婦當天就害死的呢？再說，即使因白天的事，男方起了疑心，不願意了，但也絕沒有害死了新娘的道理呀！」幸虧這兒還有幾家至親沒走，就出頭為兩家調停，並且說：「兩家雖是新親，也是老親，又都是現在朝中的大官，京城中的赫赫門第。無論新娘是怎麼樣了，倘若聲張起來，這件事可就是愈鬧愈大，不但兩家的門庭都不好看，朝廷都許要出來干涉，降罪。外面的謠言不知更要有多少了！不如先把事情瞞着，就說新娘因為娶的這天突然有瘋漢攪鬧，嚇病了，失了魂，所以不能圓房，不能回門，也不能會一切的親友。同時再暗中去尋訪新娘的下落，或是等到那丫鬟吟絮的病好了，能夠說話了時，再向她追問當時的情形。」玉太太仔細想了想，沒辦法，魯宅的人更不願把事情傳出去，只好依着親友的調停，暫時把這事情遮蓋住，並把知情的僕人都囑咐了，拿賞銀買住了，無論是誰，都不許把事情傳出去。玉太太回到自己家中，含淚告訴了玉大人，玉大人依然是頓足歎氣，一句話也不發，並且不許別人在他耳畔提說此事。二少爺又安慰母親，當夜闔宅不安。

次日，玉大人就沒上衙門，提督衙門的人都知道正堂大人是昨日嫁女，累着了，病了，連客也不見了。宅內寂靜蕭寥，只有棚舖的人，來這兒拆棚，卸彩子；乞丐們在坡下等着廚房把昨天殘肴剩飯拿出來給他們。魯府那裏也是如此，不過新郎魯君佩是一夜也沒有睡覺，第二天清晨他就急急忙忙地到了順天府衙門，見了府尹大人，秘密地談了半天；隨後府尹大人就派了幾名精明的班頭，四出尋訪緝拿。

紙裏包不住火，北京城的閑人多，耳朵又都長；雖然當事者連衙門裏都把事情壓得很密，可是茶寮酒肆之中，依然有人在竊竊私語，說的是魯翰林家裏跑了新娘，玉正堂家丟了姑奶奶之事，說得他們有根有據，畫龍點睛還帶着畫蛇添足，並且說也是昨夜內，鐵貝勒府中也出了一件驚人奇案，那口寶劍又丟了。

原來鐵府中自從那口青冥劍被人退還之後，鐵小貝勒就將劍懸於自己的臥室中，離着寢牀不遠。鐵小貝勒向來獨宿，外間徹夜點着燈，窗外永遠有兩個侍衛守着。昨夜也沒有什麼動靜，可是今晨鐵小貝勒起身一看，寶劍忽又不翼而飛。這樣的事發生於寢室中，鐵小貝勒卻有些凜懼，並且震怒，便飭命內外城各衙門限期拿人，追劍。因此街上緝騎亂走，人人恐慌，兩件事在同夜發生，全是這麼怪異，街上的流氓土痞就全都斂跡，茶館酒肆的生意這些日倒顯着清淡了。同時，最出風頭的一朵蓮花劉泰保也當然不露面兒了，他的媳婦蔡湘妹整天跟街坊的婦女抹牌，也不管她丈夫的下落。劉泰保確實沒在北京，那天瘋漢用箭射玉宅的花轎，劉泰保在裏邊一攪；瘋漢跑了，他也就再沒有了蹤影，因此人人都疑惑上了他，傳言是：「劉泰保買出了瘋漢大鬧玉宅的喜事，沒攪成，他又拐走了玉嬌龍，扔下他的『原配』。小狐狸玉嬌龍又幫助盜去青冥劍，鐵小貝勒跟邱小侯爺要出頭調解玉魯兩家糾紛，德嘯峯又派人往江南請李慕白來京辦案。」傳言愈傳愈離奇，表面上京城彷彿沒有什麼事，其實暗中已飄着滿城暴雨，緊嚴之極。一到傍晚時，玉魯兩宅附近及鐵貝勒府那一帶就斷絕了行人。

這時，距京城不遠，盧溝橋迤西，西山的山峪之中有一小村，地名叫「桃花峪」，峪中千萬株桃花，已零落殆盡，但地下還留着一片紅英。村中四十多戶人家，其中有一家姓章的，家道本來很窮，章老頭六十多歲了，早先曾在城裏玉宅打過更，並曾把個小女兒賣給玉家作丫鬟。後來玉宅的全家往新疆去做官，他那個小女兒也被攜帶了去；他卻回到鄉下來務農，種着十來畝地；還有個二十來歲的長子，過着極儉樸的日子。他那個往新疆去的女兒卻與他們早就斷絕了音信，他們多年也難得進城一次，所以也不知玉宅的主人究竟是回來了沒有。

這一日（玉嬌龍在城內失蹤的前四天），忽然他那女兒竟坐着騾車歸來，穿戴得很闊，帶着兩份鋪蓋，幾隻大包裹，另外還有一隻大竹籃子。章老頭夫婦幾乎不能認識他們的女兒了，經女兒詳細的說明，說：「我就是十年前被您賣在玉宅裏的那個女兒，在玉宅這些年，是專伺候小姐。小姐給我起了一個名字叫繡香，我跟着小姐在新疆住了八九年，小姐待我很好。現在是因為小姐要出閣了，不願叫我陪房過去當一輩子的丫鬟，所以才打發我回來，並給我找了個女婿，姓龍，是甘肅人，他在甘肅有買賣，他家裏也很有錢，一半天他就要接我來了，我就要跟他走了。」說着就打開她的鋪蓋卷，被褥都是綢緞的，並且很香。又打開那隻竹籃，裏邊卻臥一隻長毛兒的白貓，鼻梁上有塊黑，很好看。繡香就趕緊叫她的爹到外面去買豬肝，好給這貓兒拌飯吃，她並且管這隻貓叫作「雪虎」。

這個多年沒有回家的姑娘一旦歸家，而且又這麼闊，簡直是這偏僻小山村內突然來了一位貴人。一時，妗子、姑媽、本家的老祖母和鄰居們，就都來看她，問她宅中的事。她卻不大細說，只說了她夫婿就要來，就要帶她走了，因此親族鄰舍又都等待着要看她那位女婿。繡香在這裏住了幾天，她就已梳妝了漢裝的少婦的頭髻，她的腳在家裏時本來纏過，雖在旗人的宅門中作了多年的丫鬟，放了腳，可是穿了尖頭兒的坤鞋，還看不出是大腳來。這幾天她就是把帶來的一大疋緞子，毫不心疼地剪下來一塊，天天就坐在炕頭做鞋；鞋做成了，到第六天上午十時許，她的女婿果然來到。她這個女婿原來長得比她還俊，年歲也跟她差不多。細高的身量穿着一件藍綢子的夾袍、青綢褲，繫着絲線腿帶、雙喜緞鞋；辮子很長，是又黑又亮，前面露出一點青頭皮兒，像是新剃的。這位「姑爺」，見着丈人岳母只是作揖，並不叩頭，連手中的馬鞭子全都不放下，就要叫繡香跟着他走。繡香也彷彿看見女婿一來，她一刻也不能在家裏待了，就給她父親留下五十兩銀子，隨着她的女婿出門。親族鄰居都擠着門看，說：「哎喲！兩口子怎麼都這麼俊呀！真是玉女配金童呀！」柴扉外早停着一輛車和一匹青色的健馬，馬上鞍轡鮮明，並有一口寶劍。那輛車，據趕車的人說，是這位大爺由盧溝橋雇來的，講明拉到石家莊。

章老頭和他的兒子，替姑爺和姑娘往車上搬行李、包裹。那隻貓，姑娘說是姑爺心愛之物，也一定要帶走，連肝拌飯都裝在籃子裏，它還不住地咪咪直叫。繡香坐在車裏，向她的爹娘擦眼淚，姑爺卻騎上了馬，拱手說：「再見吧！兩年之後我必要帶着姑娘回來！」於是車走了，馬隨着，輪蹄碾轉着地下的紅英，絲鞭在春風裏掠動，一霎時，這一對璧人就離開了山峪。

趕車的跨着車轅，還跟騎馬的大爺不住地說話，問：「大爺您貴姓呀？」「大爺」回答說：「我姓龍。」聲音是很細，這位大爺倒有點像京城中徽班裏著名的小旦。趕車的又問：「您就到石家莊嗎？家住在石家莊嗎？」大爺卻搖頭，說：「不！我們還要進娘子關往山西去呢！到石家莊換車，你要能往遠處去，我們就不用雇別的車了，拉我們到嵩山。」趕車的卻搖搖頭，說：「不行，我們至多送您到磁州，遠了我們不去。」車馬向着西南行走，正午時在半路打尖；再往前進，當日就過琉璃河到了高碑店，因為天色晚了，便找店住下。趕車的就跟那位大爺支錢，大爺說是沒有零錢，隨手就給了一塊銀子。喝！足有二兩重，這位大爺真闊。他叫店裏煮雞，不吃粗糧食，一定要吃白麵。店家把一盤白煮雞，特意由外面買來的白麵饅頭，兩份碗箸，送到房中。

這小店的屋子本來是很簡陋的，可是土炕上卻鋪了閃緞的被褥，牆上懸着一隻黑砂碗菜油燈；黯淡的燈光之下卻照着渾身綢緞，齒白唇紅的兩個儷影。「大爺」正在炕上逗貓呢，「大奶奶」真是個賢德的媳婦，不用店裏的髒筷子，人家自己帶「匙箸」。打開兩個烏木的扁長匣子，裏邊是調羹、筷子、叉子、小刀全都有，都像是白銀的。「大奶奶」撕雞，切饅頭，恭謹得像個丫鬟似的伺候「大爺」。大家卻不禁咋舌，心說：「這麼闊？在路上還這樣鋪張，這條路又不平靜，一個年輕人帶着個媳婦這麼走路法兒，可真非出事不可！」但是又見「大爺」的寶劍不離身，卻又像是會點武藝似的。將近二更之時，屋中就熄了燈，小夫妻睡着了，隔窗連鼾聲都聽不見。

這位大爺逢人自稱「龍錦春」，其實她就是在京城魯宅失蹤的那位新娘玉嬌龍小姐。玉嬌龍本不願意離開她的父母，假若魯君佩人才略好一點，她也可以安心下嫁。但魯君佩的人才卻是那般不濟，所以在婚期之前，她的芳心中曾交戰了許多次，結果認定是非走不可。她自己的事情一向都瞞着人，碧眼狐狸又死了，身邊更無一個人可以說；但是，只有丫鬟繡香是她最親信的，而且她也明白，她的詭秘的行跡也只被繡香看出來過兩三次，繡香只是不肯說出罷了。所以，她就把自己已會武藝，自己不願嫁魯翰林，自己要出走，詳細地都對繡香說明了。繡香流着淚，說：「我願意跟小姐走，沿途我服侍小姐。」玉嬌龍於是又同繡香秘密計議，就在婚期的前幾日將繡香遣走，送給繡香許多衣物，及她那隻心愛的貓(另外還帶着許多金銀珠寶，及啞俠遺書)。全宅上下雖然都覺得小姐的行動有異，但小姐的理由卻極充足，她是說：「繡香最會服侍我，我將來到了魯家，繡香若隨過去，她永遠是個丫鬟，是妾媵；如今我把她打發回家，叫她骨肉團聚，叫她父母將來為她一夫一妻地擇配！」玉太太且賞給繡香幾錠銀子，並把當年的賣身字契拿出來還給了她。繡香走的時候，向大人、太太、二少爺及小姐，都一一叩了頭；小姐且悲傷地流了幾滴眼淚，她們心裏的事連吟絮全不知道。吟絮雖然長得也很好，可是心眼笨拙，所以那天在洞房之中，玉嬌龍就施展點穴法將吟絮點倒，點的是「啞穴」，使吟絮永遠不能說話，永遠不能向人說出玉嬌龍當時脫去了新婦的衣服，換上暗中帶來的青衣青褲，取出小刀將胳膊劃破向牀上滴血，故佈疑陣，然後吹了燈走出的事。

玉嬌龍有那神出鬼沒的本領，當然能在那酒闌人散的魯宅隨便地出入，無人發覺。而且她還想此後自己浪跡江湖，不知要遇見多少起爭戰，沒有一件合手的兵刃也不行，所以她又如輕燕一般地夜至鐵貝勒府，取走了那口青冥寶劍。早先她還劍之時就是不得已，那時她就想着是暫存在鐵府一般，隨時還可以取走。她先到前門外西河那姓魏的家裏，姓魏的叫紅臉魏三，早先是碧眼狐狸的嘍囉，攜妻匿居京城，以給鏢店作小夥計遮掩身分，已有多年。去年經碧眼狐狸介紹，玉嬌龍就在他家裏存着一包男裝的衣裳，和火摺、火鐮、印章、鑰匙等等，但魏三沒問過玉嬌龍姓什麼。玉嬌龍一來到這裏，當夜就把脂粉洗去，叫魏三的媳婦把她前面的頭髮剃了剃，改成一條男人式的辮子，並且把耳朵眼用鉛粉塗住，次日清早叫魏三到德勝門外小店取來了她那匹馬，她就騎着馬走了，桃花峪接了繡香，便向南走。想要一直到河南遊嵩山，然後赴湖北朝武當，再至岳陽觀洞庭，然後她想到衡山去隱居。

二女同行，詭裝夫婦，在高碑店宿了一宵，又往南去。馬傍着車走，春風大地，遍處是花草芳菲，蜂蝶追着她的馬在她的臉上繞，她不禁悵悵然地仰看碧空中飄浮的白雲，又憤恨，又傷心，想到那不成材，沒志氣，空有健壯身體與魯莽性情的羅小虎。她又思念父母，不知何年何月自己才能歸家。她又疾搖絲鞭，輕騁駿馬，微笑着藐視江湖，心說：「來、來！無論你江南鶴、李慕白、俞秀蓮，或是什麼自覺不錯的英雄好漢，來！見見我玉嬌龍，見見我青冥劍！」她一點也無顧忌，午間在中途打尖用飯，荒村小鎮上她就露出來整封的白銀。

晚間，無論住多麼髒多麼狹窄的店，她也要把個小土屋弄成她的閨房似的，食用一點兒也不因陋就簡，還除了雞鴨就是肉，她不怕多花錢。繡香叫她「大爺」，她對待繡香，當着人有時是繃着臉兒，正正氣氣的；有時又故示恩愛，與繡香耳鬢廝磨，真如才結婚不久的小夫婦，繡香也自然而然的就常臉紅，就會向她嫣然地笑。那隻貓「雪虎」，更如同是玉嬌龍的命，有時走在平路，她還叫繡香由車上把貓抱出來，她在馬上抱着親着，親熱地叫着「雪虎！」但叫過了之後，她又時常臉上露出來一陣悲傷。這位「大爺」鬧得叫那趕車的人吃驚而且害怕，怪得又叫趕車的人生疑。

走了兩天，眼前就是保定府，身後卻有幾個駛馬的大漢追下她們來了。玉嬌龍聽見了身後的馬蹄之聲，她趕緊回頭一看，見身後來了一共是七匹馬，各種的顏色，都很矯健。馬上的人一個個都是彪驅大漢，都穿着青色綢衣，有的把辮髮繞在頭上，有的戴着紅草帽，沒有一個年過四十的，他們好像都是兄弟。玉嬌龍注意着他們的馬，見上面帶着的行李卷兒都很輕，可是每個行李卷裏都露出來刀柄，還有飄着紅綢子的，有一個人腰間還掛着鏈子錘。玉嬌龍一看，就明白了，知道這七個人，不是鏢頭，就是江湖強盜。她的一隻手摸了摸鞍旁的寶劍，毫不介意，照舊地搖着鞭子策馬隨車去走，她並且把馬向着車裏，見繡香濃妝豔抹地盤膝在車裏，抱着貓微微地向她倩笑，她也笑着，說：「咱們到了保定，在城裏去逛一天好嗎？」繡香笑着說：「怎麼都成，隨大爺！我連咱們現在往哪邊走了都不知道！」玉嬌龍用鞭子直指着說：「這就是正南，咱們此時是往南邊走了！」她得意地搖着鞭子，趕車的獐眉鼠目的卻不住回頭，他顯出來是有點毛咕。後面的七匹馬已如狂濤似地，「忽啦」一聲來到，又搶到玉嬌龍的車馬前邊去了，同時又全都收住了韁。

此時，塵土飛揚，車中的繡香趕緊用絹帕掩面，玉嬌龍呸地啐了幾口，覺得眼前如起了霧，騷臭實在難聞。那七個人同時回頭盯了盯車裏的繡香，隨後，就有個黑臉膛的漢子向玉嬌龍一拱手，問說：「朋友！你是從哪兒來的？」玉嬌龍眼睛瞪大了，帶點氣說：「我們是從京裏來的，你問這幹麼？」黑臉漢子笑着說：「隨便問問，對不起！」拱了拱手。玉嬌龍又惡狠狠地瞪了他們一眼，七個人就齊都哈哈大笑，有的說，是個雛兒！有的說，怎麼是妞兒的脾氣呀！有人就說，走吧！於是七匹馬又盪起來彌漫的煙塵，嘩啦嘩啦蹄聲亂響，一齊向南跑去了。

忽然有兩個人都翻身滾落下馬，馬跟着前面的馬跑去了。卻有另兩個人將坐騎勒住，回頭來說：「老三、老九，你們都怎麼啦？迷啦？」這個老三跟老九全都趴在泥土裏，都成了土猴兒了，哎喲哎喲地都說：「不好！我中了暗器！」馬上的兩人立時神色驚變，一人向前大聲喊叫：「回來吧！這兒出了麻煩啦！」一人就跳下馬來救他的兩個同伴，只見他這同伴老三背後插着一支不到三寸長的小箭，箭雖不長，可是插進肉裏很深，一拔出，老三就「媽媽！哎喲！」的叫，並且流出一片鮮血。老九被箭射着了脖子，前面的三匹馬也全折回來，馬上的人全都驚訝地問道：「是怎麼回事？」

玉嬌龍的車馬仍慢慢地向前走去，趕車的發着怔，直眉瞪眼的也不知道是怎麼回事，繡香卻放下了車簾，拿絹帕掩着嘴笑。玉嬌龍像是沒事人兒似地，搖着鞭，走過那個躺着的人旁邊之時，她連低頭看看也不看。但是車馬才走過去，那黑臉漢子已催馬追來，厲聲叫道：「朋友！站住吧，還裝孫子嗎？」玉嬌龍驀然回身一掄鞭，吧的一聲脆響，正打在漢子的黑臉上，怒聲說：「你敢罵人？」黑臉漢子大怒，「鏘」的一聲鋼刀由行李卷內抽出，後邊的四條大漢也一齊掄刀撲奔過來，趕車的驚呼道：「老爺喲！」玉嬌龍卻亮出了青冥劍，寒光閃爍，揮動似飛，只聽「噹啷、克叉！」五個漢子手中的鋼刀紛紛俱折，都大驚，都要跑！同時玉嬌龍扳動了袖中的弓弩，嗖嗖嗖珍珠箭射出，五個大漢子有「哎喲」一聲滾倒的，有撒腿跑了的，煙塵之中狐兔紛逃。玉嬌龍卻一縮脖噗嗤一笑，輕輕收藏起來寶劍。那趕車的由車底下爬出來，一鼻子一嘴的土，哭似地說「爺爺！」玉嬌龍繃着臉兒拿鞭子抽車轅，喝道：「快上車！快趕着走！」趕車的不敢怠慢，上了車，用力連連摔鞭，騾子拉着車咕碌咕碌地飛跑，玉嬌龍的馬緊緊隨着車走。她十分得意，在馬上一顛一顛地，口中不禁唱出了「天地冥冥降閔凶，我家……」忽然她又自己止住，心中襲上一陣陣輕微的悲痛，咬咬牙，拿出手帕來擦擦眼睛。回頭再看，見遠遠之處那七個人又都聚集在一堆了。倒是都站着身，好像受的傷不太重，都正用目送斷了她這邊的車塵馬影。

少時，就到了保定府的北關，天色尚早，玉嬌龍就找了一家很寬敞的店房，就命車輛先趕進去，她策馬隨之進內，下馬問店家說：「有寬敞的房子沒有？」夥計回答說：「有。」遂就給她找了個寬敞的房子。是分裏外間，屋中陳設還算講究，這是為過往官宦居住的。玉嬌龍吩咐店夥去搬行李，繡香也隨着進來，就又在裏間的牀鋪上她們的閃緞被褥，貓兒雪虎蹲在牀上咪咪的直叫，玉嬌龍說：「你餓啦？等一等，這就給你拿吃的來了！」轉首叫店夥去泡茶，並說：「現在我們的人倒是不餓，你快些拿點肝拌飯來吧！」店夥見這位闊客人還帶着一隻貓，斜眼看了一下，就出屋去了。玉嬌龍卻躺在牀上，吻着貓，又笑着向繡香說：「剛才的事，你看好玩不好玩？」繡香的臉上仍未褪驚慌之色，說：「我挺害怕的，他們沒有死人嗎？」玉嬌龍搖頭說：「沒死人，我並沒有使用毒辣的手段，只是稍稍顯顯咱們的本領，別叫他們覺着咱們是好欺負！因為他們江湖人彼此全通氣兒，咱們這回若是甘受了欺負，以後的欺負可不知要受多少呢？」繡香有點憂慮地說：「現在北京城裏也不知怎麼樣，魯宅丟失了您，他們能就把事情壓下去不聲張嗎？咱們宅裏的大人、太太，不定急得怎麼樣了！」玉嬌龍卻申斥說：「也別提這些事了，愛怎樣就怎樣！非是我不孝，是事情逼得我實在無法！」她的臉色漸漸陰沉起來，手撫着貓兒坐着發了半天的怔。

這時，忽聽外面有人叫道：「大爺在屋裏嗎？」玉嬌龍帶着氣問了聲：「什麼事？」外面的人掀着軟簾正要進屋來，玉嬌龍卻站起身來用手驅逐說：「出去！出去！哪有撞進屋來的？太沒有規矩！出去！」外面原來是那個趕車的，他被趕到外屋，鼓着嘴站着。玉嬌龍出來，就帶怒問道：「什麼事？你快說！」趕車的很煩惱的樣子說：「您把車錢給我開清了吧！我只能把您送到這，不能再往別處去；您另找車吧！保定府也有的是車，反正我是不管啦！」玉嬌龍瞪眼說：「什麼話！在盧溝橋不是講得明白，送我們到石家莊。現在才到了這兒，你就不管送了，叫我們換車，這說得下去嗎？不行！」轉身又要進屋，趕車的卻說：「大爺！大爺！我可跟您說明白了，無論您給多少錢，我可也不管往下送了。今兒路上的這場事，嚇得我至少得少活十年。我趕了十幾年的車，沒遇見過這樣的客人，一瞪眼就拿袖箭克人，射傷了六七個！好，您要這麼走路還行？我要是再往下去送您，別說到石家莊，離開這保定府往南十里之內若不出事，我能輸腦袋！」玉嬌龍冷笑着說：「出了事跟你不相干！」趕車的急得頓腳說：「怎會跟我不相干呢？您雇的是我的車，您會射箭，人家就會打鏢！到時候，刀槍無眼，我的命跟騾子的命都許賠上。我們作的是買賣，能跟您賠命？……」玉嬌龍抖手「吧」的就打了他一個嘴巴，趕車的捧着臉直嚷嚷，說：「別講打！打死我也不管拉！我們作的是買賣，你別仗勢欺人！」玉嬌龍忿怒着，由桌上抄起皮鞭向趕車的又打，繡香揭簾跑出，急勸着說：「小……大爺！您何必跟他生氣呢？」玉嬌龍仍是揮皮鞭，趕車的一邊往外跑，一邊扯開了嗓子嚷着說：「強盜！在路上您傷了六七個，說話還就講打人！保定可不同別的地方，這兒有衙門，有黑虎陶大爺，有雙鞭靈官米三爺，就是什麼地方都得講理！」玉嬌龍追出屋去，追着這趕車的又抽打，「吧！吧！」店夥也過來勸，但哪裏勸得住玉嬌龍！各屋中的客人也都跑出來了，有的說：「這年輕人可真兇！」有的卻生氣，要打不平；趕車的在院中繞着跑，並喊着說：「打官司去吧！反正我不管拉！我不拉強盜！……哎喲，你打死我吧！」要往門外去撞，玉嬌龍趕過去，一腳就將趕車的踢倒，同時鞭子嗖的一聲又抽下，厲聲問說：「你管送不管送？」趕車的躺在地下，哭着說：「哎喲！哎喲！我不管送，你打死我也不管送！」玉嬌龍掄鞭子又要抽第二下，不料身後就有人一手將她的胳膊拉住，說：「朋友，你打幾下就得了，還非得把他打死嗎？睜開眼睛看看，這裏是什麼地方？」玉嬌龍回頭一看，見是一個中年客人，身材雄壯，穿着藍綢子肥褲褂，兩眼瞪得很大，滿臉怒氣。玉嬌龍猛力奪過來胳膊，問說：「你是幹什麼的？你管得着嗎？」這人冷着說：「天下人管天下事！我叫魯伯雄。」玉嬌龍一聽這人姓魯，她的氣就不打一處來。

魯伯雄又說：「朋友！我看你雖年輕，可也一定是常走江湖的，一定明白江湖上的規矩，不能夠這樣任性，一言不合就打人，那可保不住你要吃虧！」玉嬌龍啐了一口，說：「你管不着。」魯伯雄拍着胸脯說：「我要管，只要你再敢用鞭子打他一下，我就當時給你一拳！」說着挽着袖子，露出鐵棒似的胳膊，握着比玉嬌龍大一倍的拳頭，旁邊就有客人趁心，說：「對！得管教管教這小子，把這小子的嫩臉兒打腫了才算痛快！」又有人說：「這是太原府的大鏢頭魯大爺！」魯伯雄專看玉嬌龍肯服軟不服軟，店夥過來勸說：「算了，算了！兩位老爺都不必生氣，有話慢慢地商量。」卻不料玉嬌龍用手將店夥一推，店夥幾乎也摔倒，玉嬌龍一個躍步過來，掄拳向魯伯雄就打；拳似流星身似電，魯伯雄緊忙閃躲，反手相迎。玉嬌龍卻順着他的拳勢反手一牽，魯伯雄的身子只往前一傾，並未栽倒。他翻身，足踢手打，勢極兇猛，逼得玉嬌龍直往後退，但是玉嬌龍以兩手護身，也不容魯伯雄的拳腳觸到她的身上。魯伯雄一拳緊一拳，一腳緊一腳，兩隻拳腳像兩個鐵錘，要得極熟，玉嬌龍被逼得將近了她那房子的門口。繡香在屋中驚叫着，旁的人都緊張地直着眼看，因為眼看玉嬌龍就要被打了！

但不料玉嬌龍忽然纖軀一轉，右手撒開，左手出拳擊去，隱緊擦掇，其勢極快。魯伯雄正用「黃鷹抓肚勢」想一把將玉嬌龍抓住，卻不想已然來不及，他的胸頭早挨一拳！他趕緊雙手去推，只覺玉嬌龍又一拳擂在他的左肩上，同時左胯又被踢了一腳，他就咕咚一聲摔在地下。旁邊的人都大驚，玉嬌龍鶻鷺似的翩身閃在一邊。魯伯雄爬起，滿臉紫漲，掄雙拳如猛虎一般地撲來，玉嬌龍眼神極快，手腳翻騰，橫劈斜砍，不到四五下，她又將魯伯雄打得躺在地下。魯伯雄又爬起來，跑進屋中就取出一桿長槍；玉嬌龍正要進屋取劍，魯伯雄卻抖槍向她的後心刺去。玉嬌龍翻身閃開，魯伯雄又抖槍刺她的咽喉，她卻疾忙閃躲。魯伯雄又抖槍刺她的腹部，她卻一閃身，掄劈已滿開，突然把槍尖奪住，魯伯雄雙手握槍，按、搖、拽、奪，玉嬌龍卻趁勢向前，又往魯伯雄的左臂擂了一拳，魯伯雄痛得就鬆了一隻手。玉嬌龍把槍奪往手中往遠處一拋，電光似的她手腳疾進，魯伯雄又咕咚一聲摔躺在地下。旁邊看着的人都變了色，有的驚叫說：「啊呀！……」玉嬌龍卻抿嘴一笑，轉身就進到屋裏。

這時，院中的人連談話都不敢高聲了，因為魯伯雄是山西有名的鏢頭，外號人稱金槍先鋒、神拳太保。這次是他應黑虎陶宏，金刀馮茂，雙鞭靈官米大彪，三隻鏢常文永之邀，才來到保定府。昨天才到，兩三日內還要往北京去會朋友，不料今天就被個細腰兒的漂亮小伙打了個落花流水。當下他爬起身來，連槍也不撿起，身上的土也不抖，他滿面紫紅，就出店門去了。旁邊的人都咋舌說：「不好！這回頭黑虎陶大爺一來，那還不得鬧翻了店？那小伙子還禁得住嗎？」起事的那個趕車的人此時早跑出去藏起來了。

本店的掌櫃的姓汪，是個上年紀的人，趕緊來到玉嬌龍的屋裏，先站在外屋，隔着門簾向裏間和和氣氣地說：「大爺在屋裏麼？我是這店裏櫃上的，請您說兩句話！」門簾一啟，露出那身穿藍緞襖紅緞褲子的小媳婦的半身，同時看見剛才打人的那個大爺正坐在牀沿，拿小鏡子照着臉，像個娘們似地在梳妝，貓就蹲在她的身旁。這掌櫃的恭謹地等着，玉嬌龍放下小鏡走出，沉着俊臉問說：「什麼事？」掌櫃的一彎身，笑說：「沒有什麼事，是……剛才您打的那個人，他勾兵去了！」聲音極小，且帶害怕的樣子，又說：「剛才您打的那個，那是山西新來的鏢頭，是這裏黑虎陶宏給請來的。黑虎陶宏的名字您大概也知道，是本地的惡霸。他開着鏢店，手下有二三百人，金刀馮茂是他家的師傅；前年在城裏修了一座廟，請來了江南靜玄禪師的徒弟法廣住持，去年有大財主雙鞭靈官米大彪在這裏安了一份家。他們……都不講理，都不好！我勸您，還是別惹他們，待會兒他們一來，無論他們說什麼話，您千萬別動氣！」玉嬌龍冷笑着。

掌櫃的又說：「我給您在中間說合說合，明天，我們給您雇一輛車，我看您一定是位做官的，自己的身分要緊，不必跟他們那些江湖人鬥氣！」玉嬌龍微微笑了笑，說：「你放心，我決不能給你們這店裏鬧出人命來，可是無論他們是誰來，我不怕，你別在我這裏多說廢話，走出去！叫店夥快給我的貓兒拌飯！」店掌櫃飄灑着花白鬍子，深深作揖，懇求說：「求大爺維持我們，大爺是過往的貴人，我們卻是……全家在這裏，指着這個買賣，向來不敢得罪人！」

第九回　劍舞身隨一身真敵眾　鷹翻鷲落雙俠各爭強

玉嬌龍點點頭說：「好！他們再來，我出去跟他們理論，不能在你們這兒打，你放心吧！」掌櫃子又深深作揖，玉嬌龍又囑咐說：「快叫夥計給貓拌飯！」掌櫃的連聲答應，玉嬌龍轉身進裏間去了。待了一會兒，夥計把貓飯拿來，因為沒有現成的豬肝，是用雞絲拌的，玉嬌龍又嫌不好，又叫夥計去換了一壺頂高的香片。夥計又問說：「大爺您吃什麼飯？」玉嬌龍說：「清蒸鯉魚、乾炸羊肉裏脊、溜丸子。那丸子要做得小一點兒，拌肉絲、翅子白菜湯、玫瑰露酒。這些你們還沒有現成的嗎？」夥計說：「您這也得等一等，我們得上飯莊子叫去！」玉嬌龍說：「叫去吧！」店夥皺眉咧嘴地出屋去了。

這裏繡香把茶杯沖洗了兩三回，才倒了一碗茶送到玉嬌龍的面前，她憂愁地悄聲又說：「小姐！我還有點兒害怕，待會兒那些個惡霸要來了，可怎麼好呀？」玉嬌龍擺擺手說：「不要緊，你別害怕！我這身武藝足能應付他們許多人，只是寶劍有我自己隨身攜帶，丟不了。那首飾匣子裏邊的書和雪虎，你千萬要仔細看着。」繡香點頭，又央求着，憂愁地悄聲說：「小姐！咱們以後別再惹事了！事情惹的太多了，究竟不好，咱們就謹慎地走路就是了，走到衡山……」玉嬌龍對繡香這話先是有點生氣，把臉兒一沉；但心裏轉而又一想，就微微歎息，說：「我不是願意出來惹事，本來這次我離家出來，就是萬分的不得已，你是知道的。今天，路上的那幾個人有多麼輕視咱們！我生平最不受人的輕視。剛才，那趕車的多麼可恨，把咱們拉到這兒他又變了主意，並抬出什麼黑虎陶宏來嚇我，不然我也不能夠打他。那什麼魯伯雄，我是恨他姓魯！」這話把繡香嚇了一跳。玉嬌龍的臉色陰沉了半天，忽然扭頭看見了貓兒雪虎正在低着頭吃飯，吃得很香的；她又不禁愁消怒解，微笑了笑。

這時聽得院中有腳步雜亂之聲，有人站在門前使力地咳嗽，繡香嚇得變了色，玉嬌龍立時抽出了青冥劍撞出軟簾到了外間。只見大門開了，門前站立着四條彪形大漢，都穿着長衣，卻很整齊。其中有一個連鬢鬍子相貌極兇惡的人，高高拱手說：「老兄就是剛才跟魯鏢頭比武的那位嗎？」玉嬌龍沉着臉點點頭說：「不錯！」這人又說：「請教貴姓大名？」玉嬌龍說：「我先問你！」那人說：「兄弟是雙鞭靈官米三爺的盟弟，黑虎陶大爺也是我聯盟的弟兄。」玉嬌龍說：「我沒問別人，我問的是你！」這人說：「我叫常文永，有個人送的綽號叫三支鏢，又叫飛鏢常，我在江南河北小有名聲！」玉嬌龍擺擺手說：「少說廢話，我叫龍錦春，你現在找我來是有什麼事吧？快點說！」飛鏢常說：「我大哥米三爺跟魯鏢頭現在聚星樓等你，請你賞光，去飲幾盅酒，彼此見個面！」玉嬌龍說：「我這裏的酒飯快送來了，我屋中還有女眷離不開身。」飛鏢常卻一笑，說：「龍爺，你還以為我也是不知江湖義氣的壞人嗎？你貴寶眷在這裏，我們決不驚擾。只請你到聚星樓，跟米三爺見面談一談；我看你老兄也是位有膽量的漢子，不至於不敢去吧？」玉嬌龍冷笑着說：「不用你來激我，你就在門前等着去吧，我這就同你去。」說着，她又進到裏間，將寶劍插在鞘中，手握着寶劍鞘就走出來。她叫飛鏢常幾個人在前走着，她在後跟隨，出了店門，見有的人都用眼來望着她，並且有的在後追隨着，似是料定少時必有一場更熱鬧的決鬥。

此時，滿天鋪着綺錦的晚霞，春風習習，吹着玉嬌龍的深灰色的綢夾袍，她氣態軒昂，大踏步地走着。人都道她是少年的武師，誰也看不出她是一位名門閨秀。她緊隨着飛鏢常等人，由北關走到了西關，這裏就有一家很大的飯館，橫匾就是「聚星樓」，門前還掛着幾條酒旗，寫的就是什麼：「李白斗酒詩百篇，長安市上酒家眠，天子呼來不上船，自稱臣是酒中仙。」等等的詩句。

飛鏢常先叫一個人上去傳報，他在這裏張着一隻胳膊請玉嬌龍上樓；玉嬌龍一點兒也沒有猶豫，畏縮，她一手掠起了衣襟，一手拿着寶劍，咚咚咚地很快地就上了樓上。只見樓上很是寬綽，座位擺設得不少，可是這時座位多半空閑着，只有六七個座客。這幾個人一見玉嬌龍上了樓，多半都起身轉頭，只有兩個人坐在那裏沒有動。一個是位僧人，年約三十多歲，面上有幾顆麻子；還有一個正坐在那裏生氣，這就是剛才在店中被玉嬌龍狠打的那個魯伯雄。玉嬌龍昂然立定了身，只見對方的幾個人齊都用眼睛打量她。有個四十歲上下，瘦長身材，有短短黑鬍穿著很闊的人，向她抱拳，說：「多承賞光，果然是一請就到；兄弟姓米，草字大彪，在此也是作客。因為學過幾手武藝，平生最敬慕武藝好的老師傅們，今天聽這位彭老弟由路上回來。」他指指旁邊站着的一個瞪着眼睛發怒的人；玉嬌龍一看，原來就是今天在路上被自己用箭射傷了的那黑臉漢子。又聽米大彪說：「才知道閣下武藝絕倫，並且有一口削銅斷鐵的寶劍，所以仰慕之極。剛才魯鏢頭又來說，他也在店中領教了閣下的武藝，他殊為欽佩。我才差遣我的兄弟將閣下請了來，一來是為大家和解，二來討教討教！」玉嬌龍一見這雙鞭靈官米大彪的態度倒非常和藹，她也就消了些氣，拱拱手說：「不要緊，既然你們認輸了，向我來說合，我也不便太逼人過甚。」遂就不等主人落座，她就坐下了。那魯伯雄卻用拳頭一擂桌子，震得盤碗亂響，說：「我魯伯雄走江湖多年，沒受過今天這欺辱。其實，你武藝高，我的拳法弱，敗在你的手裏不算什麼。一兩年後咱們再見面，再比較。可是今天我原是打的不平！」玉嬌龍冷笑着說：「我並沒叫你打那不平！」魯伯雄要往起跳身，舉拳，瞪眼，米大彪和別的人趕忙把他攔住；玉嬌龍卻只坐着冷笑，臉上一點神色也不變。米大彪說：「請教閣下尊姓大名！」玉嬌龍手托着腮，晃搖着頭說：「我名叫龍錦春！」米大彪就：「久仰！」又問：「府上？」玉嬌龍說：「甘肅省人。」米大彪又問：「這次是由北京來嗎？」玉嬌龍搖頭說：「不是！」又一拍桌子說：「你何必細問？」米大彪很詫異，因為他從來沒見過會武藝的人會這樣不懂客氣的，而且，他真瞧不起這跟娘們似的年輕人竟有一身武藝，就又拱手，帶笑說：「不該多問，但既是江湖朋友，如今既肯賞光前來，兄弟倒要細細請教一下。不知尊師是哪一位？武藝學的是內家還是外家？」玉嬌龍昂起首來說：「沒有人配教給我武藝，只有九華啞俠、江南鶴，他們兩人還可以算是我的師兄。」那邊的法廣立時站起身來了。

米大彪驚訝得變了色，勉強笑一笑，又問說：「我提出兩個人來，龍兄可會認識？」玉嬌龍問：「什麼人呢？」米大彪說：「南宮李慕白，巨鹿俞秀蓮。」玉嬌龍微微點頭說：「知道！他們全是我們一家，但全是我手下的敗將。」米大彪一笑又問說：「江南的靜玄禪師呢？」玉嬌龍搖頭說：「沒聽人說過，大概是無名之輩，作我的門徒，我也不收！」她的話才一說到這裏，驀不防法廣和尚的手指早從側面點來！玉嬌龍眼明手快，「吧」的一聲用手將法廣打開。此時身後有人掄刀來砍，玉嬌龍飛快地躲閃，青冥劍已「嗆啷」一聲出了鞘，黑臉姓彭的疾忙將刀抽出，魯伯雄已舉起了凳子向玉嬌龍頭上摔來，玉嬌龍一閃，凳子「咕咚」一聲摔在樓板上。法廣和尚抽出一隻二尺長的判官筆（如筆狀，純鋼鑄成，專用以點穴）毒蛇似地刺過來，向玉嬌龍的腰際去點；玉嬌龍用青冥劍一掃，便把鐵筆尖兒削落。魯伯雄又舉起一張小茶几摔來，一下又摔空，別的幾個人飛起酒壺瓷碗，向玉嬌龍紛紛來打，被玉嬌龍用劍斬斷，用手接住，用腳踢飛，她尖叫一聲：「要出了人命可休怨我！」身如鳥轉，劍似鷹翻。

此時又由樓梯上來了十幾個人，短刀長槍一齊撲上，玉嬌龍手不停，足不歇，劍無破綻，忽而跳到桌子上，忽而又跳去椅子上。她單劍殺得兵刃紛紛斷折，如細草之遇嚴霜，對方的人驚慌着後退，又像狐兔遇着了老虎，刃物交接，桌椅亂倒，雜以受傷的人慘叫，助威的人怒罵；這樓上鼎沸起來，天翻地動起來。忽然有人遞給米大彪一對鋼鞭，米大彪就站在一張桌上高舉雙鞭大叫道：「不要亂打，叫我單獨一個人鬥鬥他龍錦春！」法廣也分開眾人，他仍想以點穴制勝。

此時眾人已把玉嬌龍給圍住了，法廣一趕到，沒有尖兒的判官筆又往前去點，玉嬌龍卻抖起了劍光，身子隨着劍光跳上了樓欄杆，欄杆之下就是大街，大街上這時也亂極了，都仰着臉往上面瞧，並且都驚慌着。玉嬌龍的背脊向後，一腳登欄杆，一腳登着窗櫺，她將劍尖向下，噹噹噹的又削斷了幾件兵刃。忽然米大彪趕來，雙鞭向她的腳部打去，玉嬌龍一聳身又跳到一張桌子上，把劍光向米大彪的頭上一晃，米大彪趕緊橫鞭去迎，「吧噠」一聲，鋼鞭也被削去了一段。玉嬌龍寶劍飛舞，驅開身後及兩旁的敵人，惡蟒似的直向米大彪的胸間刺去，米大彪手中只剩一隻半鋼鞭，他難以招架，只得將身子向後退去，退到背後靠着了樓欄杆。這樓欄杆本來就不很結實，玉嬌龍的身輕，踏上去還可以，但卻禁不住他用身子去靠，而且玉嬌龍的劍逼得太緊，他雙鞭實在無法招架，他命在頃刻之間，屁股就不由向後一頂，就聽一聲「克叉」「哎喲」，欄杆折斷了。米大彪的瘦長身子整個飄下了樓去，從兩丈多高的樓掉下來，他倒沒摔成重傷，可是把幾個看熱鬧的人給壓倒了；他的半截鋼鞭也撒了手，一鋼鞭將對門藥舖的招牌打折，半截打暈了一個人的頭。街上就大亂，又見有個人由樓上摔下來，是那黑臉彭摔在地下，他已成了半死。

此時樓上許多人都往下亂跑，法廣也順着樓梯跑下來，樓上大概只剩下了玉嬌龍。她提劍站在樓上向下一看，下面的飛鏢常就一鏢向上打去，打得十分準確；但玉嬌龍伸手一接，接得也再準確無比。街上的人更亂跑亂喊，少時就有官人趕來了。同時卻見有幾匹馬從西邊馳來，馬上的人將官人勸阻住，他們七八人一齊下馬上了樓。這時玉嬌龍獨自在樓上，才喘了一口氣，忽聽得樓梯聲響，她趕緊橫劍站在樓梯上，卻見由下面來了幾個人。為首的是年有三十多歲，黑臉膛，短小精悍！穿着青綢大褂；手中只有馬鞭，並無兵器，向玉嬌龍一拱手，說：「兄弟是黑虎陶宏。」指指身後一條大漢，說：「這是我的老師金刀馮茂。朋友，你先別要逞強，保定府今日已非同昔日。昔日李慕白、俞秀蓮、楊小太歲等人曾來此地鬧過，我們因是本地土著，顧忌頗多，所以不願惹他們。今日，無論是誰，只要敢來此逞能攪害，我們師徒必不能依！」玉嬌龍說：「誰管你依不依，你要怎麼樣吧？」黑虎陶宏說：「我要跟你比比武，今天時間晚了，我們也沒有攜帶着兵器，請你說下個時間地點吧！你無論戰勝了多少人，你也不算英雄；非得你將我陶宏，連我師傅馮四爺也打敗，或較個平手，保定府才得由你通過，否則你走不了！」玉嬌龍說：「何必另定時間地點呢？就是現在，就是這裏。你們取兵刃來跟我動手吧！」黑虎陶宏卻搖頭說：「這地方狹窄，樓下已有官人來，必不容我們在樓上打架，你若有膽子可以到我家中，我家門前很為寬敞，你的劍法也施展得開。」玉嬌龍哼哼一笑，說：「好吧！你們且下樓去等着我吧，我隨後便下去。」黑虎陶宏冷笑說：「有金刀馮四爺在此，馮四爺是光明磊落的好漢，我們還能夠暗算你嗎？你下來！」玉嬌龍說：「我從來沒聽見人說過你們的名姓，誰知道你們是些什麼東西！」黑虎陶宏與金刀馮茂齊都憤憤地退下了樓梯。

這時天色已然黃昏，對門的商號都不敢點燈；這酒館的樓下也沒有一個酒客，連掌櫃帶堂倌大概都藏起來了，酒樓下地上扔着斷了的鋼鞭。米大彪等受傷的人已攙扶到一旁，那些看熱鬧的人，膽小的是早已跑了；膽子稍大一點的也站在老遠的地方。十幾名官人的腰刀都已出了鞘，鎖鏈也抖的嘩啦嘩啦的響，但被黑虎陶宏勸阻住，他說：「不必管我們，私事私辦，除非出了人命，用不着諸位操心。」幾個莊丁牽着健馬，那飛鏢常是站在一匹馬的後頭，他手中拿着一支鏢，專等着玉嬌龍下了樓梯一出酒樓的門，他將冷不防給她一下。可是樓上昏黑，毫無動靜，半天也不見玉嬌龍下樓。眾人都仰着頭向上看去，並有人大聲罵着：「滾下來，滾下來！不敢出來了嗎？」連罵了許多聲，忽見一張桌子由樓上飛下來。陶宏等人趕緊向旁去躲，桌子「吧叉」一聲摔在街上，緊接着又有板凳子摔下來，一個莊丁就應聲而倒。金刀馮茂暴躁着喊道：「這算什麼豪傑？」他要取雙刀跑上樓去，忽見樓上隨着一隻桌子下來一個人，人如飛雲騰鶴，劍似閃電虹光，玉嬌龍就下了樓。眾人不見她是怎樣腳踏實地，只見她由莊丁的手中奪了一匹馬，跨上向西就跑。飛鏢常向着馬一鏢飛去，玉嬌龍反劍一磕，噹的一聲，鋼鏢落地；飛鏢常的第二隻鏢又打來，卻被玉嬌龍接住了打回，一個莊丁就中鏢而倒。第三隻、第四隻，也都多打空了，陶宏馮茂一齊上馬喊說：「休走！」玉嬌龍在馬上扭轉纖軀，用劍招點說：「來！」她的馬飛快地向西跑去了。

這裏的羣馬、眾人，如潮湧似地忽啦啦地趕去，霎時就出了西關，暮色鋪滿了原野。玉嬌龍卻撥馬回來，迎着陶宏說：「就在這裏戰爭好不好？」陶宏手中沒有兵器，疾忙往後去退，金刀馮茂卻手舞雙刀，催馬向前。此時西邊又來了陶家的一隊莊丁，打着十幾隻燈籠，二十多隻火把，一片火花燈影照得道旁的樹影亂動，越來越近。

金刀馮茂這位深州的好漢，除了曾敗在李慕白的手下，生平還沒有低頭服人；如今他馬轉刀騰，玉嬌龍卻劍飛騎縱，馬戰了五六合，一齊跳下來。馮茂氣兇如馬，雙刀如鳳翅展開，左刀削，右刀砍；玉嬌龍卻伸劍取敵，縱步高飛，如疾風撥雲，隨來隨去。馮茂左刀護住了右刀，換變刀勢，橫刀斜砍；玉嬌龍卻閃身直掠，劍如大鵬展翅，力透劍鋒，直取馮茂。馮茂身隨刀移；玉嬌龍也撤步倒劍，靜觀對方刀勢的變化。此時燈影火光已來到了臨近，紅燄照着嬌美的玉嬌龍，她原來剛才在酒樓上已脫去了綢衫，將綢衫連劍匣斜繫在背上，辮髮也掠在前面，形態極為俊俏。金刀馮茂很愧憤地想：跟一個女兒般的男子交手還不能夠得勝，我還算什麼豪傑？他的刀法驟變，玉嬌龍纖腰疾轉，寶劍斜掠。往來鬥三四合，忽然黑虎陶宏也由莊丁手中得了雙刀，跳下馬來殺進。玉嬌龍一口劍敵住四件兵刃，展開她的十載所得，書中所獲的鬼神不測的劍法，嗖嗖輕軀隨劍飛舞。此時在燈影裏的馮茂與陶宏，簡直徒具勇力不能擒敵獲勝。魯伯雄舉着桿槍，常文永拿着一口刀，法廣和尚換了一隻鐵杖，都自兩翼襲來。杖抖起來風，槍抖成了花，刀光如閃電。但玉嬌龍縱躍旋迴，拒前制後，戮左迎右，一劍復一劍，殺往又殺來。火光中只見她的俏影翩然，而且越殺越緊，劍術步法絲毫不亂，顏色神態，一點不變。

馮茂大怒，喊聲：「衝！」立時刀槍和鐵杖集中於一面，像一棵銅鐵鑄成的大樹壓倒下來。但玉嬌龍以青冥劍紛撥，陶宏、常文永、魯伯雄，又刀折槍損，都驚慌着後退。只剩下兩個人與她爭鬥，卻是馮茂和法廣。馮茂都不住地喘氣了，想不到這小輩如此難制，他真驚訝！記得李慕白劍法不過如此，到底這小輩是個什麼人？法廣和尚的鐵杖是打的時候少，點的招數多，點穴法一百零八手他全都使盡了，即最殘忍的「腦戶」、「啞門穴」，他全都使力地急快地點去。但不容他的杖頭觸到玉嬌龍的身上，玉嬌龍就早已用劍去掠，他恐怕杖被削折，便趕緊又縮回。他也看出來了，這年輕人也必精通點穴，自己這手兒武藝在他的眼前無用，所以他也不敢奮勇向前自討苦吃。只有金刀馮茂雖然直喘，可是越殺越勇，忽然一下，寶劍削斷了他左手的刀，他一口刀仍然與玉嬌龍搏鬥。

陶宏等人又換了兵刃上前，莊丁們除了打燈籠舉火把的之外，全部掄刀揚棍地齊上，圍住了飛劍無敵的玉嬌龍。玉嬌龍卻疾忙搶了一匹馬，跨上去她並不走，只舉劍大喊：「你們還不肯服輸嗎？如若你們一擁上前，我可就要胡殺了！殺死了，休怨我龍錦春的手辣。」眾莊丁都有些不敢向前。常文勇又放了兩隻鏢，又都被玉嬌龍用劍撥落在地下，這樣英雄的人，使馮茂、陶宏等人不得不氣萎。馮茂就攔住了眾人，他一手提着刀在前，高聲問道：「龍錦春，你的師父到底是誰？」玉嬌龍啐了一聲，說：「你們問不着！」又微笑了笑，自拍胸脯說：「我呀，我是：瀟灑人間一劍仙，青冥寶劍勝龍泉，任憑李俞江南鶴，都要低頭求我憐。沙漠飛來一條龍，是神無影鬼無蹤，爾輩鼠蛇來侵犯，直似蜉蝣撼泰峯。」嬌聲婉轉地說完了，一手揮劍開路，一手提韁就走。這裏幾十個手執利器的江湖大漢，竟沒有一個人敢去攔她。

玉嬌龍於茫茫夜色之間，催馬向東北走出了很遠，回首去看，那一片燈火已闌珊地向正西去了。玉嬌龍也覺得有點累了，她就叫馬緩緩地走着，多時才回到了北關那家店舖，店門前掛着隻紙燈籠，上寫着店的字號。有幾個人站在燈下，正張望着，談着話，一見玉嬌龍回來，他們齊都趕緊閃在一邊，但齊都仰着頭驚詑地瞧着。玉嬌龍卻不理他們，騎馬一直進店，下了馬，交給了店夥，說：「這匹馬也是我的，好好地看着，無論是誰來要，都不許給！」店夥連說：「是，是！」

玉嬌龍就提着寶劍走往裏院，進到屋中，只見裏屋點着兩隻蠟燭，桌上擺着許多酒菜。繡香下了牀，說：「大爺回來啦！菜都冷了！」玉嬌龍輕輕說聲：「不要緊！」她坐在牀上休息，寶劍就放在被褥上，她抱起貓來親一親，問說：「我走後這裏沒有什麼事嗎？」繡香說：「剛才有兩個衙門的人來向我盤問您的來歷。」玉嬌龍神色一變，趕緊問說：「你怎麼回答的？」繡香悄聲兒說：「我就照您交代的話回答。」玉嬌龍點點頭，又沉思了一會，見貓兒雪虎站起來伸了個懶腰，瞪着兩隻綠色的眼睛，很像個英雄的樣子。

玉嬌龍忽然又歎了一口氣，繡香在旁直發怔。玉嬌龍吃了一點菜飯，就說：「睡吧！」繡香要去關屋門，玉嬌龍搖手説：「你別去！」她起身下了牀，先是呆呆地站着，忽然將軟簾一掀，倒把繡香嚇了一大跳，燈光照到了外屋，外面倒是沒有什麼怪異之事。玉嬌龍右手的手心向外護着自己的胸很快地就到外間，轉身向四下看了看，並將桌椅的下面全查到，她這才關嚴了屋門，然後進到裏間。門簾隨着她的身後落下，她也嬌慵地伸了個懶腰，寶劍、小弩弓，都放在枕邊，她吹滅了燈燭，才躺在牀上。牀裏的繡香替她把綢被蓋上，她卻推到一邊，不蓋。繡香在枕畔又悄聲問説：「小姐，得有多少日子咱們才能回到衡山呢？」玉嬌龍説：「你不要着急，到了衡山，我若看那個地方不好，我還許不住呢！」繡香説：「要不然，咱們還到新疆去吧！」玉嬌龍又長長地出了一口氣，説：「得啦，你別在枕邊跟我這麼絮煩了，叫我好好地歇一會兒吧！真是！」説到這裏，忽然又似乎笑了，説：「現在我真覺着我是你的丈夫，你是常在我枕邊絮絮不休的一個妻子。」繡香作急説：「到這時候了，還跟我鬧！」玉嬌龍嘻嘻地笑了笑，忽然她又把繡香抱住，緊緊地一陣抽噎，繡香真覺出她小姐的熱淚已濕在她的臉上了，她就歎息悄聲説：「您是怎麼啦？……咳！」玉嬌龍像個小孩子似的倒在繡香的懷裏哭着，弄得繡香沒辦法，勸既不敢大聲勸，脱身也脱身不了。過了多時，忽見玉嬌龍一翻身，她的手向枕邊一摸，臂又一抬；只聽窗紙噗地一聲響，窗外有人叫説：「哎喲！……哎喲，哎喲，痛死我了……」一聲比一聲慘，一聲比一聲低。繡香的身子立時又發顫，玉嬌龍用被子將她的身子、頭，全部蓋上；她在被裏蒙了半天，才聽見窗外有人雜亂地説話，説：「沒什麼事！沒什麼事！諸位回去吧！」是店家聲音。又聽得有人說：「左眼……是一支袖箭，……一定準瞎！」玉嬌龍卻伏枕大笑起來，一夜過去。

第二天起身時已然八九點，玉嬌龍隔着窗叫店夥給她們熬點江米稀飯，店夥在窗外說：「是！」恭敬而且害怕似地答應。玉嬌龍叫繡香給找出裏衣來換，她的胸部用一種白紗裹得很緊，因為她預備男裝衣物並不多，所以裏面仍是穿着紅羅襦，外罩青緞小褂，把紅衣的領子藏在裏面。脖鈕扣得很緊，青綢肥褲子，繫着紅絲線的窄腿帶，青緞雙臉鞋，外穿一件翠藍綢子的肥大袍子。一起牀，沒洗臉時就先用昨日的剩水將兩耳洗淨，用粉和油將耳孔塗上，對鏡細細看了，看不出來耳孔，這才開了屋門，繃着臉兒，故意使出來粗聲，叫：「夥計，打洗臉水來！」店夥應聲而至，前後打來了兩盆臉水。繡香已捲起來錦衾繡帳，穿上了弓鞋，娉婷地對鏡挽發，並問店夥說：「大爺叫你們熬的江米稀飯，好了沒有？」店夥說：「好了，好了，這就好了！」玉嬌龍像男子似的昂然地說話，說：「先給貓做吃的！」店夥又答應：「是！」玉嬌龍又問說：「昨天夜裏是怎麼回事？是誰在院中叫喚？」店夥的臉色嚇白了，翻着眼睛瞧着玉嬌龍，搖頭裝發怔，說：「我不知道！」玉嬌龍拿濕手巾擦完了臉，坐在凳兒上，微微地一聲冷笑，翻眼瞪了店夥一下，就說：「告訴你們掌櫃的，他要是晚上淨放進來閑人，攪得客人們都睡不安，他的買賣可不能夠好啦？我們下次再來到保定，也決定不再在你們這店住啦！」店夥又說：「是，是！」玉嬌龍又向繡香拿着「丈夫」的架子說：「拿出二十兩銀子來給他們，叫他們到城裏，找出名的舖子買些好茶葉，要頂好的龍井；再買幾包檀香，買一把粘好了的素面摺扇！」繡香拿出銀子來，交給店夥，店夥出屋去了，玉嬌龍就叫繡香給她打好了辮子，她就斜臥在牀上逗貓。待了一會兒，店夥端進來一盆江米稀飯，粥裏還煮着棗兒，另外還有白糖。

用過早餐，店夥把買來的東西和剩下的錢都送來，茶葉檀香都由繡香收起來。玉嬌龍卻又不慌不忙地，跟店夥要來筆硯，她書寫扇面。因為筆不大好使，不能寫小楷，她只柔秀地，半真半草寫了兩首詩，就是昨晚她在單身力戰黑虎陶宏、金刀馮茂之後，意氣洋洋隨口說出來那兩首詩。她回想着，又修改了幾個字，就寫在扇面上。寫過之後，放在桌上，還要等候墨跡乾了。她這麼一磨煩，就將近晌午了。

昨晚，玉嬌龍雖然與金刀馮茂、黑虎陶宏等人一場大戰，並且深夜還有人來此窺探，被她用箭隔窗射傷；可是這整整的一個上午，竟無人來找她報復。她就以為那些人對她畏懼了，她很放心，又吩咐店夥去叫菜。午飯用畢，才叫店夥給她備馬。昨天她打了的那個趕車的是至死也不再拉她，一清早就趕着車跑了；玉嬌龍也不追究，她就叫店夥另給找了根鞭子，就叫繡香騎着她昨晚得來的那匹馬。除了付清店賬之外，並交給店掌櫃十兩銀子，說：「昨天黑虎陶宏他們率眾跟我爭吵，你大概也知道，我看你一定是跟他們同夥。」掌櫃連連躬身，悄聲說：「不是一夥，是我們不敢得罪他！」玉嬌龍點頭道：「我也不必跟你們多說了，昨天我奪來他這一匹馬，可也不是我搶劫來的。現在我們要騎着它，給他這十兩銀子，作為是馬價，煩你交給他們吧！」掌櫃子又連連作揖，說：「大爺真公道，待會我們派人把你這銀子送去就是啦！」玉嬌龍點了點頭，她二人就出了店門。

繡香在新疆時本來也騎過馬，她常說：「馬比驢容易騎，因為它走起來身子是平的。」但是她說的那是好馬，如今這匹馬卻不大好騎，一走就一顛，並且鋪蓋包裹全部在她那匹馬上，累贅得很厲害。玉嬌龍的馬上只有寶劍和那裝着「雪虎」的籃子。繡香的馬在前，直說：「別快走，我騎不穩了！」玉嬌龍的馬在後，搖着扇子說：「你別害怕，越害怕越騎不穩！你爽性壯起膽子來，倒不要緊。」她們是順着大道往南走，可是這股大道上沒有多少行人，並且越走越斜。天空飄着薄薄的白雲，煙似地，把陽光遮住了，因此玉嬌龍又有點迷了方向。走出了很遠，走了多時，覺得天上的雲變了顏色，天色大概不早了。這時兩面是田禾，當中的一條路漸漸狹小，也看不見村舍人家。

忽然玉嬌龍聽見身後有一種聲音，嘩啦嘩啦，似是羣馬的蹄聲；她趕緊回首，卻見這處田禾的邊際上滾起了霧似的一片煙塵，可是並沒看見一條馬影，大概是許多匹馬都從後邊的岔道上趕往前面去了。玉嬌龍就有些驚異，但是想，不怕！她催馬到繡香的前面，收了扇子，揮鞭去走。昂首向前去望，又走了五六里，便見前面有一脈青山，繡香說：「有山！山上有道嗎？」玉嬌龍說：「有山自然有路，裏面還許有人家呢！咱們在山裏找着人家，就先叫他們燒點水，咱們泡壺茶喝。」隨說隨走，少時就來到了山下，只見山雖不大高，但青石林立，沒有一株樹，連草也不多。有一股穿山的小路，極峭，而且坎坷不平。玉嬌龍倒沒注意到什麼，可是繡香依然向上指着，說：「山上有個人！」等到玉嬌龍抬頭看時，山上那人已然藏躲起來了。玉嬌龍又低頭細看，見地下的土很堅固，留着許多白色的雜亂的蹄跡，並有幾堆馬糞，她就冷笑了一聲說：「不要怕！這座山騎着馬能穿過去，咱們向前直走，不要怕！可是你一個人騎馬不行，你也到我這匹馬上來，我抱着你再往上走。」於是她叫繡香慢慢下了馬，繡香的這匹馬就專載行李，並把裝貓的那口竹籃也繫在這匹馬上，將鞭繩又繫在前面黑馬的屁股後頭，兩匹馬就連成一串。

她抱着繡香上了黑馬，繡香紅着臉，害羞地笑着說：「這有多難看呀！你又是個男的！」玉嬌龍也笑了笑，一手揮鞭，一手抱着繡香，騎着一匹馬，帶着一匹馬，往山路上走去。她並悄聲兒囑咐說：「你別淨依仗我抱着你，你應當反手揪住我的腿，坐穩了身子，不要怕！」繡香覺着她抱着自己的那隻胳膊，袖子裏藏着個東西，是那小弩箭。這條山路是越來越深，不見其低，只覺其高，路當中的大石頭很多，似是有人故意搬來堵路的。前馬跳過了石頭，還得等着後面的馬也跳過來，這才能走。玉嬌龍漸漸的生氣了，芳容有些發紫，忽然她抬頭看見前面一座高山上站着個持刀的人。玉嬌龍騰開了手，驀地一弩箭射去，只見那個人連刀翻下了高石，聽不見呼聲，可是至少也摔個腰斷腿折了。

繡香倒嚇得「哎喲！」玉嬌龍又囑咐「揪住了我！」她隨手抽出了青冥劍，同時催馬向上緊走。但高處已有很長的弩箭射來，有的力不足，沒射到；有的射得幾乎中了玉嬌龍的身，但被她疾快地用寶劍一撥，就撥落地。斯時亂石的高處出現了二三十人，並有雜亂的馬蹄之聲，玉嬌龍看出那羣人當中有昨天的飛鏢常和魯伯雄，其餘大概都是黑虎陶宏和米大彪家的莊丁，玉嬌龍就向他們鄙視地一笑。那邊，不僅是箭、飛鏢，連石塊石片一齊打來。玉嬌龍一邊執劍掩護，一手提韁，繡香斜趴在馬上，雙臂緊緊抱着她，頭向下垂着，金簪都已落地，頭髮都已散亂，身子不住地抖。玉嬌龍卻催馬快走，後馬緊跟着前馬，蹄聲嘚嘚，後面的人可也持刀追來了。馬踏着山石又走了一截路，忽然山路轉往下去，十分的狹峭，簡直無法可以騎着馬下去。但身後的一羣人已將殺到，並且吶喊着。玉嬌龍想勒住馬回身去應戰，可是這匹黑馬如同生龍，無論如何也控不住了，後面的馬也隨之由高崖之上跳下，只聽「忽啦」一聲巨響，眼前濺起一片白霧，玉嬌龍和繡香的臉上都覺冰涼；原來這山後就是一道大河，水很深，兩匹馬都墜在河裏，浮着水走。身後的山上又一塊一塊的大石頭如飛箭一般地打來，打得河水撲通撲通地亂響，水花都濺在玉嬌龍的頭上。玉嬌龍咬着牙，催馬涉水，走了很遠，才上了河的對岸。只見這條河，順岸曲折地向西展去四五里之外，影影綽綽那裏有一座長橋。雲縫裏露出的金黃色的陽光正投在那河裏，彷彿那裏才是平原大道。

玉嬌龍回頭向山上去看，見那山上的人都漸漸散開了，回去了；可知他們必然全都沒有膽子下山，全都不會浮水。玉嬌龍的兩隻鞋襪已然盡濕，繡香抬起頭來，髮上也往下垂水；兩匹馬的全身已沒有一點乾的地方，除了水就是汗，並且「呼嚕呼嚕」地直喘。玉嬌龍策馬又過了河岸的一片沙灘，她就站住了，下了馬，又將繡香抱下來。繡香一下馬就坐在地下直喘，兩手去挽頭髮。玉嬌龍卻不放心她的貓，怕在剛才被水淹死了。她一手提劍，到了後匹馬上，解開了繩子，打開那隻竹籃的蓋兒，不防「嗚」的一聲急叫，白毛都濕貼在身上的那隻貓兒驀地往地上就一跳，跳出來就飛跑，跟兔子一般，玉嬌龍叫着：「雪虎！雪虎，好雪虎！回來！」貓兒卻是無情的，跑起來不認它的主人的。玉嬌龍趕緊去追，貓兒卻把身子一蹲，扭頭兒又往回來跑，玉嬌龍急叫它，它也是不管不顧。繡香也急了，掙扎站起來，急着去追，去截；也叫着：「雪虎不跑，雪虎聽話！雪虎來吃肝拌飯，雪虎……」但貓卻東跑西躥，她們倆都抓不着，除非玉嬌龍放弩箭，像打獵似的，然而她豈能捨得呢？她幾乎要哭出來，比什麼事都着急。

但這時候卻見西邊那座長橋上閃爍着刀光，蠕動着人影，原來飛鏢常、魯伯雄的那一夥二三十人，由山上轉到那邊，過橋向她們追逼過來。玉嬌龍大怒，見貓兒站在很遠的地方，耳朵豎着，兩眼東瞧西望，彷彿還是要跑的樣子。她怕那夥人來到這裏，一場戰爭就許把貓兒驚跑，無從去尋。她就趕緊叫繡香在這裏看守着貓兒，急急地說：「你別怕！我去迎截他們，你在這兒千萬別讓雪虎跑了，也別驀然去追它，你拿點什麼東西逗它好了。」繡香像哭似地答應了一聲，玉嬌龍就掖了掖已濕了半截的長衫，挽起袖子，一手持着小弩弓，弓中裝着箭；一手掄着青冥寶劍，飛奔了過去。那一羣人已然走過了橋，玉嬌龍尖銳地喊了一聲：「都站住，誰敢過來我可就殺誰！」

那夥人領頭的原來不僅是魯伯雄，還有黑虎陶宏在內，黑虎陶宏也大聲說：「你別發威，我們都看出來啦，你是個女的不是男的，你快些通出姓名，把那匹馬還給我們，我們便不傷你。」玉嬌龍說：「胡說！我是堂堂男子，你們竟誣我為婦人女子？真可恨！我的姓名你們不能問，馬也不能還，要戰就戰！」

說話時，只見飛鏢常一掄胳膊，鋼鏢打來；玉嬌龍一斜身，用劍一磕，噹啷一聲，鋼鏢落地，玉嬌龍騰步直上，便與黑虎陶宏等人廝殺起來。陶宏吩咐手下人一齊上前，將她圍住，一齊上手，殺死了也不要緊。這時道上無人，當時，短刀長槍就一直上前。但玉嬌龍將青冥劍飛舞，兵刃遇着它就紛紛俱折。同時她身子宛轉如飛，寶劍前削後砍，飛鏢常慘叫了一聲就倒地身亡。許多莊丁也受傷的受傷，敗走的敗走。陶宏跑到一邊，掄着一隻半刀，氣極了！向橋邊給他牽馬的幾個莊丁大喊：「過去！把那邊的兩匹馬奪過來！」當時橋邊的幾個人一齊上馬，往繡香那邊奔去；玉嬌龍揮劍就砍傷兩個人，掙身躲開，去截馬。一匹馬被她截住了，劍砍在馬腿上，人倒馬翻，但其餘的六七匹馬早掠過去了。玉嬌龍大怒着，回身去趕。

那邊的繡香見羣馬撲來，嚇得她大叫，急忙逃奔，才逃了幾步就一下栽倒，貓兒雪虎早已不知驚竄到哪裏去了。那兩匹拴在一塊兒的馬，也一前一後向東飛奔，這六七匹馬緊追，玉嬌龍的弩箭發出去，「嗖嗖嗖」，三匹馬上騎着的人全都高張着雙手翻身落馬，後邊的陶宏又大呼：「回來！……」剩下的三四匹馬又折回來，魯伯雄率領十幾個人又趕到。當時馬上的，步下的，又一齊舞刀持槍向玉嬌龍廝殺，玉嬌龍又用劍斬斷了兩件兵刃，她從馬上砍下一人來，奪了一匹馬，就飛身而去；如今她成了馬上將軍了，彎腰向下，寶劍揮得更緊。那陶宏站在遠遠之處，還大聲指揮着：「放箭！但要小心自家人！」玉嬌龍心說：「這個人真可恨！」她便趕緊殺出了一條路，棄了這裏的魯伯雄等人，直撲奔陶宏而去；黑虎陶宏自知不敵，轉身就跑。玉嬌龍催馬追趕，不料身後的冷箭又射來，玉嬌龍雖然趕緊伏身，一箭從她的頭上飛過去，但另外兩支箭卻射在她的馬胯上了，馬就一聲長叫，猛往起一顛，玉嬌龍騎不住了，立時落下馬來。但身子一挺，兩腳平落在地上，一口氣也不喘，又執劍去追陶宏。

陶宏在前邊跑，玉嬌龍在後邊追，魯伯雄等十餘人，又在後追玉嬌龍；都跑得甚緊，都相距不過二十多步。陶宏已上了西邊的橋，這橋很長很平坦，也很寬，可以走大車，因為一股大道自南由此橋渡河，便能穿進北岸的山口。此時夕陽斜照，大道的南邊已煙塵大起，來了許多車輛，並有擔囊荷物的行人。但都看見這邊的廝殺惡鬥，都在遠遠之處，轉往岔道上走去了。只有兩匹馬，一黑一白，卻飛也似地馳到。陶宏已跑上了橋，手中的刀只剩了一口，他回身喘了口氣，卻見百步之遠，有個騎着黑馬的大胖子，大喝一聲：「黑虎陶宏！三年沒見，你怎麼還這麼膿包？你們這些人會敵不過人家一個？」陶宏定睛一見，卻不由大吃一驚！原來這胖子操着山西口音，年有四十歲上下，頭戴大草帽，身穿青綢褲褂，像是個買賣人，可是鞍旁有刀，這人與他似曾相識，另外的一個，與這胖子兩馬相並，馬上的人卻身材昂爽，留着黑鬍子；但年紀不過將過三十，大草帽背在背後，身穿深藍色的綢褂褲，鞍旁是寶劍。這人直瞪着精爽的眼睛，看着玉嬌龍舞動如飛又斬斷了許多隻刀槍的寶劍。陶宏越發驚訝了，他就急急拱拱手，高聲叫着：「李兄快來助我！」那邊的黑髯少年微微冷笑，並搖搖頭。

此時玉嬌龍已趕上橋來，陶宏掄刀猛砍，玉嬌龍寶劍一拐，陶宏的這口刀就「倉」的一聲被削斷，他持着半截刀還招架了一下，回身順着橋向北就跑。玉嬌龍如蒼鷹擒兔，「嗖」的一個箭步追上去，寶劍一掄，陶宏哎喲的一聲叫，低頭伏身，劍從他頭上如閃電一般的掠過，下面又一腳踹來。玉嬌龍是個天足的女子，力氣不小，這一腳踹得陶宏短小的身子在橋上立不住，當時「噗通」一聲巨響，河水都濺到橋上來，陶宏在河裏掙扎着，仰面急喊着：「救我！……」忽然沉下去了。

那邊騎黑馬的大胖子拍掌大笑，說：「棒！棒！是好身手！」忽然魯伯雄等七個人又趕上橋來，玉嬌龍又立在橋頭舞劍迎殺，只見劍光緊抖，刀槍俱折，前邊的人噗通墜在河裏，後面的人轉身又跑。只剩下了魯伯雄一人，刀倒沒斷，可是欲逃亦逃不得，那邊馬上的胖子又喊叫說：「老鄉，快跳到河裏去逃命，憑你鬥不了啦！……」魯伯雄果然投身下河，浮着水逃走了。河中波濤滾滾，有的會水就浮着水逃走，有的還在水中掙扎，頭像西瓜似的一浮一沉，有的如黑虎陶宏一沉下去就再也沒露面；岸上，沙灘上和橋上，爬着受傷慘叫的人，亂扔着折斷了的刀槍，幾匹沒人騎的馬野龍似地順着河岸向東跑去。東邊還留下三四個陶家的莊丁，正在拿刀威嚇着繡香，繡香坐在地下痛哭，樣子十分可憐。

玉嬌龍氣憤得提劍又往東邊去跑，那黑馬上的胖子卻連連擺手，催馬過來說：「不要魯莽，你要是一過去打他們，他們可就立時把你夫人的命要了！來，讓我過去跟他們說幾句好話，你放他們幾個人逃命好了。」玉嬌龍很詫異，喘了喘氣，扭頭看這胖子，就見他不僅是胖，而且極為健壯；背寬胸脯高，肚子用寬帶子勒着，卻不肥，滿面風塵之色，一見便知是個久走江湖之人。他鞭着馬，馬鐙與鞍旁托着一口帶鞘的朴刀相磨擦着，「克克」地響，他神態從容，笑着，高張着手喊說：「朋友們！別難為人家一位堂客，來，我給你們解和解和。」他催馬走去了，玉嬌龍也提劍向那邊走去。

這時，忽然一匹白馬又趕到，馬上的人翩然下了馬。玉嬌龍不禁愕然，止住了！心說：「這人的身手太敏捷了！」她定睛看去，見這人三綹鬍鬚，微黑的臉，相貌魁梧，神情瀟灑；一抱拳，態度極為恭敬，說：「這位兄台單身敵眾，還佔了上風，兄弟已旁觀了多時，實為敬佩！黑虎陶宏那些人兄弟是認識的，他們是保定府一霸，平日作惡多端；想兄必是個俠義之人，為打不平才與他們爭戰起來。請問兄台貴姓大名？武藝是哪位師傅傳授出來的？這口寶劍是什麼名稱？」此人特別注意玉嬌龍的寶劍，玉嬌龍趕緊退了一步，閉着嘴，瞪目又看了這人一下，便說：「現在我沒功夫跟你談話，我的寶劍叫青冥，我名龍錦春，別的話你都問不着！」對面這人一閃身，玉嬌龍就持劍向東跑去。

此時那胖子已下了馬，正在跟那幾個人談話。玉嬌龍趕到近前，掄劍就要殺那幾個人，那幾個人也要一齊掄刀；地下坐着的繡香拿雙手掩着臉，叫說：「哎喲！」胖子卻也抽出刀來，從中一攔，笑着說：「我正給你們說合啦！殺人不可殺絕。再說你們又不是什麼深仇大恨，看我的面子，放他們幾個走就是啦！老兄你要是掄寶劍，就請你先斬斷我的刀，先殺我，我放他們幾個走了，他們並沒欺辱你的夫人！」胖子伸着刀，態度很和氣，可是玉嬌龍的寶劍立時削下，胖子的刀就變成兩截，一半掉在地下，一半胖子還手裏拿着。他神氣不變，哈哈一笑，說：「好鋒銳的寶劍！可是您老兄這樣辦事，未免有點像婦人之心！」話未說完，玉嬌龍瞪目說：「你是他們的一夥！」寶劍嗖地又削去，胖子一閃身躲開了，接着玉嬌龍又橫掃一劍，胖子用半截刀相迎，笑着說：「再讓你削去一塊吧！」玉嬌龍進一步，反腕擰劍向胖子的肚子刺去，不料後面斜來一腳，正踢在玉嬌龍的腕子上，青冥劍落在地下。玉嬌龍的身子斜撲下去，疾快地就拾起來劍，回臂一掄，身後那青鬚少年卻輕輕轉到了她的面前。她手似風環，猛地又一劍；少年略閃身即避開，走進一步，玉嬌龍的劍向上高舉，只聽對方說：「拿來吧！」玉嬌龍只覺手腕一痛，不知怎樣，青冥劍就被那青鬚少年奪過去了。

玉嬌龍大驚，更情急，馳步向前，搓身前擊，其急如風，青鬚少年正在詳細看劍，只用手一推，玉嬌龍就又退了半步，她疾忙反手，二指向這人的喉間去點，這點的是「廉泉穴」；但少年隨手一推，玉嬌龍又身不由己的倒退了三四步，可是她挺身立住，沒有跌倒；弩箭嗖嗖地射出，少年的身子動也不動，只用手指去夾，一連三支弩箭全都夾在他的手指上。胖子在旁大笑，說：「你這小玩藝兒，還施展它幹嘛？」玉嬌龍的兩隻眼睛都瞪圓了，喘着氣，一句話也不說。她乘着那少年看劍出神之際，驀撲上前又去奪劍；少年一腳，就將她踢倒。她翻身而起再撲，少年又一腳，她又跌倒。滾起來再撲，那邊已然走遠了又站住的幾個莊丁，一見玉嬌龍打敗，他們卻又掄刀跑過來，要打便宜手兒。青鬚少年舉劍向他們高呼：「快走！你們還要回來送死嗎？」不料玉嬌龍就乘此一聳身，兩隻手緊緊抱住了他的右腕，死也不放。青鬚少年憤怒起來，又一腳踹去，玉嬌龍又如同一個石球似地滾出了很遠，但她同時挺身躥起來，青冥劍已回到了她的手中。她把劍一掄，仙人步站立（即丁字步，可以進退封逼，助勢提勁，而且前後左右均能反轉自如），一手指着青鬚少年，問說：「你叫什麼名字？」青鬚少年說：「我是李慕白，你這口劍原是我的，我贈給了京中一個人，不知你是怎樣得到的。你一女子，我也不願與你交手，寶劍你還可以暫時拿着，但不許你憑藉利器，為非作歹，將來我若知道你這口劍得來的不義，我可還要把劍追回！」玉嬌龍聽了李慕白的名字，她一驚，但旋又一聲冷笑，說：「原來你就是李慕白，你來！」由懷中取出她的摺扇，唦的一聲打開，叫李慕白看她在上面寫的字，並且驕傲地高聲唸出，是：「瀟灑人間一劍仙，青冥寶劍勝龍泉；任憑李俞江南鶴，也要低頭乞我憐。」胖子在旁笑道：「哈！這女扮男裝的人還真狂得不得了啦！再唸吧！」玉嬌龍又說：「塵海飛來一條龍，是神無影鬼無蹤；爾輩鼠狐來犯我，直似蜉蝣撼泰峯。」胖子說：「好大口氣！」李慕白憤怒地到鞍旁去抽劍，玉嬌龍跑開幾步，先叫繡香躲開，她脫去了長衫，連扇子都擲給繡香。她氣喘着，青綢小褂的鈕扣也開了幾個，露出裏邊的紅襦；她站立着，採取守勢。李慕白抽出了寶劍，躍步向前，一劍擊下，玉嬌龍的青冥劍反舞相迎。

李慕白怕傷着劍，疾忙抽劍避鋒，玉嬌龍以青冥劍向下撩，李慕白疾閃，反腕振劍去刺。玉嬌龍隨手去挑，迎門倒砍；李慕白又一閃，劍勢凝迴起舞，劍尖正透敵心。玉嬌龍不得不避開，李慕白又翻腕，劍從下而上；玉嬌龍向左去閃，挽劍變勢，巧妙地轉守為攻。她以身避身，以劍找劍，腳步輕敏，絲毫都有規矩。

李慕白更看出來了，這女子的劍法與自己原是出於一家；他謹慎着，不願向對方加以傷害，步步引誘着玉嬌龍的劍法。玉嬌龍卻振起了威風，一步逼一步，一劍緊一劍，嗖嗖嗖如鳳翅，如霞光，如落月流星。李慕白只是後退，把她的劍法看夠了，忽然又進步，反手，雙足躍起，劍從懷中透出。玉嬌龍用劍一找，李慕白的劍卻望空舉花，同時轉劍又來，玉嬌龍豎劍去迎。李慕白的劍勢又變化，以捲簾式向她來砍，幾乎要傷着玉嬌龍的脖頸；可是玉嬌龍斜撤步，縮身舉劍向前一推，李慕白都嚇了一跳，因為劍幾乎被她的寶劍碰着。李慕白就撤步倒劍，搖手說：「不用戰了！你的武藝不錯，我看你的劍法步法像從九華山學來的，我們原是一家。現在我只問你的師父是誰，還問你曉不曉得啞俠的下落。」玉嬌龍不住地喘氣，搖頭說：「我都不知道，不過我不能服你！今天是我已然同那些賊戰了多時，氣力不勝了。不然，叫你李慕白當時就死於我的劍下！」李慕白淡淡地一笑，胖子也怔了。陶家的那幾個殘餘的莊丁早就都嚇跑了，岸邊只飄泊着幾匹馬。

玉嬌龍的那兩匹馬雖已跑到了很遠，倒是沒有丟失，馬上馱的東西也都安然無恙，只是玉嬌龍提劍趕上那躲在一邊的繡香，喘着氣問：「雪虎呢？」繡香抽搐着說：「本來我都抱住它啦！那幾匹馬一撞我，我躺下啦！雪虎也跑啦！」又悲哀地叫着：「雪虎！雪虎！」玉嬌龍也一頓腳，眼淚汪然流下，哭着叫：「雪虎！雪虎！」她兩眼帶淚向四下看，只見眼前是高山大河，滾滾的流水，荒莽的沙漠，悲嘶的幾匹馬。身後，右邊，都是很高的綠水似的田禾，左邊是疏柳、長橋、夕陽。

不遠的李慕白跟那胖子還在站着向她來望，她又瞪了一眼。哪裏去找那白長毛兒黑鼻子的雪虎呢？她嗚嗚地哭着，繡香勸着說：「天快黑了，大爺！咱們先找個地方住去吧，明天再來找雪虎，它也許在麥地裏藏着啦，大概丟失不了。」玉嬌龍又哭着叫了幾聲雪虎，李慕白跟那胖子已上馬往西去了，胖子在馬上還不住回頭。玉嬌龍頹然坐在地上，陣陣的河風吹得她很冷，天已漸漸黑了，暮鴉成羣飛過山去。繡香又勸了她半天，她才拭了拭眼睛，站起身來。叫繡香把那兩匹馬牽過來，打開衣包，另拿出一件青綢的男裝衣裳穿上；她又摸了摸，另一隻包袱裏的首飾匣沒有丟，那裏面就有兩部《九華山拳劍全書》。她才放下心，看看四下無人，她就悄聲囑咐着繡香說：「雪虎丟失了還許能找着，只是這飾……」繡香點頭說：「我知道！無論如何我也在意，決不能讓它也丟了！」玉嬌龍說：「只要你眼睛看到了就是啦！也不用時刻不離手，看得嚴不如叫別人不介意才好！」繡香又點頭，把兩匹馬分開，東西也叫兩匹馬載着。

玉嬌龍扶了繡香一把，叫她先上馬；她又在暮色之中，向四下看了看，這才收劍扳鞍。但是上了馬卻覺得雙腿酸痛，全身也很難受；因為今天被李慕白連推了兩回，臂上手上已有不少擦破的輕傷，比她離京自刺的那點傷還痛，她不住咬牙憤恨，決不服氣，誓要休息幾日，再尋李慕白決一雌雄。她的心裏尤有悲傷，貓兒雪虎她實在捨不得，就想：「它哪去了？它是在那沙漠似的河灘上流浪着了嗎？它還是被人捕獲害死了呢？它忽然跟我翻了臉，不聽我的話，當然是很可恨、無情，然而它又是多麼好的皮毛呀？今後誰還給我開心呀？我還親着誰抱着誰呀？」她不住地流淚，她的馬在前，她還低聲叫聲：「雪虎，雪虎！跟着我們來吧！」繡香的馬在後緊隨着，心裏也很難受，又很害怕，因為這一天的事簡直是出生入死，眼前的刀光血影至今還未消散。現在是馬行在羊腸小徑之上，兩旁都是茫茫的田禾，被風吹得嘩啦嘩啦的響，又像有羣馬追來似的。天上暮色沉沉，有許多無雲的地方都露出星星。

走了多時，大概走出了十多里地地了，天更黑，眼前卻看見了稀稀的火光，繡香趕緊指着問道：「小姐！……大爺快看！那邊是燈還是星星呢？」玉嬌龍說：「那邊有燈光一定是村落。你記住了，住店房時你就稱我為大爺，但若在人家投宿，你就無妨還稱呼我小姐。因為在路上兩個女的太不便，向人家投宿，男人可又不大合適。早先，我那高老師都說過，他常對我說江湖行路之事；可是我沒想到江湖人的眼睛竟是這麼的毒。譬如今天與我對劍的那個有鬍子的人，他一眼就看出來我是女扮男裝。」繡香問說：「那有鬍子的人是誰呀？」玉嬌龍說：「那是個有名的江湖人，李慕白。你記得早先在德五奶奶家裏，住着的那個俞大姑娘，聽說那就是他的妻子，但也是外面的傳言，未足相信。不過他們二人倒是時常在一塊兒，又都是江湖上武藝最高的人。今天，若不是我，換個別人，即使能夠殺退了那羣強盜，可也必定勝不過他一個人。他的武藝不過是跟江南鶴學出來的，我的武藝卻是……」說到這裏她忽然又不說了，將馬策了兩下，說：「咱們快走吧！找個地方好歇息，你既隨我出來，你就放心得啦！我的武藝無人能敵得過，我這口寶劍也沒有兵刃敢接觸！」繡香聲兒顫顫地說：「可是……我怕！路真難走，江湖人又真兇！」玉嬌龍不再理她。

少時就聽見狗吠之聲，已經走入村子裏了，繡香被狗嚇得直哎喲哎喲地驚叫。這個村裏人家不太多，多半是有很高的石牆，只有一家後窗戶還有燈光，是家小舖。再有就是兩三家較貧寒的人家，也有燈光，並有推磨的聲音。幾隻大狗一看見她們的馬亂咬，玉嬌龍怒聲叱着，喊叫一家住戶開了門，出來了兩個人，問說：「是幹什麼的？」玉嬌龍在馬上說：「請問，這兒有店房沒有？」就有人回答說：「這兒沒有店房，這是個村子，不是個鎮。你們要找店房還得往南走十里地，石橋鎮那裏才有店房呢！你們是從什麼地方來的？」玉嬌龍和氣地說：「我們是從保定來，我們走得真累啦！勞駕吧！方便方便吧！叫我們在這兒借宿一宵吧！明天一早就走，我一定重重謝你們！」對面黑乎乎的人影就說：「家裏沒有多餘房子，太不方便，不行！」玉嬌龍說：「我們兩人全是女的，到你家有什麼不方便的呢？」對面的人一聽原來是兩個女的，他們倒覺得有點奇怪了，就問說：「你們的男人在哪兒啦？」繡香聽了，覺得臉上一陣發熱，玉嬌龍的聲音也有點兒忸怩，說：「我們，我們兩人都是姑娘，都沒有男人。」一個人就說：「讓她們進去吧，讓到奶奶的屋裏得啦，怎能叫她們兩個姑娘往下走呢？」另一個人卻說：「還得問問！」於是又向馬上說：「你們兩個女的怎能出來走路？你們家裏也倒放心？你們是打算上哪兒去呀？」玉嬌龍不稍遲疑，就短歎了一聲，說：「沒法子，我們是姊妹倆。家無長男，父親在外作官，在湖南衡山呢！地方太遠，兩三年沒有音信，媽媽不放心了，才叫我們兩人去看看，這也是萬分出於無奈！」那兩個人全都無話可說了，於是一人騙開狗，一人就說：「進來吧！馬也牽進來吧，院裏有地方，繫在棗樹上就行了。」又說：「也就是你們倆都是姑娘，不然我們真不能留，因為我們家裏也有年輕的姑娘。」

玉嬌龍跟着繡香下了馬，先後牽馬進門，院中果然還寬敞，有兩株棗樹。玉嬌龍把馬繫在樹，這時就有兩個老頭子手裏托着一盞油燈從東邊屋裏出來；這兩個人都有三四十歲，他們藉着燈光一看玉嬌龍穿着大褂，留着男人的辮子，繡香卻梳着婦人的頭髻，他們就說：「喂！喂！你們先別卸行李，你們是兩口子呀！我們這沒有房子讓你們住，你們還是上別處找店去吧！」玉嬌龍回身笑着說：「你們再細看看，我是個女扮男裝。我們姊妹假作夫婦，不然如何敢出來走路呢？」一個男子蹲下去看她的腳，說：「你是大腳呀！不行，不行！你別成心來這胡鬧！」玉嬌龍不由有些生氣，把臉一沉，說：「誰來同你們胡鬧？非得裹小腳才能算女子？我們北京的姑娘都不裹腳，我們是由北京動身到保定，由保定又來到這裏的。俗語說：與人方便，自己方便。難道我們還能安心來害你們？」她說話的聲音很尖很脆，西屋裏就有個老婆婆的聲音說：「讓人家進屋來吧！這一定是北京旗人姑娘啦，快請，讓我問問，她們家裏我還許認識呢！」玉嬌龍跟繡香倒齊都吃了一驚。西屋的門卻開開了，露出裏邊黯淡的燈光，一個十六七歲穿花衣裳的鄉下姑娘，倚着門，驚奇的樣子向外望着。屋裏的老婆婆又說：「請進來吧！這是土地神給咱家引來的貴客，昨夜裏我還夢見北京城呢！今兒就從北京來了貴客，快讓我來見見吧！」院中那兩個男子還不大放心似的，發着怔，尤其是馬上滿載着綢緞的大包袱，帶鞘的寶劍，他們真懷疑。那持燈的老人好像是這兩個人的爸爸，他倒是叫兩個兒子們幫助去拿行李，就請玉嬌龍和繡香進了西房。

玉嬌龍就見這屋子很是窄小，牆壁上掛着許多灰土，有一張桌子，上放着一盞很暗的油燈，還有兩份竹筷子、粗碟子、粗碗，屋後牆是一舖土炕。同時那拿着燈的老頭兒也走進來了，隔壁屋裏且有小孩哭；這情景彷彿與兩年前在新疆草原與羅小虎同睡的那地方無異，玉嬌龍的心中又不禁泛起一陣酸痛。看炕上放着兩份被褥，雖不十分髒，但上面的補釘很多。一個被窩似乎是這鄉下姑娘睡的，這姑娘倚身靠着牆，眼睛直向玉嬌龍和繡香轉動；另一個被窩枕頭邊有一團白髮，原來是那老婆婆，滿臉皺紋，足有七八十歲了。她在夜中要爬可爬不起來，只說：「姑娘們進來啦？姑娘可別怪我，我老啦！這家裏的是我的兒子、孫子、孫子媳婦、重孫子、重孫女。我如今是個老廢物啦！我要是能夠起來，哪能容他跟姑娘說那些廢話呀！他們都忘了恩了，他們都是花旗人家的錢養大了的。我從二十歲時守了寡，就在北京城邱侯爺家，伺候那兒的奶奶太太！」玉嬌龍更是驚愕，原來這老婆婆卻是邱廣超家的舊日僕婦，而邱少奶奶又是自己最知心的女友。她心中因此更是不痛快。老婆婆又說：「現在聽說那兒的奶奶也成了老太太了，小侯爺的那位少奶奶當了家，娶那位少奶奶的時候，我還在那兒呢！過了兩年，我的眼睛就瞎了，侯爺太太賞了我五十兩銀子，小侯爺還叫少奶奶賞了我兩個元寶，叫我回家來養老，我們才修蓋了這所屋子，置了幾畝田地……」

老婆婆絮絮叨叨，玉嬌龍卻一語不發，繡香在炕上找個地方，鋪上了一條閃緞被褥，那鄉下姑娘看見這發亮的被褥，她越發的眼直。有兩個村婦，像是老婆婆的孫媳，是剛才那兩個男人的妻，一個還抱着孩子，都站在門外向屋裏看。繡香一邊收拾東西，一邊笑着跟人家說客氣話；玉嬌龍卻脫去了外衣和小褂，露出裏邊的紅襦，坐在她的被褥上，不說話。那老頭兒叫他的孫女把鋪蓋抱走，到別的屋睡去了，這鄉下姑娘抱起來她那自慚形穢的被褥和枕頭，可是她還不肯走。她的祖父直催她，繡香笑着說：「這位妹妹，明天咱們再說話兒吧！」那姑娘才被她祖父拉走了，門也隨之關上。

老婆婆又說：「給人家二位姑娘做點什麼吃呀！把雞子煮幾個來吧！」窗外的婦人答應着，繡香笑着說：「您別讓嫂子們麻煩啦。」老婆婆說：「不！我知道，您北京人吃飯都晚，不像我們莊稼人，太陽頂高就吃完飯睡覺啦。二位姑娘貴姓呀？宅子是在哪兒呀？老爺在哪兒當差呀？」繡香不敢貿然回答，瞧着她的小姐。玉嬌龍卻說：「姓龍，是漢軍旗人，家住在前門外；我父親在湖南作將軍。」老婆婆的耳朵還好，她都聽清楚了，就說：「那您一定知道邱府上，邱府上也是漢軍旗人；侯爺在外省也作過將軍。京城德五爺他們卻是內務府的。」玉嬌龍更為變色，趕緊問說：「您跟邱家還有來往嗎？」老婆婆歎了口氣，說：「早就沒有來往啦，十二年啦！人家也許早就把我忘了。我這個兒子跟孫子又都不行，他們就知道在家裏耕地，不敢出外。我兒子早先倒是到京城裏去過一次，可是他說一進京城他就花眼，一上大宅門的台階就腿軟。現在他也過了六十啦，腿腳也快跟我一樣啦，要不然，跟人家邱府沒斷，什麼事沒有個照應！」玉嬌龍聽到這裏才放了心，才知住在這裏不要緊，決不會為京中的戚友們所知曉。她躺下身歇息，並叫繡香點上了兩支檀香，汗穢的屋子裏就散漫着裊裊芬芳的煙雲。老婆婆使力用鼻子嗅着，笑問說：「我有十二年沒聞見這香啦！龍姑娘，這是萬壽香還是龍涎香呀？」繡香笑答道：「這就是平常的檀香，是我們在半路買的，不是從北京帶來的。」老婆婆又絮絮地談着話，繡香不好意思不回答，可是有幾次被她的小姐用眼色或胳膊肘兒攔住了。隔壁有人拉風匣燒火，待了半天，老婆婆的孫媳婦——一個三十上下很憔悴的村婦，給送來七八個白煮雞子，腌白菜，黃米稀飯，白麵烙的很厚的餅。檀香刺激得她直咳嗽，她放在桌子上趕緊就出去了。

繡香把板凳擦了擦，又墊上她自己的一件緞子衣裳，這才請她的小姐下炕來落座吃飯。她給剝着雞子皮，玉嬌龍慵倦地坐在凳兒上，一隻臂放在桌上支着頭，眼望着那碗黃米稀飯，又回憶起昔日新疆草原之事。恨自己年幼無知，又恨自己多情而任性，誤結識了羅小虎，如今……大錯已竟鑄成，情絲又復縛緊，三載以來自己被情思折磨得嘗盡了苦惱，殷切期待他有個出身，好遂所願，但他盜性不改，胡作非為更甚！如今且逼得自己離開了閨門，拋下了父母。雖然隻劍遨游江湖，決無所懼，但將來究竟哪裏才是歸宿呢？今天的一天惡鬥，不但逢着了勁敵李慕白，又復丟失了我心愛的貓兒。小虎他現在什麼地方？他哪能知道我此時心中的悲痛呢？他哪能幫助我，愛護我呢？但他，又怎樣才能使我忘記了他呢？……淚如檀香的灰，紛紛下落。

繡香剛剝好一個雞蛋，看見了她的小姐這個樣子，她也不禁從心中難過，低着頭，悄聲勸着：「小姐，你也別傷心啦，明天一定就能把雪虎找着啦。」玉嬌龍搖了搖頭，繡香遞給她一條手帕，她就掩着臉說：「不是專為雪虎，我是另有難過的事情，你不知道我的心。」繡香皺着眉，又趴在她小姐的耳邊說：「我想這兒的老婆婆既是邱宅早先用的人，不如就託他們去請來邱侯爺。邱少奶奶跟您多麼好，叫他們到咱宅裏，跟大人去說，叫咱們還是回北京，魯家的事也再想辦法。」玉嬌龍忽然一瞪眼，悄聲說：「你千萬別作這夢，咱們兩人……都今生今世不能回北京了！」她掩面啜泣得更厲害，繡香也拿袖子擦眼睛，悲聲說：「不然，咱們到新疆投舅老爺那兒去？」玉嬌龍冷笑說：「何必依人呢！」兩人無聲地哭泣了半天，玉嬌龍才親自關門，抽出寶劍放在褥下，熄燈睡去。

這一夜玉嬌龍雖因身體疲倦，心情愁悶，一着枕就睡着了。但她知道外面並沒有什麼動靜，否則她會醒的。清晨院中雞叫，朝陽染上破舊的窗紙，繡香先起來收拾東西，並悄聲回答那老婆婆問的話。那鄉下姑娘跟兩個媳婦進來送洗臉水、掃地，院中孩子哭，老頭兒又咳嗽，玉嬌龍全都不管，只和衣掩被。枕邊拖着男子式的長辮，身上穿着繡邊兒的紅襦，炕上放着一雙青緞的雙臉鞋，她像是睡得很香。

繡香對人是很謙卑的，她梳洗好了，又出屋拜見老頭兒和兩個媳婦。原來這家是姓祝，家中一共十一口人；祝老婆婆、祝伯伯、祝大哥二哥、大嫂二嫂，還有那姑娘今年十六，乳名叫招弟。她是祝大嫂的女兒，她卻沒有招來弟弟，只招來個才三歲的小妹；二嫂有三個孩子，是二男一女。這地方名叫柳河村，屬饒陽縣管轄，村內約有百餘戶人家。祝家在這裏有四五十畝地，也算是小康之家了。如今繡香長得是這麼好，穿得衣裳又闊，既在大門庭中學過些謙卑的禮節，可又未改小家女子的溫柔和婉，所以才半日，她就跟這裏的兩個婦人處得很好，並且她說了實話。她說那位男子裝束的才是真正的「姑娘」「小姐」；而自己卻是她的丫鬟，但小姐待自己至厚，有如姊妹。這次是奉宅中太太之命，隨侍小姐出來。祝大嫂和祝二嫂都跟她十分親熱，稱呼她為「大姑娘」，招弟叫她為「姑姑」，對她身上的一切全都很羨慕。近鄰的幾個婦女也跑過來瞧她，可是不敢到屋中去瞧那位小姐。繡香跟人說：「昨天在北邊河岸跑丟了一隻貓，是她小姐最心愛之物，昨天小姐為那貓哭了半夜，大概若是今天再找不着那貓，小姐還不願離開此地。」於是祝大嫂就叫她的丈夫到那邊河岸去找。祝二嫂又說石橋鎮菩薩廟的神籤最靈，可以去求一支籤，看看是叫什麼人拾去了，然後就容易找了。祝老頭卻說：「姑娘就在這兒住着吧！住上十天半月的也不要緊。待會我就叫人到河邊找着了，姑娘給他點賞錢就是啦！」繡香說：「只要是找着，我們小姐至少要酬謝二十兩。」這個數目，可把旁邊的人都嚇了一跳，祝大哥急忙轉身就出門去了。祝老頭又把那瞎眼的母親請到另一間屋去，這間西屋就讓給了玉嬌龍和繡香居住。

傍午時玉嬌龍起來了，繡香服侍她梳洗完畢，她依然是男子的打扮，繡香問說：「小姐您想吃什麼？我給您做去吧！這兒豬羊肉都買得着，雞子更是現成，您吃什麼呢？」玉嬌龍說：「隨便！你就快去做吧！吃完了我還要去找雪虎，不找着雪虎我誓不離開此地！」繡香趕緊就去做菜。今天祝大嫂特地為她們蒸的白麵饅頭，買來的肉，地裏摘來的豆子；祝二嫂也把她儲蓄的雞蛋拿出來。妯娌倆幫着燒火，繡香炒了兩三樣菜給她小姐端過來。玉嬌龍匆匆用畢，囑咐繡香先送這祝家十兩銀子，她帶着寶劍，出了門，馬也不備鞍，騎上就向北走了。

由此到河岸約二十里地，但玉嬌龍催馬，一口氣就來到。青山、茫茫的河水、疏柳、荒沙、長橋，就是昨日爭戰之地。現在玉嬌龍只由地下拾起幾支小弩箭，旁邊還有斷槍折刀，可看不見昨天的受傷的人了。玉嬌龍就下了馬，又叫着：「雪虎！雪虎！」她一邊這麼叫着，不由得聲音就發慘，眼睛又有些發酸；牽着馬走遍了河岸，她真要涉水過河到山上去尋。這時忽見兩個男子跟幾個十來歲的孩子從田地中走出，他們手裏還拿着臭鹹魚，捉貓的繩套子，還有個孩子也不知從哪兒捉來個耗子，用繩兒拴着，還活着呢！這就是祝大哥和村裏的幾個人。他們都累得吁吁直喘，搖頭說：「真不容易找！也許是叫誰給抱去啦！就是叫狗咬死，也得有個貓屍首呀！」玉嬌龍聽了，心裏非常的難過，就說：「勞你們的駕，你們就在這兒替我找吧！那貓是全身的白長毛，鼻子上有一塊黑，你們叫它雪虎，它會知道的。只要是把它找着，我賞三十兩銀子！」祝大哥幾個人一聽，立時又都有了加倍的精神，連孩子也跳起來，一齊叫着：「雪虎！雪虎！」玉嬌龍又心情黯然地騎着馬往回走去，沿途她還悲哀急切地叫着貓的名字；當日貓就沒有下落。

她們在此又住了一日，心中都十分憂煩，繡香就說：「明天南邊石橋鎮有集，祝大嫂要帶我去，她們說那兒有一個菩薩廟，神籤最靈。我想去求一支籤，也許就能知道雪虎是往哪邊跑去了，是叫什麼人給抱去了！」玉嬌龍想了一想，她對於神佛本來是不大信的，尤其是廟裏的籤。早先她唸書的時候，曾聽老師高朗秋說過，神籤共有兩種，一種是照着算卦的本子印的，一種是好事的文士所作。前者是欺騙那些愚夫愚婦，後者多半是調侃人生。但如今她彷彿是「急病亂投醫」，就點頭說：「好吧！那麼明天你就去求一支籤吧！在那集上也打聽打聽，如有人能夠找到送來，叫我們多酬謝也行。可是，若準知道是誰抱去了，不肯拿出來，那我可……」她又氣憤了。繡香說：「咳！小姐您放心，人家鄉下不像咱城裏人，誰也養活不起這麼貴重的貓，您就別難過了！」玉嬌龍忿忿地說：「只要把雪虎找回來，我就把它殺了！它沒出息，它忘恩負義！」說着又黯然墜淚。

次日，清晨起來。繡香就去趕集，祝二哥套了一輛牛車，拉着繡香、祝大嫂、祝二嫂、招弟，還有鄰居的一個姑娘，都到石橋鎮去了。石橋鎮在南十里之外，是一個很大的市鎮，那裏有一條很長的街。牛車緩緩地走着，到了鎮上時就有十點來鐘了。這裏正在熱鬧，本來街上的商舖就不少，現在又擺了許多臨時的攤子，男女紛紛擁擠。一些村婦鄉女，雖然也都打扮得花枝招展，但是像繡香這樣的，梳着漢人的頭髻，可又穿着花緞旗袍，兩隻腳雖然瘦小，可是不大像蓮足；尤其是那麼清秀的眉目，白潤豐腴的臉兒，與一般不上脂粉的粗臉不相似。因此，沒有人不特別地看她。

祝家兩位婦人在這集上又遇見了幾個親友，她們拉着手兒談話，就把找貓的事順便託付了。這雖然是一件小事，可是集上就有人嚷嚷了，說：「柳河村有人找貓，誰送去就得銀三十兩，你們誰想發財呀？」居然這裏就像出了一件新聞。繡香忽聽見耳畔有鐘磬之聲嗡嗡地響，她趕緊叫招弟領着她去求籤，祝大嫂二嫂是在一家舖子的門前等着她們。招弟拉着繡香走進了一條小巷，這巷裏有幾戶人家，菩薩廟在路北。紅牆雖新，但香火似不大旺，廟門前有個擺香攤的老頭兒，看見了招弟，就說：「招姑娘幹什麼來啦？」招弟回答：「求籤。」老頭兒笑着說：「求什麼呀？求婆婆嗎？」招弟的臉紅了，佯怒着，打了老頭兒一下。繡香也笑了笑，買了一股香，進廟去拈香拜佛。她除了默禱快些找着雪虎之外，求神保佑她的小姐，別再在路上遇見什麼災難。然後由僧人的手中接過來籤筒，跪在拜墊上，雙手舉着籤筒顛了幾下，一支很長的竹籤就落在地下。和尚拾起來，接着籤上的號數，查出來籤文，交給繡香。繡香一看，是一張被煙熏黃了的竹紙，上面有木板印的字，她一看是「中下」，就覺着還不大壞。起來在籮筐裏丟了幾個香資，就同着招弟出了廟，會着了祝大嫂等人，她急忙忙催着牛車把她拉回去了。

此時玉嬌龍在屋裏正在查點她的金銀，她此次帶出來的是金多銀少，都是她歷年所得的壓歲錢。每年她母親要給她幾個金銀錠子，或是元寶。母親之意非僅為女兒壓歲，也是想使女兒積蓄起來，將來好帶到婆家去。玉嬌龍很明白，然而今日卻多麼辜負母親的慈愛之心呀！她正在悲傷，忽然繡香回來了，把籤文交給了她，她一看，就見上面印着是：

中下之籤

若問婚姻總不遂，燕南巢北汝何之；
不逢金火休相問，記取東風楊柳枝。
——婚姻無望，財不能發；尋人西南，千里之外。

玉嬌龍看了，突然覺得身上一陣發熱，心中卻極為氣惱，暗想：「我本來找的是貓，與婚姻的事什麼相干呀？」但細細地看細細地一尋思，卻又覺着這籤文的每句每字都像暗說着自己的心事，本來自己愛雪虎，時時就由雪虎想到了小虎，「燕南巢北」正像是說自己由北京往南來，實在是茫茫然不知何往。「不逢金火休相問」，金是西方，火是南方這就說的是「尋人西南」之意，「記取東風楊柳枝」是說心中相思之情。但一隻貓是絕不能跑在「千里之外」，莫非我問的是貓的去蹤，籤反答覆了我羅小虎的下落嗎？羅小虎他是那天以箭射轎，當眾辱我，逃跑之後，走向西南，現在……

玉嬌龍想到這裏，不禁緊緊咬牙，臉色變白。心說：「我還能跟你見面嗎？你在西南千里之外，別說我不能去找你，就是你來了，我也不能再理你了！我此刻雖然飄流於外，但我只能行俠仗義，不能強掠硬劫。你一個惡性不改的強盜，豈能與我再相結合？」她憤憤地將籤文扯得粉碎，繡香急得變了色，頓頓腳說：「您這是怎麼啦？就是籤上說的不對，可總是菩薩跟前求來的，您別就撕呀！」玉嬌龍搖了搖頭，容態由憤怒變為悽慘，把扯碎了的籤文交在繡香的手裏。她就把身子向炕上一仰，繡香愁得暗暗歎氣，不敢多說話。

過了許多時，忽然外面有人嚷嚷，說是什麼貓有了着落了。繡香疾忙出屋，就見一個半老的村婦，衣裳很是破爛，她說：「俺當家的今天在大道上拾糞，可瞧見那隻貓了，是叫一輛裝油的車帶走了。那輛車是往南去了，大概是走南宮冀州去的，你們要趕緊去追，還能追得上，……」繡香趕緊拉開門，往屋內看她的小姐，就見玉嬌龍已然下了炕，繡香趕緊進屋，說：「您聽見了沒有？有人看見雪虎叫一輛油車給帶走啦，南宮冀州在哪兒呀？」玉嬌龍急急地說：「我立時追去，追上車找着貓，回來再謝這個報信的人。」說着，她提起馬鞭向外就走。走出一步，忽然想起了一件事，回身又進屋來，並且把屋門倒帶上，向繡香說：「你把首飾匣給我！」繡香也不知她是要作什麼用，就打開包袱，取出首飾匣，玉嬌龍接過來，就蹲下身。這舖炕，本來有個很深的炕洞，原是為冬天升火燒熱炕用的。玉嬌龍就用劍鞘將首飾匣直推洞裏，就站起身，悄聲囑咐說：「放在這裏還好，你只要時時留心就得了。我往南宮追那輛油車，也許兩三天不能回來；萬一有賊來，偷去了什麼東西都不要緊，只不要叫他偷去了這首飾匣。我若是不回來，無論有什麼事，你也別離開屋裏，在這兒也少跟他們這些人說話！」繡香點頭，嚇得身子有些發抖。

玉嬌龍拿出幾塊金錠，一兩塊碎銀，帶在身邊；她就到院中，自己將馬備好，帶上了寶劍，出門上馬。祝大哥祝大嫂跟許多人隨她出來，祝大哥向南指着說：「出了村子往西就是大道。」那送信來的婦人說：「那油車是兩人趕着，他們就把貓裝在空油簍裏了，俺當家的今早看得清清楚楚。」玉嬌龍點點頭，策馬出村走去。

這時，玉嬌龍仍穿着男裝，茶青色的綢衫，白羅腰帶，將衣襟掖在帶子上，如同是穿着短衣；下面是深藍色的綢褲，繫着腿帶。她這樣的一個俊美少年，又攜着寶劍，馬又走得飛速，沿途上且逢村鎮就要打聽有無油車從此經過，所以很惹人注意。暮春的天又很炎熱，曬得她頭上流汗，用粉綢子的手帕去擦拭，可是隨擦隨又流出。所以走到一處大市鎮內，她就買了一頂有綢飄帶的大草帽，戴在頭上，她更像是個男子。鞭絲帽影，順着道飛馳，傍晚時就來到了巨鹿縣境的一個市鎮。進了街道，他就向人打聽：「誰看見有一輛油車經過這裏？」問了兩三個人，就有個賣鍋餅的小孩子指告她說：「路東彭家小店裏剛推進去兩輛油車。」玉嬌龍不暇細問，她就順着這小孩子所指之處，飛馬奔去。來到臨近一看，果然土牆歪歪斜斜的寫着「彭家老店」四個字，門前還掛着個罩籬，表示這裏不但開店還帶賣飯。店房是很小，只有一間大屋子，兩邊亂哄哄的有許多人，也無所謂院子；一輛車就停在屋裏，車上都堆着很大的油簍。

玉嬌龍下了馬，將馬拴在旁邊的一根朽木樁子上，她就抽出劍來，身後背着草帽往店裏就走，店裏亂哄哄的談話之聲忽然停止。玉嬌龍向兩旁去看，見左邊只是鍋灶，店主人正在那兒煮麵，老婆抱着孩子坐在地下拉風匣。右邊是一舖大炕，炕上坐着有二三十個人，躺着的，坐着的，抽煙，拈腳趾縫兒的，什麼人都有，都直着眼來瞧她。玉嬌龍就把青冥劍向油簍上一拍，問道：「這油車是誰的？」有兩個坐在炕上的人說：「是我們的，什麼事吧？」玉嬌龍把劍放下來，一看這兩人全都是滿身油污，一個敞着胸，一個脫了光脊梁，拿着一件油得不成樣子的藍布小褂正在擦頭，擦脊背。玉嬌龍就說：「聽說你們在北邊大道上拾了一隻貓！」那敞懷的人問說：「什麼？貓！毛也沒有。」玉嬌龍又說：「我那隻貓是渾身的白長毛兒，鼻子上有一塊黑。」旁邊的一個人指着鼻頭說：「我鼻子上倒有一塊黑，脖子上還有一大塊黑呢！我是個背煤的。」玉嬌龍笑了笑，說：「我聽人說我那隻貓是叫你們拾了來，裝在油車上了，我才趕緊追來，你們快把貓給我吧！要拿銀子換，我也願意。」有個人又說：「我這兒倒有一隻貓，你看是你的不是？」玉嬌龍趕緊問說：「我看看，在哪兒啦？」這人把光着的一隻黑泥腳丫高高抬起，腳趾亂撓，嘴裏細聲學着「喵喵」的貓叫，旁邊的人哄堂大笑。這個人耍腳丫子正在得意，忽然一道寒光落下來，這人「媽呀！」的一聲慘叫，雖然玉嬌龍的劍是平着擺下來，並沒有把這人的腳砍斷，可是也夠痛的，痛得他雙手抱着腳直用嘴吹。玉嬌龍瞪目說：「快些把貓還給我，不然，……」她一劍刺入油簍裏，簍中的藏油順着劍流出，兩個販油的人急忙下了地，攔阻說：「喂！你怎麼胡來？貓還能藏在油簍裏嗎，你賠油吧！」玉嬌龍一腳踹倒了這個人，另一個人揪住她的胳膊要奪她的劍，卻被她用點穴法給點倒。此時屋中大亂，玉嬌龍急急叫着：「雪虎，雪虎！」拿寶劍又扎漏了幾隻油簍，油就汪然地流出，流了一地。兩個販油的躺在油裏大喊：「強盜呀！」店主人往外去喊官人，店家老婆抱着孩子也往外跑去了。屋裏人都紛紛往店外去跑，外面的人卻又紛紛擠在店門首往裏來瞧。玉嬌龍知道貓一定是沒在這兒，事情又已弄得這麼大，她就趕緊一晃寶劍也走出店去。店門前的人被她的劍光嚇得都往後退，她卻解下馬來，聳身跳上了馬，掄起鞭子來要走。忽聽有人怒喝一聲：「下來！」

玉嬌龍驚了一下，趕緊扭頭去看，見是李慕白分開眾人奔向自己來了。玉嬌龍就急急揮劍掄鞭驅擋路的眾人，她的馬嘚嘚的往南飛馳而去，少時就走出了這小鎮。只聽身後有人大喊：「站住！往哪裏去，九華山的門徒哪能容你這樣的人任意橫行，我的劍也不是為你欺凌無辜用的！快丟下寶劍，不然我要不顧你是男是女，可就……」玉嬌龍一翻身，弩箭射去，但被李慕白抬手就抄住。李慕白的馬快，一霎時就追上了她，玉嬌龍在馬上翻臂探身一劍刺來，李慕白疾閃身躲開。他手中並無兵刃，但驀然就要抄奪玉嬌龍手中的寶劍，玉嬌龍疾忙勒住馬向後退去，李慕白就將馬一橫攔阻住她。玉嬌龍在馬上一聳身，卻低頭翻身下馬，李慕白已如鷹隼一般的撲下。玉嬌龍疾忙斜身掄劍，這一劍真有切瓜斷藤之勢，十分的疾快狠毒，然而李慕白不知怎麼一來就閃開了。玉嬌龍怒罵說：「李慕白，我難道怕你？」她舞起劍來，直撲李慕白，白光灼灼，隨手飛舞，迎鬥倒砍。一口劍忽向前，忽滾後，顧盼圓轉，旋動自如，如疾風掠草，閃電騰天，一分一毫都緊極、速極、狠極，沒有半點破綻。可是李慕白身輕如游鶴，盤旋於她的左右前後，她的劍來到了，李慕白就立時閃開。她接着又一劍，李慕白卻不但又閃開了，反逼上她來要托住她的咽喉，抄她的手腕。

玉嬌龍毫不容讓，劍法愈急，奪路想要追上馬匹逃走，可是李慕白又緊追着她，並且冷笑着說：「你有這樣好的武藝，若再有這口寶劍輔助你，你橫行起來，那還了得？」玉嬌龍挺身猛刺說：「你說我橫行，你更混蛋！」李慕白一手掠雲斜身進逼，說：「不因你是一個女子，我早就要制伏你了。」玉嬌龍說：「呸！誇口！」嗖的一聲以劍橫掃，李慕白斜着一伏身，容她的劍像一條白龍似的從自己的眼前掠過，便疾忙聳步向前，右手如滿月，仍要抄她的腕子。玉嬌龍的劍忽從上下落，李慕白的左手舉起來要去托，玉嬌龍卻趕緊又將劍抽回，不防李慕白突然一腳，將玉嬌龍就踹出三四步，玉嬌龍的身子立時跌倒了，草帽也壓扁了。李慕白趕緊追上去，玉嬌龍卻又乘勢身一滾，滾出了很遠，李慕白又追至，俯身要將她按住。但不料玉嬌龍的寶劍並未撒，突然躍身而起，如出水的蛟龍，躥山的猛虎，寶劍疾疾旋轉，勢若追風，反逼得李慕白不住後退。

玉嬌龍追上了李慕白，寶劍是如長虹倒掛，從上砍下；然而劍才落下，眼前的李慕白又忽然不見了，同時，自己的兩隻胳膊卻被緊緊抓住。玉嬌龍的右手先往前去扔，將劍拋在地下兩步之外，同時腳向後去踹。李慕白把她往旁邊一摔，疾忙上前去拾劍；但玉嬌龍的身子斜着向前一撲，整整將劍壓在她胸下。李慕白又一腳踢去，但玉嬌龍的身子已隨李慕白的腳而飛起，劍也隨之重入她的手中，倏然撤步倒退，向李慕白一聲冷笑。李慕白也倒退了一步，就點點頭說：「你的武藝實在不錯，劍法身手我看得出來，我們確是同門。你一女子，我也不能過分逼你，你無妨向我說實話，到底你是誰的門徒？」玉嬌龍喘了喘氣說：「你不用來問我，我也決不能告訴你。連俞秀蓮，我全沒告訴過她我的師父是誰。」

李慕白突然臉色一變，玉嬌龍慢慢向後倒步，同時橫劍讓身，退出了很遠。她的意思是要追上她的那匹馬，想要逃走。不料李慕白也走向道旁，由他那匹馬上抽出了寶劍，很快地又追上來了。玉嬌龍回身抖劍又來迎戰，先是想一下就削斷李慕白的兵刃，不料李慕白的劍一抖起來，真如大鵬掠翅，力透中鋒，玉嬌龍反倒將劍趕緊縮回，同時李慕白劍劍着緊，不但躲着她的寶劍，反招招逼得她無法迎架。又三四合，忽然玉嬌龍的劍勢也驟變，成了縱步追風之勢，身軀向左一退，劍鋒砍下來。但李慕白忽然一劍拍在她的臂上，她覺着一陣手痛，同時眼前也一陣白光紊亂。剛要退身，剛要將劍換手，不料李慕白早把她的青冥劍奪了過去，而且回身就走。玉嬌龍從後猛撲上去，說：「還我的劍！快給我！」

李慕白雙劍向後一掄，她連避也不避，向着劍光勇撲，李慕白又倒將劍疾忙抽回，跑到馬旁就上了馬。玉嬌龍張着雙手急追，說：「給我……劍！」李慕白撥馬走開了，一手拿着雙劍，一手揮鞭，且轉頭說：「我不忍傷你，就是看在同門的道義之上。等我打聽出你的來歷之後，那時我再懲罰你，劍是不能夠給你了。你以後如再不改過，再遇到我的手裏，我就不饒你了！」玉嬌龍忽然發去一支冷箭，也被李慕白用劍一磕，箭就落在地下，李慕白催馬向南走去。玉嬌龍在後緊追，她也搶着馬騎上去追趕，並且弩箭嗖嗖地直放，但一下也沒射中李慕白。李慕白的輕騎健影倏忽間順着夕陽大道走去，玉嬌龍在後急追緊趕，然而越追趕，前面的人馬越去越遠，終至於看不見了。

田野吹來了嗖嗖的晚風，亂雨一般的鴉鵲向遠處帶着暮色的森林投去，紅霞向天外落下。玉嬌龍四顧寂寥，寶劍無影，落得她雙手空空，渾身是汗，直喘氣。她心中一陣難受，不禁又落下淚來。但才流下兩行淚，忽然又一咬牙，她就連身上的浮土也不拂，仍然鞭馬去追。嘚嘚的蹄聲如驟雨一般地亂響，心中並忿忿地想：「我不追上你李慕白，不奪回我的青冥劍，我寧可死……」馬疾走着，暮色漸深，玉嬌龍往南衝過了一個小市鎮，又走出有半里多路。只見星月光輝，大地黑茫茫的，連村舍燈光都沒有，人蹤和犬吠之聲也聽不到。

玉嬌龍忽然又勒住韁繩，細想了一想，暗道：「李慕白自負武藝天下無敵，他奪了我的寶劍，決不能就逃出很遠，說不定他就在剛才我看見的那小鎮住下了。他一定也很狡猾，知道我必定追，他豈能連夜一直往下去走，早晚叫我追上？」於是玉嬌龍立時轉馬又往回走，少時又來到剛才那小鎮之上。

這裏不過有二十來家店舖，客店大概也不多。玉嬌龍先找到了一家，見關着門，她就趴着門縫往裏一看，見這店跟自己白天追油車所進的那個店差不多，裏邊也很亂，她就向裏問說：「請問！你們這店裏是住着一個騎馬的人嗎？他是才來到的！」裏邊的人，一聽見她尖細的聲音，就齊都納悶，把吵嚷的談話之聲頓然停止。玉嬌龍牽着馬，眼往門縫裏瞧，見裏面的人影很亂，並有一股惡劣之氣由門縫直鑽出來。玉嬌龍趕緊用手絹掩住鼻子，裏邊有人悄聲猜着說：「是娘兒們吧？」又有人說：「也許是小孩，管他呢！店家快告訴他這兒沒有騎馬的，倒有騎螃蟹的。告訴他快走，別在這兒哼哼，這聲兒，我們聽了難受！」於是就有個光着脊梁光着腳的客人把門縫拉大了一點，用嗓子眼兒哼哼着說：「我們這兒沒有啊！沒有個騎馬的呀！倒有個騎螃蟹的呀！」玉嬌龍氣得將門板踹了兩腳，裏面就有人怒罵起來了，說：「小子！妹妹！你他媽的是幹什麼的？別怔踹你祖宗的大門呀？」玉嬌龍忿忿的要用弩箭往門裏去射，忽然又把自己攔住，趕緊牽馬走開。又到了另一店房，這家店房倒還比較大點，店夥也很和氣。裏院有兩間馬棚，可是棚下拴着兩頭騾子，並沒有馬。玉嬌龍發着怔，店夥就說：「您是找人嗎？隔壁還有一家朱家店，您上那兒再問問去吧！」玉嬌龍點了一點頭，滿胸的氣；牽馬又到了鄰家店裏，店夥迎過來問說：「你是找人嗎？」玉嬌龍不言語，一直找到了馬棚。就見有院中暗淡燈光斜照着，馬棚之下有四五匹馬，其中的一匹正是李慕白的那匹馬。

玉嬌龍先察看了看，見馬上並無行李，也沒有寶劍；此時店夥從旁接過她的馬去，問說：「大爺，由哪兒來的？」玉嬌龍悄聲回答：「由保定來。」又以更小的聲音問說：「騎這匹馬來的人住在哪屋？」店夥指着西邊一間小屋，說：「就是那間屋，您是一塊兒來的嗎？」玉嬌龍趕緊把他攔住，瞪眼說：「嚷嚷什麼？」店家嚇了一大跳，玉嬌龍等這個店夥把馬拴好了之後，她就說：「你給我找一間房子，要單間。」說着，她又向那西小屋投了一眼，見那屋裏連燈光也沒有。店夥給她找了一間小北房，玉嬌龍很快地就走進屋內。

店夥出去，又待會兒，給她送進一盞油燈，掛在牆上。玉嬌龍故意背着燈光，店夥問說：「您吃什麼飯？」玉嬌龍搖頭說：「不吃，我已吃過了。」店夥又問說：「給您倒壺水來吧？」玉嬌龍點了點頭。店夥轉身出屋，忽然玉嬌龍又說：「給我找點火來，抽煙用的！」店夥在門口答應了一聲，就走了。玉嬌龍摘下草帽，站住靜聽那西房裏的動靜，可是什麼動靜也沒有，只有鄰房中客人正在談話，談的是糧行的事情。斜對過馬棚裏的馬用蹄子敲地，前院有人搖着轆轤打水，玉嬌龍忽然又一陣煩惱。又待了一會兒，店夥給她送了一壺茶、一隻茶碗、一個火鐮、兩根紙媒子，玉嬌龍立時把火鐮拿在手裏。店夥又問她要被褥不要，她只搖頭，店夥就又走出屋去了。

這裏玉嬌龍掩上門，回頭一看，土炕上只有一領蘆蓆和一塊磚頭。這樣的寢蓆，她哪裏睡過？同時感到自己的手中已無寸鐵，檢點小弩箭，只剩了六支。由這弩箭她又想起羅小虎來，不由一陣悲傷，思戀，且悲憤。更想到了父母，她不由得哭了。抽噎了兩下，忽然又趕緊拭淚，吹滅了燈；她把草帽拋在炕上，輕輕拉門走出屋去，在檐前靜靜地站立。

站立了多半天，聽見外院的轆轤聲也不響了，鄰屋也熄燈睡去了；棚下的馬也不作聲了，店夥也沒再到裏院來，並聽遠處更鼓又敲了三下。四顧寂寥，天上的繁星擁着殘月，薄雲如輕紗從黑天上輕輕掠過，將星斗擦得是愈潔愈亮。春風很暖，飄飄地吹着她的綢袖，她就挽了挽袖子，手中緊緊握着火鐮，慢慢地往李慕白住的那房子走去。才一走到房前，忽然聽屋中厲聲說：「你要不趕緊改悔，我可不顧什麼同門之情，不管你是男是女，我就不再饒恕你了！」玉嬌龍嚇了一跳，趕緊蹲下身。屋中的李慕白就隔室侃侃而言，說：「我早已看出來了，你的武藝必與啞俠有關；因為你是個女人，我不願向你逼問。我告訴你，你的武藝還差得很多，不可以逞強！寶劍既到了我的手中，你休想再能奪回。我也不殺你，但你若再作出什麼惡事，敗壞我九華派的名聲，那我就要不顧惜了！」玉嬌龍蹲在地下還是不出聲，忽然北房門開了，走出一個客人，大概是要上茅房的樣子，玉嬌龍就趕緊縱身上了房，回身嗖的一聲，一弩箭向那客人的背後射去；那客人就哎喲的一聲趴在地下，急喊叫說：「有賊啦！哎喲！射了我屁股上一箭！哎喲好痛呀！」屋中的李慕白怒罵了一聲：「惡賊！你一定要叫我殺死你嗎？」門一摔，李慕白挺劍奔出來，那中箭的客人痛得在地下亂爬亂滾。玉嬌龍就乘此時疾跳下房去，一扭身就進了屋。李慕白回身掄劍，玉嬌龍趕緊把屋門關上，同時急急地打開了火鐮，取火向屋中一照，就見炕上只有一領蘆蓆，把蓆掀開，蓆下有一口寶劍。卻是李慕白自己的那一口劍，並不是青冥。

此時院中已亂嚷了起來，許多人都已然驚醒，李慕白以青冥劍擊門，怒叫着說：「你出來！我能容你這樣兇惡的強盜在我跟前胡為？」玉嬌龍抄起了寶劍往屋外跳。才一出屋，李慕白一劍，倉朗一聲，她手中的劍便被斬斷了。剩下的半截劍她還不敢拋開，又跳回到屋內。先把一隻凳子拋出去，李慕白在外又怒罵；玉嬌龍又把兩支弩箭射出，隨手用火點着了炕上的蘆蓆，當時火燄就突突騰起來了。李慕白一面喊叫人快來救火，一面卻身子不動，持着劍等候玉嬌龍從火中奔出，但玉嬌龍豈敢出去？

此時濃煙已充滿了小屋，熊熊火勢引着了窗紙，並即將要燒到玉嬌龍的身上。玉嬌龍急退得身子貼住了後牆，被煙刺激得不住咳嗽，猛烈的火燄離着她的身子不過半尺；她啊地驚叫了一聲，疾忙躍身而起，伸手抓住了房梁。火燄在她的身下亂滾，她的一隻鞋子也掉了；外面的人聲大亂，水也往窗裏潑來，水觸在火上，濃煙更往上騰，玉嬌龍暈得幾乎摔落下去。她此時連一口氣也喘不出來，一手緊緊抓住房梁，一手掄半截劍向房頂猛砍；她急極了，連砍了二三十下，就見房頂上的灰土和破葦子都落下來，現出了一個洞。屋中的煙都往外直冒，玉嬌龍的身子也隨着煙爬出。

到了房頂上，她一聳身就跳到房後，這裏是一處小空院，她那半截劍也丟了。緊吁了幾口氣，掖了一掖衣裳；見這房子濃煙滾滾，烈火騰騰，越來越大，玉嬌龍疾忙躲開。往南走，飛身又上了那座馬棚，站在馬棚上向下去望，只見剛才李慕白住的那間房子已然成了一座火窟。院中許多人提着水桶來回地跑，鄰居的人也都趕來救火，亂嚷嚷着，前面的轆轤嘩啦嘩啦聲音不斷。玉嬌龍向人叢中去看，就見李慕白也在下邊來回地跑，他跑得比誰都要快，手提着的水桶也比誰的都大。把水向高揚起來的火上去潑，潑得也高極了，敏捷極了，然後他又趕緊跑到前院去提水。玉嬌龍見那口青冥劍就插在他的背後，他此時是專顧救火，已顧不得再去搜尋玉嬌龍；而且人人都想到玉嬌龍是縱火自焚，此時一定已葬身於火窟之中了，誰也不往馬棚來看。

玉嬌龍卻慢慢由馬棚上爬下來，雜入在人叢之中，李慕白提着一桶水又很快地跑來了，她也就跑在李慕白的背後。等到李慕白舉起水桶向上撲救之時，玉嬌龍乘他不防，驀然從他的背後將青冥劍抽出。李慕白回手一桶，將玉嬌龍打了一個觔斗，並把一個幫助救火的人也絆倒了；玉嬌龍疾忙挺身而起，嗖的一聲就上了北房，下面的人齊聲大喊：「賊跑了！」

玉嬌龍慌忙越房逃去，她急不擇路，踏過了許多處房屋，才逃出了這座小鎮。李慕白已自身後追來，玉嬌龍卻向着前面茫茫的黑霧逃去；一下子撞在樹上，她的頭很痛，但她如貍貓似的趕緊就攀樹而上。這棵樹很大，她爬到了上邊，找了個樹叉將身坐下，青冥劍緊緊拿在手中，卻不住地嬌喘。她藏在樹上，如一隻梟鳥似的，兩眼不住向樹下去望，可是過了許多時並不見李慕白追來，大概是李慕白知無法追她，又趕回救火去了。

玉嬌龍費盡了千方百計，才由名俠李慕白的手中又將青冥劍奪回，這也頗值得驕傲。然而她卻不禁傷心，因為想起了這放火的手段太惡毒，太卑劣；早先自己的師父高朗秋曾說：「尚有侯門女，雛鳳作鴞聲。」又對高師娘說過：「我為人間養大了一條毒龍！」如今不料都被他說中了！

第十回　瀟瀟風雨半夜驅羣盜　鏘鏘刀劍三俠逐一龍

玉嬌龍心中憤恨：因為碧眼狐狸死後，自己在北京又聽了俞秀蓮的勸說，原已銷聲匿跡，不願再惹事。但以後的事都是被人逼的，第一逼我的是劉泰保，第二是魯君佩，最可恨的是羅小虎。他既不長志氣，在京師胡鬧，那天攔着轎子使我當眾丟盡了臉面；並且武藝不高，闖了禍狼狽而逃。回憶沙漠、草原、農舍，自己真是「一失足成了千古恨」了，但轉又一想，羅小虎自幼不幸，飄泊落拓，求官既難，想見我可又見不着面，我又要背棄他嫁於魯君佩，也實在難怪他！一陣傷心，就趴在樹枝上又哭了，心一痛，手腕也發酸，就幾乎將青冥劍掉在地下。她趕緊一振精神，忍住了悲痛，就從樹上跳下。四面去看，夜色茫茫，那鎮上已沒有了火光，只有團團的濃煙在天上飄盪，也是越來越消散；知道那店中的火已熄滅了，李慕白頃刻之間就會又趕來。所以她又疾忙去走，腳下只穿着一隻鞋，覺得十分不便利；並且走了一會，就覺着腳痛得難忍，遂在道旁坐下。歇了多半天，才再往下走，也不知走了多少路，只聽見前面有狗叫，有一座黑乎乎的樹林，她就曉得前面有村莊。她因不願意再出事，就得趕緊繞道，她也不顧人家地裏的田禾，可是那些田禾把她的襪子都扎破了，她腳更是痛。連歇了三四次，她看着天空的星斗方向，才知道這時自己已往西南走了很遠，但是天色已然發明了。她就又找了個地方歇息，坐在地下，身體一疲乏，頭腦也暈沉得很，她的雙手緊緊握着青冥劍，不覺就睡去了。

睡了多時，忽然覺得很冷，身上的衣服已被露水淋得潮濕了，臉上有個東西觸得她很癢，睜開眼睛一看，自己原來是臥在一座古寺之旁，大柳樹之下。柳絲如線，在她的臉上不住的飄浮，她翻身坐起來，舉起青冥劍就向柳枝砍了兩下，就砍下一條柳枝。她一看自己現在已經成了什麼樣子啦：光着襪底，一隻鞋……

若此地離着那起火的小鎮還近，她就要去取馬，要拚命與李慕白大戰幾百合決一死生。燕子在她眼前翩然地飛着，樣子十分愜意，像是有意對她加以嘲笑。朝陽從東山角吐出來，把天上魚鱗狀的雲朵染得多半邊青少半邊紅。大地上的田禾，麥子，上面灑着一片金波，不住隨風滾動。這情景，有一點像新疆的草原。玉嬌龍站起身來，發着怔卻不邁步兒，鳥兒在耳邊又唧唧的叫着，彷彿是在問她說：「你現在打算怎麼辦呢？」她低頭又看了看，見寶劍被陽光映得發出來青光，她一咬牙，心說：「不要緊！」就將茶青色的綢衫脱下，裹住了寶劍，裏面是一身藍。不過這身綢衣裳做得有點瘦小，更容易叫人家看出她是個女子之身。她也想開了，女扮男裝本來只能欺瞞那些愚人，真正的老江湖是一見便看得出來。

她揪平展了衣裳，倚着樹，打開了頭髻，用手指梳了梳，想要重新編辮子。這時忽然看見遙遙之處來了三輛騾車，她心中就想：「這就好了，我現在身邊又不是沒有錢，我就過去叫他們讓給我一輛車坐吧！」於是她也顧不得細編辮子，就把頭髮挽了一挽，挾着她那口青冥劍迎着身跑去，一邊跑，一邊大聲呼叫：「站住！站住！車！站住！」及至她跑得快到了臨近，她招搖的手被車上的人看見了，她的呼聲也傳達到了那邊，那邊的三輛車才前後停住。三輛車的車轅上都坐着男子，一個四十來歲，身材很魁梧的人，就跳下了車來問說：「幹什麼的？」玉嬌龍站住了身，緩了緩氣，卻見這三輛車都插着三角形的白布旗子，上面都寫着「雄遠」二字。玉嬌龍就有點驚訝，問說：「你們這是鏢車嗎？」這人搖頭說：「不是，我們是作買賣的，這旗子上是我們的字號，你是幹什麼的？」玉嬌龍把頭髮向後掠了掠，說：「我是保定府的人，也是個作買賣的，我是珠寶行。掌櫃子派我到大名府去辦貨，昨天走在這兒，就遇見了強盜，把我的什麼東西都給搶了去啦！倒幸虧還沒殺我。我在那邊墳圈子裏睡了一夜，今天想走也不行了。你們看，我也跑丟了一隻鞋，我從小就身體弱，我父母拿我當閨女一樣養活着，沒有車我真不能走路，你們行個方便吧！讓給我一輛車，只要到前邊能找個縣城，或是大市鎮……」

對面的人向西南指着說：「往那邊三十里就是縣城。」玉嬌龍點頭說：「那更好了！只要到那兒，我就下車，車還讓你們，我送你們二十兩銀子……」拍拍腰說：「我還有錢！」又微微地笑說：「得啦！請你們行個方便吧！」她這番態度，使得對面這人直發怔，搖了搖頭，說：「不行！我們的車都坐滿了人，哪能夠讓給你？你挾在衣裳裏的是什麼東西？」玉嬌龍翻了臉說：「這你問不着！我好意要賃你們的車，你們不識抬舉，以為我沒錢，我這兒還有金子！」由懷裏掏出一塊金子，顯示給眾人，黃澄澄的，被陽光照得刺眼。後面的那輛車上卻有人下來，其中一個是年約三四十歲，很瘦，確實不像保鏢的，這人就說：「來，來，來，有話好說，別想打架呀！」先向他的同伴使個眼色，然後又向玉嬌龍笑着說：「你先把金子收起來吧！這東西，你幸虧讓我們瞧見，要是叫別人瞧見，別說三十里，連三步你也走不開了。看你這樣子，大概也是才出遠門。」玉嬌龍瞪着眼說：「你可別說廢話！」這人笑着說：「好啦！不說廢話。我們也不要你的金子，你既然是個遇見災難的人，我們也不能不行件好事。好在離縣城才三十里地，我們就走上三十里地，你就上我們的車吧！」玉嬌龍問說：「這地方屬什麼縣管？」這人就說：「這地方嗎？……這就是大名府啦！再走三十里地就是大名府的城啦，你上車吧！」

玉嬌龍聽了很是欣喜，就想：「到了大名城內，先買一雙鞋，找一家乾淨的店房再歇一天，然後買一匹馬就走。」但先往哪裏去？是還往下去尋貓？是回去找繡香？她此時還沒有決定。坐上了車，她又不放心這幾個人，所以並不進到車裏；只跨着車轅，寶劍放在腿下，伸着隻臂挽她的辮子。車輛又走動了，這車上的趕車人，不住斜着臉瞧着玉嬌龍的粉面，他好像有點疑惑害怕似的。

此時，那瘦身材的跟那二人又說了幾句話，就到前面的車上去。這二人在地下跟着車走，那瘦子就問說：「你在保定府是什麼字號？增福百飾樓你可知道嗎？」玉嬌龍搖頭說：「不知道，我們那買賣的字號是聚寶。地點是在西關，東家是黑虎陶宏。」瘦子聽了臉色一變，接着又笑說：「陶大爺的姓名我們是久仰啦，他真有錢，也是個好漢子……」玉嬌龍說：「也算不得什麼好漢！」瘦子又是一怔，說：「不過比起我來，總是好漢。得啦！掌櫃的，你貴姓呀？」玉嬌龍說：「我姓龍。」瘦子點頭說：「哦！龍掌櫃子！珠寶店的買賣可真發財，真是個好買賣。」旁邊另一個年紀輕點的瘦子拉了他一下，兩個瘦子故意落在車後，低着聲音去談話。玉嬌龍雖然也覺得這幾人很是可疑，但是自己有青冥劍護身，便對什麼都不怕！即或這輛車把自己拉到盜宅匪窟，或是李慕白再追來，自己也是不怕的。於是就一聲不語，編好了辮子，又暗暗去裝懷中藏着的小弩箭。

此時，三輛車已走出了很遠，道路平坦，騾子都像歇過了一夜，很有精神。所以走了些時，遠遠就有城垣出現，玉嬌龍就向那邊指着說：「這就是大名府的城牆嗎？」兩個瘦子點了點頭。玉嬌龍卻心裏發生疑惑，就問說：「喂！你們姓什麼？」那高身材的瘦子說：「我姓崔呀！」此時越走那邊的城就越顯着大，是已離着近啦；路上往來的人很多，路旁也有茶館和小店。走到一個茶館旁邊，玉嬌龍就突然跳下車來，向那姓崔的人問說：「你們來坐車吧！我把你們的車佔了半天，很對不起。你們算要多少錢？」姓崔的說：「掌櫃子你坐一會車算什麼？我們怎好意思拿錢呢！可是，你跟我們到城裏好不好？到我們櫃上歇一歇？」玉嬌龍搖頭說：「不用，謝謝你們啦！再見吧！」那姓崔的發了一會怔，車上的人又都向他遞了個眼色，那身體魁梧的人就生氣地說：「走吧！快進城去吧！你非得往家裏請財神爺嗎？」姓崔的也向玉嬌龍點點頭，說聲：「再見！」他們就坐上了車。

玉嬌龍看這三輛車往城那邊已然走遠了，她這才穿着一隻鞋，走進了路旁的野茶館。這茶館屋裏是煮麵的鍋，外面扯着葦棚，下面用磚砌的幾個矮台就算是座位。坐着不少的人，都敞胸露懷，像是趕車的賣菜的之流。他們一瞧見玉嬌龍，尤其是玉嬌龍腳底下只穿一隻鞋，他們就把眼光集在她的身上；交頭接耳，紛紛的談論，猜度。玉嬌龍卻一直走進了屋裏，找了個桌旁坐下，衣服裏着的寶劍放在桌上，她就叫說：「掌櫃子，先給我泡壺茶，然後下麵，快快！」她實在是餓了。掌櫃的是個胖子，光着膀子，答應了一聲。旁邊有個婦人，小腳、黃臉、黑牙，好像是內掌櫃子，就看了玉嬌龍幾下；悄聲問丈夫，那意思是她看不出來玉嬌龍是男是女，她的丈夫就說：「快給人倒茶吧！少問！」

這屋裏面鍋裏冒着熱氣，幾隻水壺也都叫着，所以很熱。窗子倒是開着，窗外就是兩個一身白灰像是瓦匠似的人，正彼此談着話，玉嬌龍一句也不懂。等到那婦人把一隻沒有把兒的破茶壺給她送過來，玉嬌龍就問說：「你們這裏是大名府嗎？」那婦人一怔，玉嬌龍又問說：「你們這是什麼地方？」這婦人說：「俺這是巨鹿縣。」玉嬌龍心說：既然是巨鹿縣，為什麼那姓崔的騙我，卻說這裏是大名府？那人是存着什麼心？不由得驚疑。就想要立時走開，但又發愁腳下只是一隻鞋，走到哪兒也要被人看到哪兒。遂就故意做出從容的樣子，點了點頭，向婦人又問說：「你們這近處有鞋鋪沒有？」翹起腳來讓她看看，笑着說：「你瞧我，為趕着走路，把一隻鞋都磨破了！我一生氣，索性把那隻破鞋丟了，這近處有什麼賣鞋的沒有？」婦人看見玉嬌龍的一隻青緞雙臉鞋，另一隻卻是白綾襪子，這婦人還沒見男子有這麼瘦的腳，這麼奢華的襪子。可是襪子已然泥了，尤其是襪底，簡直跟鞋底一般的黑了，不過還可以隱隱看出，上面是有針線扎的精細花朵。這婦人發着怔搖頭說：「俺這沒有賣鞋的，買鞋得上城裏去。」

忽然，玉嬌龍看見蓆棚下來了兩個人，那許多喝茶吃麵的人，一看見這兩人來到，就齊都發呆、吃驚。因為這兩人都是頭戴紅纓帽，後面的那人還提着鎖鏈，腰裏跨着刀，都是衙門的人。玉嬌龍卻一點也不在意，因為她在北京時、在新疆時，她父親統轄着多少比這職位還高的官人；那些人對於她——小姐，沒有一個不是恭恭敬敬，見了她，連抬眼皮也不敢。她就倒了一碗茶，先把茶碗細細涮了，還嫌不乾淨，又皺着眉說：「你們這茶碗有多髒！換一隻乾淨的來吧！」

此時那二名官人已走進屋來，一點也沒有禮貌，把眼睛直向她盯來。她也瞪起了眼睛，那提鎖鏈的官人就走過來，問說：「你是從哪兒來的？」玉嬌龍沉着臉說：「保定。」官人又問說：「你從保定來，為什麼你說的是北京話呢？」玉嬌龍瞪眼說：「我是北京人。」官人又問：「你在北京是幹什麼？」玉嬌龍說：「你管得着嗎？我又不是賊，用得着你來追問我？」官人伸手就要拿桌上的那口寶劍，問說：「這衣裳裏包的是什麼？」玉嬌龍趕緊雙手將劍按住，着急說：「你們不能隨便動我的東西！」兩個官人一齊厲聲呵斥，說：「快抬開手！叫我們看看你衣裳裏包的是什麼東西！你的來歷不明！」玉嬌龍笑着說：「你們要看也行！但你們得先躲開一點，不許動，……來看吧！」她抖開衣裳，露出了光芒閃爍的青冥劍，官人也鏘的一聲亮出了腰刀，外面的人都站起身來往窗裏來瞧。玉嬌龍卻微微笑着，向兩個官人說：「你們別胡猜疑，我不是壞人，這口劍是我帶着防身用的！」

拿刀的官人把刀給了他的同伴，他就抖動着鎖鏈說：「你也別分辯啦，早早就有人把你的事情告啦！你半男半女，腳上只穿着一隻鞋，懷裏又帶着金子；說的話都驢唇不對馬嘴，你多半是個賊。來，別叫我們費事，快快讓鎖上，到衙門去再說！」玉嬌龍卻急了，砰的一聲持劍上了桌子，由桌子又跳到窗外，外面的人嚇得亂跑。兩名官人由屋中追出，一個掄刀，一個抖鎖鏈，都說：「你還想跑嗎？來！把她截住！」玉嬌龍卻一掄寶劍，誰也不敢捉拿她，她喘了一口氣說：「你們不能冤枉我！我是有來歷的人，我父親是京師的大官！」官人橫刀問說：「你爸爸是什麼官？你說出來！你姓什麼？叫什麼？」玉嬌龍遲疑着，尚未想起來說什麼話；這時忽見有一騎馬像箭一般的自南馳來，馬上的人連連喊着說：「別鎖她！別鎖她！這是我的朋友，她不是壞人，我保她！」

玉嬌龍倒吃了一驚，回頭一看，見身後煙塵之中，自馬上下來的卻是一位二十三、四歲身穿着一身青，很俏拔美麗的大姑娘，原來是俞秀蓮。玉嬌龍急忙掠劍向旁閃開了兩步，俞秀蓮一手提着皮鞭子過來拉她，玉嬌龍卻疑她是要幫助官人捉拿自己；就疾忙向旁一跳，寶劍隨腕倒掛，腳站丁字步，眼睛盯着俞秀蓮，同時又防範着官人。俞秀蓮看見她這樣子，又看了看她的腳底下，就不由得一笑，遂又向兩位官人說：「這是我的朋友，她也是個女保鏢的，從小跟男的一樣，滿處瞎走。她的脾氣太壞，可是人很靠得住，剛才崔三他們弄錯了！現在我保她，你們二位就別拿她啦！」兩個官人也都笑了。一個收起了腰刀，就說：「我們也沒打算立時就鎖她，先是盤問她，她不肯說實話！好啦！既然俞姑娘認識她，那我們就不疑惑她啦。可是俞姑娘勸勸她得換換打扮，這樣不男不女，就不是壞人也得被人認作壞人！」旁邊的人也都笑了，都像看稀奇物兒似的來看玉嬌龍。

兩個官人走後俞秀蓮又過來，用手親熱地拉住了玉嬌龍，笑着說：「我真想不到，你竟會來到這兒？快走吧！到我家裏去吧！」路旁停着一輛很舊的騾車，趕車的人也正在這兒喝茶；俞秀蓮就雇好了這輛車，推玉嬌龍上了車，玉嬌龍卻很猶豫。這時屋裏的那個內掌櫃子，又跑出來，向玉嬌龍問說：「麵都煮好了，你還要不要？」俞秀蓮擺手說：「不要了，待會兒我叫人給你們送錢來。」內掌櫃子笑着說：「不要緊！俞姑娘！」她對俞秀蓮極為恭敬。那掌櫃的又把玉嬌龍的那件裹劍的衣服拿出來，玉嬌龍就上了車；俞秀蓮上了馬，傍着車去走，一直迎城垣走去。

一邊走，俞秀蓮還不住向車裏的玉嬌龍談話，問說：「德五嫂子跟她的少爺兒媳婦還都好嗎？」「邱少奶奶現在怎麼樣？你走的時候見着她了嗎？」玉嬌龍卻是一句話也不回答，俞秀蓮也就不便再問了。

車馬少時便走到了巨鹿縣的北關，這裏離着城門已很近，人煙更是稠密。玉嬌龍不由得精神愈是緊張，忽然見俞秀蓮的馬直向前跑，跑了不遠就突然收住。那裏路西就有一座木柵欄門的寬綽房子，白牆上寫着方桌面的大字是：「雄遠鏢店」。

玉嬌龍這才知道剛才自己坐的那輛車確實是鏢車。此時那瘦子姓崔的人正站在鏢門前，俞秀蓮就在門前跟這姓崔的人說話；玉嬌龍不由憤恨，就要拿着寶劍下車。

俞秀蓮卻拂手令那姓崔的趕緊跑回鏢店裏去了。她撥馬過來，又向車上的玉嬌龍說：「你就別生氣啦！那人是我父親早先手下的夥計，他名叫崔三。今天他們是由冀北回來，在路上遇見了你，他就生疑了，才把你誆了來。同時他又跟他熟識的官人說了，這才有剛才那件事。恰巧我正在櫃上，崔三回來跟我一說，我就心裏想：別是玉嬌龍吧？所以我就趕緊騎上了馬追了去，幸虧我還去得快，不然我還得到衙門保你去！」玉嬌龍冷笑說：「我看你在這巨鹿縣很有點勢力呀？」

俞秀蓮一邊策馬跟着車走，一邊扭頭向車裏說：「也不是有什麼勢力！不過我俞家的原籍就在這裏，認識的人總多。我父親當年就在這裏開設雄遠鏢店，後來他年老了，才歇業。去年冬月，我自江南回來，我一個姑娘人家，在家中也無事可作。再說崔三那些在我父親手下作過事的人也都因多年閑散，混得很窮。河南我有一個師哥金鏢郁天傑，他有點財產，可是兩腿因為當年與人爭鬥成了殘疾。他在河南住着總難免有早先的仇人前去找他，所以他把那邊的房產都賣了，全家搬到我這裏來了；又加入一點本錢，就開了這家鏢店。還用老字號，他算是掌櫃的，我算是大鏢頭。」她笑了一笑，又說：「其實我也不親自出馬保鏢，不過用我的名氣，在北至直隸保定府，南至河南衛輝一帶，還叫的響。開了也半年多了，從沒出過一回事，賺的錢也夠嚼用。只是這件事，上次我到北京卻沒跟着德五嫂子說，我怕她又什麼大掌櫃的啦、女鏢頭啦，拿我取笑。」玉嬌龍也笑了一笑，說，「等着，將來你的鏢車在路上再遇見我，那時我再報仇！」俞秀蓮笑着說：「瞧你的本事還沒有那麼大！」

兩人說笑着，進了城，城裏也很熱鬧。街上遇見的老頭兒、老太太、婦人們，都笑向俞秀蓮打招呼。俞秀蓮下了馬，牽着馬走，她無論對誰，全是十分和氣的；趕這輛車的人也像早就認得俞秀蓮的家，所以一句話也不用問，就將車趕進了一條小巷，在路北一個小黑門前停住。巷裏那幾個鄰居的孩子正在玩耍，他們一看見了俞秀蓮，就一齊迎着跑過來，亂笑亂嚷地說：「俞姑娘！你又騎着馬回來啦！你今兒怎麼沒有帶着你的刀呀？」俞秀蓮笑着，被這幾個孩子揪着衣裳，拉着馬鞭子，她是一點兒也不惱怒。

玉嬌龍看見俞秀蓮有這樣好的脾氣，這麼好的人緣，她就不由得很是羨慕！同時卻又感傷自己，連年憂苦，一身飄零。雖然出身比俞秀蓮尊貴，武藝自信也不在她之下，但現在哪如人家呀？巷裏的孩子們一嚷嚷，好像牆裏就知道了，小黑門立時就開了，出現了一個三十來歲的婦人。玉嬌龍下了車，一手提劍，一手拿着長衣，往門裏就走。那婦人直扭着頭向她來看，外面的孩子卻亂嚷着：「一隻鞋……」玉嬌龍覺得氣往上頂。見這房子是分裏外院，外院只有兩間西房；裏院是除了毛房、廚房之外，只有北房三間。院中種着些花草，還有兩盆夾竹桃，一個金魚缸。俞秀蓮把馬牽進來，繫在外院，有個十一二歲的孩子就隨進來給她餵馬。門關上了，外面車輛又響，車也走了；俞秀蓮卻一拉玉嬌龍，說：「進屋裏來吧！」

玉嬌龍同俞秀蓮進到了北屋，就見當中還擺着佛龕，旁邊供着三位神主，兩個較高的神主牌子，大概是俞秀蓮先父先母的靈位。可是離着很遠，又有一較小的靈牌，上蒙着黑布，不知祭的是誰？這是外屋，掀簾進了西裏間，這是俞秀蓮的臥室。壁間掛了刀，地下還放着馬鞍，有一張長桌，上面只是一個鏡，兩隻粗瓷的花瓶，擺着兩卷書是《三國志》之類。炕上是舖蓋粗藍布的單子，疊着很乾淨的粗布被褥，兩隻木箱，箱子上放着個針線笸籮。玉嬌龍就往炕上一坐，把一隻鞋也脫了，寶劍也放在炕上；先歎了一口氣，此時那婦人送進茶來。

俞秀蓮等這婦人出去之後，她就皺着眉，向玉嬌龍悄聲問說：「你是怎麼出來的？在北京的時候，我囑咐過嗎！你同不得我，你不能跟我比。我想一定是我走之後你又胡鬧，這口寶劍怎麼會又教你給拿來了？」玉嬌龍拿衣襟擦了擦眼淚，但是發急地說：「我胡鬧？你不知北京城近些日來的事情！我若不是被逼得實在無法，我也決不離家。我不離開家，也用不着再去拿這口寶劍！」俞秀蓮詫異着問說：「是誰逼你的？是劉泰保嗎？」玉嬌龍說：「他也算是一個，不過事情可多極了！我現在也不願意跟人說。說什麼？我不向誰求助，你也別細打聽，你只要相信我決沒有作賊，在你家裏待一會兒決不能夠給你惹事，就完了！你必定要知道詳情，你又不是沒有馬，你可以跑趟北京，找德家去，他們能夠告訴你！」

俞秀蓮向她的胸上擂了一拳，笑着說：「你瞧你這脾氣！來到我家，你還想使小姐的脾氣可不行！」玉嬌龍也一笑，說：「你是不知我這些日的心裏有多麼急，多麼氣，咳！貓也丟了！」俞秀蓮問說：「什麼？貓？你由北京出來時還帶着貓？」玉嬌龍擺手說：「你別打聽啦！我現在就問你，那個李慕白是個什麼東西？」俞秀蓮怔了一怔，說：「你問這話幹什麼？」玉嬌龍忿忿地說：「你告訴我吧！他是你的什麼人？你告訴我不要緊。德五嫂子也跟我談過你們過去的事，但她懷疑你早已嫁了李慕白。」

俞秀蓮臉紅了一紅說：「那是她信口胡說，我也用不着跟誰分辯，謠言到底算不了真事。不過我只待李慕白如我的胞兄一樣。去年九月間，我們自九華山分手，他往西山訪友去了；我獨自回家來，至今音信不通。所以上次我到北京去，原是專為看望德五嫂和楊麗芳；到年底我不在她家過年急着回家，那是：第一我不願在北京住，因為一有閑事我就要管，一有不平我就要打，日久說不定就能連累德家。第二是我趕緊回來，鏢店好結賬，我不回來有些個人就能拖住賬不給。回來時，路過正定府我還看了看楊麗芳的姐姐麗英。因這，德五哥他們胡猜，……這且都不說，你向我問李慕白幹什麼？」

玉嬌龍說：「在路上我們交手三次，寶劍被他搶過去一次，但終於被我奪回來。我才知道名震江湖的李慕白，武藝也不過如此！」俞秀蓮臉色一變，說：「這口劍本來是李慕白的，可是他也是自別人的手中得來的，後來他才獻給了鐵小貝勒。」玉嬌龍冷笑說：「這就完了！寶劍就跟傳國的玉璽似的，玉璽是有德者居之，無德者失之；寶劍也是，誰的武藝高就誰使用！」俞秀蓮說：「你放心！我們決不要你的寶劍。在北京時，因為盜去了這口寶劍，把事情鬧得太大了！我見你這個人很不錯，再說德家婆媳邱少奶奶又都跟你很好，她們都是我的好朋友；所以我想咱們也算是朋友，我才勸你把劍交回，以免事情鬧穿，你父兄的官職都要搖動。你母親若曉得你是這樣的人，也必定傷心……」

玉嬌龍哭着，急躁地說：「你就別說啦！你走江湖這些年，哪兒學來的這些貧嘴子呀！我瞧你倒真像那劉泰保的媳婦，我也沒工夫聽你這麼說。你快給我找一雙鞋，借我一匹馬，我即時就走；反正，我早就知道你是好人，你能疼我，咱們將來再見面。」俞秀蓮說：「你何必要忙着走？你在別處還有什麼事嗎？」玉嬌龍搖頭說：「我沒有事，就是因為我出來時還帶着個丫鬟，她現在別處等着我呢！」俞秀蓮笑着說：「你看你，女扮男裝由北京跑出來，還要帶着貓帶着丫鬟；你到底是打算着什麼主意呢？你有準去處沒有呀？」

玉嬌龍突然問說：「你這屋裏沒有別人來嗎？」俞秀蓮說：「沒有別人，只有在我家幫忙的那個女人。」玉嬌龍就索性把差不多跟鞋一樣髒的兩隻襪全都脫了，身子往炕上一倒說：「要說我沒有準去處也不對，可是一定的準去處，也難說！」俞秀蓮沉着臉兒說：「這為什麼？」玉嬌龍忽又歎了一口氣，擺手說：「你別忙！等我歇會兒，讓我心裏靜一靜，我要把話對你細說。

咳！我真找不出一個人來說我的心腹事！」

俞秀蓮用眼看了玉嬌龍一下，就見玉嬌龍躺着，兩滴眼淚流下枕邊，就一聲也不再言語了。俞秀蓮又說：「你這鞋襪可真麻煩，找不着象你這麼大的，你永遠這女不女，男不男，也真不象樣兒。我想你索性在我這兒多住幾天，把這隻鞋先叫人給你洗洗；然後拿着你這隻鞋的尺寸，叫鞋舖裏去給你定做一雙。」玉嬌龍點了點頭，說：「大姐你愛怎麼辦就怎麼辦吧！我現在的心裏真煩，什麼事我也沒心情了！」俞秀蓮就叫她家中用的那個女人，把一隻鞋兩隻襪子全都拿出去。待了一會兒，又給玉嬌龍端來一碗麵；這麵不過比店裏賣的略好一點，可是也只有幾小塊肉，一點青菜。玉嬌龍也不好意思挑剔，又因為餓，她就全都吃了；吃完了又躺下，不知不覺就睡着了。

及至醒來，天色已然不早，俞秀蓮卻沒在屋；待了會兒，雇用那女人已把玉嬌龍的一雙襪子漿洗得很白，並且曬乾了。玉嬌龍就問說：「俞姑娘上哪兒去啦？」這女人說：「到櫃上去啦，剛才是櫃上來了人把她請去啦。」玉嬌龍聽了，心裏略有點狐疑，向這女人探詢了探詢俞秀蓮平日在家中的生活情形，知道她每天只是在屋中燒幾炷香，做一點針線活計，看看閑書；或是在院子裏練練拳腳，養魚蒔花，北關的雄遠鏢店她是每天必去一趟，去了也並不是必要經管櫃上的事，她是去找鬱天傑和崔三的妻子談談閑話。

玉嬌龍對於她這種生活倒是很為羡慕，只是想：「若叫自己過她這平凡寂寞的日子，可也過不了。自己的心是已然荒了，恐怕就是回家去照舊在深閨中以讀書畫圖、逗貓消磨光陰，也一定覺着難耐。」她回想起自己在保定單戰羣雄，真覺得高興；與李慕白幾番爭鬥，雖敗猶榮。只是路上受的那些閑氣，實在不痛快；店房是個個狹小，店裏住的人又都是那麼髒，而且討厭。她又想起來羅小虎，那大鬍子長頭髮猙獰兇惡的臉，自己真覺得悔恨！但又想起羅小虎的另一個模樣，臉刮得很乾淨，身子挺直，英俊的眼睛，唱着悲壯的歌，卻又使她不禁思念：「他不知現在逃到哪裏去了？此生恐怕永遠也不能見面了吧？」心中又不禁十分悲痛。

等了半天，也不見俞秀蓮回來，這裏用的那個女人也沒再進屋來。玉嬌龍腳上只穿着一雙襪子，不能下地，她覺得十分煩悶。扶着炕沿向下一看，見地下牆角放着一雙青布小鞋，已然舊了，大概是俞秀蓮穿過的。她用劍尖給挑過來，穿在自己的腳上，但這小鞋哪能容得下她這天足？也就僅僅容下她的腳尖，她就腳踵懸起，腳尖掛着小鞋着地，在地下跳了幾跳，就跳到屋外。先往椅子上一坐，發了會兒呆，又回手拿起來桌上那個小牌位掀開黑布一看，見上面寫的是「宣化孟思昭之靈位」。玉嬌龍吃了一驚，明白這所供的就是俞秀蓮的未婚夫；聽德五奶奶跟邱少奶奶都說過，她們未婚夫妻始終沒有見過一面，孟思昭的武藝與李慕白不相上下，而且救過李慕白的性命。至今，孟某已成了泉下之人，李慕白是飄泊江湖，俞秀蓮度着這種淒涼的生活，她還不忘孟思昭，也未免太多情了……

玉嬌龍手拿着靈位牌想着，覺得好笑，又覺得可憐。更想到情場挫折，人我一樣，而不禁有些傷悲。此時突然俞秀蓮回來了，一進屋，看見玉嬌龍手裏拿着那個靈牌，就臉色一變！玉嬌龍也就覺着有點不好意思，趕緊把靈牌送還原處。俞秀蓮手裏拿着一個包兒，說：「我叫人去給你買來了一雙鞋，這尺寸是最大的了，恐怕你穿上也小；先在家裏穿着好了，總比穿我的這小鞋強些。」玉嬌龍笑着說：「你可真關心我，我要早先就有這麼一個姐姐可就好了！」俞秀蓮沉着臉兒說：「我要是你的姐姐，這次我就不能教你出來！自然，我也一定勸阻你的父母不把你許配魯君佩，可是也不能由着你去與羅小虎……」玉嬌龍吃了一驚，俞秀蓮沒把話說畢，她就把鞋包向玉嬌龍一丟，一直進裏屋去了。

玉嬌龍趕緊把鞋包兒接到手裏穿上，拖拉着，就追到裏間。臉通紅着，揪着俞秀蓮，急急地問說：「你這是什麼話？我不明白！」俞秀蓮冷笑着說：「你不明白？我可都明白啦！也不用等你靜一靜心再跟我說好了。今天恰巧有個人從北京來，羅小虎在北京胡鬧，你嫁到人家家裏又跑了，這人都已跟我說了！」玉嬌龍詫異地問說：「是誰？是一朵蓮花劉泰保又到這兒求救兵？」俞秀蓮搖頭說：「不是劉泰保，你也不必打聽啦，我說出來，你也許不認識這個人。這人來，並不是為找你；我囑咐別人也不告訴他你現在我家。」玉嬌龍說：「是誰？是李慕白嗎？」俞秀蓮搖頭說：「也不是李慕白。李慕白多少年沒到北京去，他還不知有個與大盜羅小虎相識的玉三小姐呢！」

玉嬌龍要去抄她的青冥劍，俞秀蓮卻先搶到手中，一手把寶劍藏在背後，一手向玉嬌龍一推；玉嬌龍不由得往後退了兩步，鞋幾乎又掉了。俞秀蓮冷冷地說：「我告訴你！今天到的這人雖說不是為你來的，可也算是為你來的，你看這封信吧！」說着，從她的青布小襖的懷裏掏出一封信來，丟給玉嬌龍。玉嬌龍站着，抽出信箋來，見上面寫着是：

字呈秀蓮賢妹：年前在京同席見過一次面之人，今突出怪異，遠走無蹤。彼若妹之流，而行事則缺乏妹之謹慎及大度。其行為真真叫人沒想到！現在此事鬧得極大，但未嘗不可補救，詳情可問來人。我妹如在外遇見此人。千萬秘密將她送歸，否則若使其長年在外飄流，將來真不堪設想，我等與有咎！嫂二人拜。麗芳之事均託來人面陳，恕不縷述。

玉嬌龍明白，這一定是德五奶奶跟邱少奶奶託人帶來的信，想叫俞秀蓮見着自己時，就強迫自己回北京；當下不禁心中一陣難受，可是冷笑一聲，把信紙團揉了。俞秀蓮指着炕說：「你先坐下！咱們慢慢地談！」玉嬌龍的臉煞白，強忍着眼淚，就在炕邊坐下，俞秀蓮說：「這是德五奶奶託我師哥孫正禮送來的。孫正禮前天才由京動身，連夜趕到我這裏來；剛才一到鏢店跟我說明了情由，他倒頭睡了。」玉嬌龍說：「你快點說！」

俞秀蓮說：「你的事情倒不急！我師哥，就是因為楊麗芳，她已知道十幾年前害死她父母的仇人是在河南汝南府。她要即刻就去報仇，她丈夫的傷才好，她公公婆婆攔她勸她也不行！她是天天哭，連飯也不吃，非要走不可，所以德家才叫我趕緊去。」玉嬌龍點點頭，說：「嗯！可是，我的事現在京城有什麼傳說嗎？」俞秀蓮說：「傳說那不能聽。只是，你的父母跟魯家的人還都在掩彌這件事；說是你娶過去就病了，直到現今還沒見親友！」玉嬌龍冷笑了一聲，又擦擦眼睛。

俞秀蓮又說：「為楊麗芳的事，明天我得跟我師哥走。到了北京，或是我勸她暫時別任性，或是我就得跟她跑一趟河南，幫她去報仇！那羅小虎我也想見見，問問他真是楊麗芳的胞兄不是？」玉嬌龍皺着眉說：「那決沒有錯！我能保證！」俞秀蓮低聲問說：「你是跟羅小虎有……」玉嬌龍略微點點頭，咬着嘴唇流淚。俞秀蓮說：「你還想見見他嗎？」玉嬌龍點頭，忿忿地說：「我想見見他！見了他就用劍割下他的頭！」俞秀蓮說：「那何必呢！」玉嬌龍哭着說：「你別管我！誰你都能管，你就是管不着我！」俞秀蓮說：「你不如也跟我回北京！」玉嬌龍瞪眼說：「跟你回去幹嗎呀？」俞秀蓮笑着說：「跟了我回去，就託邱少奶奶她們把你送回魯家，就說是你的病好了，照常作新婦；早先的事自然全都掩住，外面的傳言也自然平息。」

玉嬌龍一笑，把箱子上的針線笸籮拿下來，紉了針，她找了兩條黑布作鞋帶。俞秀蓮又笑着說：「你既不願跟羅小虎，還是跟魯君佩去吧！你是一位千金小姐，本應當去作少奶奶，走江湖與你不相宜！我這是好話！」玉嬌龍又一笑，兩條黑布草草縫好已釘在鞋上，繫緊了。俞秀蓮卻拿寶劍站起身來，將門堵住，笑着說：「你繫好了鞋是想就跑嗎？」玉嬌龍冷笑說：「我想跑幹嗎？我真要是想跑，堵住門就能攔得住我嗎？你自己把你俞秀蓮也看得太高了！」

俞秀蓮笑着說：「無論你這小狐狸多麼狡猾，在我眼前休逞強！」又笑着說：「回北京不回北京在於你，我也不能勉強你，因為這件事與我一點不相干。不過是德五嫂子她們來信託付了我，我也覺着這麼辦不錯。你在外面是怎麼回事呢？你去跟個羅小虎將來又怎麼了局呢？」玉嬌龍反問說：「那你現在就是有了局了嗎？外屋的那個牌位，就是你的結局嗎？」斜眼瞪着俞秀蓮，微微冷笑着。俞秀蓮臉紅了紅，說：「你別管我，我家輩輩是江湖人。」玉嬌龍說：「我們的家，由我這輩也是江湖人！」俞秀蓮說：「你細想一想吧！」玉嬌龍說：「我早比你想得細，正經你管管你自己的事吧！別來管我！」俞秀蓮說：「好啦！我不管你！」把青冥劍向炕上一摔，玉嬌龍趕緊抄在手中，又用長衣裳裹好，她就站起了身。

俞秀蓮瞪起眼睛，說：「你是立時就要走嗎？你走可以，寶劍你拿去也可以。但是不許你憑這口寶劍在江湖上任意胡為，不許你再勾結碧眼狐狸那樣的強盜；如果你再作出鏢傷班頭蔡九那樣的事，我可要跟你絕交。說實話，我跟你交朋友是衝德五嫂之面，勸你回去作小姐當少奶奶，是因為你不懂江湖道義，專能任性……」玉嬌龍卻驀然把俞秀蓮一推，她就到了外屋，轉臉又一笑。俞秀蓮又說：「你得跟我發誓，永不胡為，我才能放你走！」玉嬌龍卻冷笑說：「我胡為不胡為，你管不着。你央求我倒許行！說橫話無用。」俞秀蓮一個箭步躥上來，玉嬌龍已然推門到了院裏，她一直向前院跑去；俞秀蓮追了出來，帶着氣，又有點笑說：「我還真能把你放跑了嗎？你別真覺得你的武藝不錯！」

玉嬌龍一抬手，俞秀蓮沒有防備，一枝小箭就射在她的左肋。俞秀蓮真氣了！拔出箭來，跑到屋中去取雙刀，玉嬌龍卻急忙跑到前院先開了街門，然後又去解馬。俞秀蓮已手舞雙刀從裏奔出，怒罵說：「好，你翻臉，我能叫你走開？」玉嬌龍一劍切斷了韁繩，一手舞劍，一手催馬，跑出門飛身上馬。又一抬手，俞秀蓮以為又有冷箭射來，疾忙止步好用刀去撥。不料玉嬌龍這次是虛作式，她並未放箭。乘着俞秀蓮橫刀怒視，止步候箭之時，她就嫣然一笑，說聲：「再見吧！」馬向東馳出了小巷。到了街上她略緩些，及至出了東門關廂，於路旁折了一條柳枝作為馬鞭，劍插於鞍下。她策馬飛奔，蹄聲疾響，塵土高騰，路上的人見她闖來都驚訝着躲避。

她往東，才走過一條石橋，就見身後有兩匹馬如箭的追來，一是憤怒至極的俞秀蓮，一是彪形的大漢，大約就是孫正禮。玉嬌龍又冷笑一聲，連揮柳枝，催馬急奔。奔出又四五里，迎面來了一輛笨重的牛車。玉嬌龍勒馬向旁一讓，想要躲開，不料身後飛來一個拴在粗繩子的大鉤子，一下就鉤住了玉嬌龍坐下的馬腿。玉嬌龍就翻身落馬，但隨即抽劍一躍而起，俞秀蓮已由馬上躍下，雙刀向她來劈。玉嬌龍嗖的舉劍一掠，俞秀蓮展開刀，反進逼兩步，左右刀勢不同向她來橫截斜砍。玉嬌龍疾忙翻身向後去跑，不料馬上的孫正禮又抖起了一鉤繩，繞住了她的寶劍，劈雷似的喝了聲：「玉嬌龍你個賊閨女，快跪下吧！」同時俞秀蓮雙刀又趕到，玉嬌龍向地下一滾，寶劍抽開，鉤繩也切斷了。孫正禮躍下馬來掄大刀就砍。玉嬌龍又跳起來翻劍去迎，俞秀蓮的雙刀自後砍到。玉嬌龍向孫正禮一箭，後又翻手掄劍，去削俞秀蓮的雙刀。孫正禮是疾忙跑到一邊去拔下胸脯被射的一箭，俞秀蓮是收刀避開了寶劍。玉嬌龍乘此時，就搶奪了孫正禮的那匹馬，飛身而上。俞秀蓮向她雙刀一撲，如鷹翅一般地削來，玉嬌龍寶劍斜掠，撲馬緊走。孫正禮由地下拾起那帶着半截繩子的鉤子，又向玉嬌龍拋去，但沒有再鉤着。玉嬌龍縱馬直奔，俞秀蓮又上了馬緊追，並說：「非得把你捉住連劍帶人押到北京不可！」玉嬌龍回首說：「你也配！我不傷你的性命，就算是便宜你了！」當下騎紅馬的玉嬌龍在前，青衣黑馬的俞秀蓮在後，孫正禮也上了那匹馬掄刀幫助追，並大聲喊叫。

玉嬌龍的馬是由東轉北，已走出了很遠，前面是一道大河。天已不早了，晚霞下落，把茫茫的河水都映得發紅，那邊有個很熱鬧的渡口。玉嬌龍避開了那邊的人，又撥馬往西，忽然見有一人橫馬將她攔住，馬上的人正是李慕白，說：「你這女賊！在那邊放了火，又跑到這裏來了！今天我還能放你逃跑？」掄劍直砍，玉嬌龍以劍相迎。此時李慕白卻毫不客氣，劍光甚緊，後面的俞秀蓮、孫正禮也追到。孫正禮並扯開了嗓子大喊：「李兄弟！抓住丫頭，這丫頭拿的是你那口寶劍！她是北京玉正堂的女兒，當了新婦又跑了的，出名的小狐狸精！」玉嬌龍回手射去一箭，孫正禮栽落下馬，俞秀蓮卻趕上，李慕白又逼至。雙刀一劍，玉嬌龍使出生平之力，以劍去迎；她此時兇極了，劍光疾抖，看不見一條條的光，只覺得是一朵白花將她的身子護住，且戰且催馬去走。俞秀蓮舞雙刀緊追，李慕白也趕上了，只見玉嬌龍的馬忽嗖的一聲跑到河裏，回手又一箭。李慕白用劍撥開，俞秀蓮一馬向河中去追。李慕白卻將馬勒住了，不肯再去追趕。

這河就是釜陽河，河身雖寬，但水很少也很淺。那邊有一隻擺渡，渡口兩邊無數的人都向這邊嚷嚷。玉嬌龍催馬涉水去走，連頭也顧不得回，少時走到了對岸。忽然馬蹄陷在泥沙裏，玉嬌龍情急，就從馬上跳下。回頭一看，見俞秀蓮已將追至，李慕白跟孫正禮也騎馬涉水追來。她趕緊在水裏泥沙中，連爬帶走。此時不但小箭沒有了，連那玲瓏的弩弓也已丟失，她上了岸就跑，一直跑出有半裏地。

李慕白、俞秀蓮、孫正禮都已趕到，把她圍困在垓心，孫正禮怒喊說：「小狐狸你還不投降嗎？」一刀砍來，玉嬌龍趕緊閃開；俞秀蓮的雙刀又劈下，玉嬌龍疾忙用劍去迎。李慕白一劍卻拍在她的頭上，她的頭一暈，俞秀蓮攔住了孫正禮，就跳下馬來要捉她。不料玉嬌龍劍抖得更緊，李慕白在馬上一抬腿，又把玉嬌龍踹得躺在地下。但不容俞秀蓮來捉她，她又虛晃一劍，爬起來回身就奔。俞秀蓮、孫正禮在後緊追，玉嬌龍卻如飛兔一般的驚奔，忽然李慕白橫劍又在前將她截住。玉嬌龍向李慕白砍了一劍沒有砍着，轉身又跑，上了高坡。孫正禮自後趕來，一刀猛砍，俞秀蓮驚叫聲：「別傷她！」只聽倉啷一聲，孫正禮的鋼刀卻成了兩段。李慕白說：「姑娘退後！」他跳下馬，挺劍去追。玉嬌龍橫劍去迎，吧的一聲，只覺得手腕發疼，劍已被李慕白踢落。她不顧命，只顧劍，頭上寒光一閃，她卻伏身咕嚕嚕滾下了坡去抄劍起來又逃。俞秀蓮說聲：「好狡猾！」雙刀又趕到，李慕白又抄到前面去截，玉嬌龍卻爬上了一棵大樹。俞秀蓮罵道：「什麼東西！」將一刀拋在地下，手提一口刀也攀樹向上去追。玉嬌龍卻又忽嗖一聲從樹上跳下，帶下來許多枝葉。李慕白吧的一劍又打中了她的肩膀，她厲叫一聲，咬牙舞劍跟李慕白拚命，但覺得右臂又一陣奇疼，寶劍可還不撒手，回身又跑。

俞秀蓮也從樹上下來追她。玉嬌龍回身掄劍，劍若飛蛇上掠下刺，與李慕白、俞秀蓮又戰了四五合，她身上又受了一處傷，就「咕咚」栽倒。俞秀蓮一手挾刀，一手又去捉她，但她忽然又跳起來。她已渾身是血和土，發亂臉紅，瞪着女妖似的一雙眼，舞劍又鬥，使盡了她《九華拳劍全書》上所有的劍法。李慕白見她把九華老人所傳的劍法使用得如此之熟，反倒不肯傷她了。俞秀蓮也讓一步，說：「你能歇歇！我們不叫你太為難，何必你非得叫我們殺死了你呢！」玉嬌龍卻說：「啐！」啐出來唾沫跟血，倒劍回身又奔！不遠之處就是一戶有土牆的人家，玉嬌龍如貍貓似的跳進牆內。

這裏李慕白向俞秀蓮說：「進去不要與她交手，勸她出來跟她理論就是了！」此時孫正禮也空着手跑來。他師妹兩人上前拍門，門裏一個農婦抱着孩子出來。俞秀蓮跟人和氣說話，進門去搜人。但是真奇怪，這院中只有兩間土房，院中既沒有柴垛，又沒有好的隱身之物；無論是院中屋裏，盡皆沒有玉嬌龍的蹤影。地下只有一滴滴的血跡，看那樣子玉嬌龍是從前牆跳進來又從後牆爬出去了，寶劍始終沒有拋下！俞秀蓮、孫正禮又會同了李慕白，向這人家的牆後去搜查，見是一股迂迴的小路，接連萬頃綠海一般的麥田。山色夕陽，暮鴉亂飛，四顧無人，玉嬌龍攜着那口寶劍是全無蹤影，這三個人只好回去。

這時那土牆裏住的農婦，驚訝了半天。因為她根本沒有看見有什麼人跳進院，也沒有見有人跳出去。在俞秀蓮等人去後，她又抱着孩子在院中和屋內各處搜找了半天，結果也是什麼都沒有，她覺得這是一件怪事情。她的孩子已有四五歲了，是個男孩子，但是還讓媽媽抱着。這個孩子十分羸瘦，臉、身上，都跟黃蠟一般的顏色，趴在他媽媽的肩膀上先哼哼，後來就哭了。他的媽媽着急地說：「你哭什麼？快要哭死了吧！你看，時氣多低？家沒米，孩子病，又有鬼進門！這可怎麼好？你那死在外頭的爹還不回來！」孩子仍然哭，婦人抱他到屋裏，把他往炕上一丟！但又覺得丟得重了，遂又哄着：「三喜！別哭啦！你爹快回來啦！快給你求藥來啦！吃藥要再不好！就帶你到廣明寺去燒香許願……」

說了一會兒，忽然外面揣門，病孩子突然像有了點精神，推着他的媽媽說：「爹回來啦！」婦人有點疑懼的樣子說：「要是你的爹還好，就怕那兩個拿刀的！那小婆娘一個人拿着兩隻刀，也不知是哪縣裏的女差人？」叨唸着走出去開門，沒到門前就見門外有人「嘔婁嘔婁」的咳嗽吐痰，她就知道是她的丈夫，遂開了門。她丈夫進來，她一邊急急地跟她的丈夫說今天家裏發生的事，一邊進到屋裏。

她的丈夫是個四十多歲很瘦的農人，背着半口袋米，先放在地下，又咳嗽了幾聲才說：「剛才你說的那件事我知道，那拿雙刀騎馬的姑娘是巨鹿北關鏢店的女掌櫃的。她是有名的俞老雕的女兒，那不是歹人；還有個大漢子那是她的師哥五爪鷹老孫，也是城裏的人，多年在外，今天不知怎麼他又回來了。剛才我過擺渡時，擺渡上的人都看見啦！說是俞姑娘帶着兩個男人追一個使寶劍的細長身量的小伙子，那小伙子真兇，三人會沒捉住他！」婦人聽了，發了一會怔，炕上躺着的孩子又呻吟着叫爹。這農人就止住了話，趕緊過去摸摸孩子的頭，問說：「三喜好了一點沒有？倒是不大發燒了！你外婆給你的藥，叫媽燒點水給你吃，明天病就好了……」於是他坐在炕上喘氣，又向老婆說：「到他外婆家裏我開不了口，好容易才說出來孩子病，沒米又沒錢，外婆倒是沒容把話說完，就應得借我二升米，但他兒媳婦可大不願意……」

男的坐在炕頭說着，女的在灶旁燒火，此時屋中和外面都已昏黑，只有灶裏火呼呼地發着光亮。漸漸夜深，屋中的人吃完了飯，連燈也沒點，就睡覺了，病孩子的呻吟之聲也都停止。此時，外面的天色愈黑，殘月繁星顯得愈真切，村中幾戶相離的人家，犬吠之聲遙遙相應；村後的廣漠麥田像是一片大海，但比海還要沉靜。這一夜，村中的狗雖不斷的吠，可是沒有發生什麼事。

天未明，星斗就被濃雲遮住了，並隱隱響動了春雷，接着雨就落下來了。雖然暮春的雨，不算很大，可是淅淅瀝瀝地直下到了次日仍然未止。這地方平日就人少，一下雨更連個人蹤也沒有了，滿地的泥泞雨水。樹木被風吹得在雨中搖曳。在那一片麥田上雨聲更大；麥浪層層起落，加以起潮一般的聲音，更與大海無異。此時，這戶人家的屋宇上又起了炊煙，但因空中的雨氣太重，煙散不開，只一團團的凝聚着。屋中那患咳嗽病的農人不知為了什麼事，正跟他的老婆吵嘴，病孩子還在呻吟着。屋子雖小，聲音卻很愁悶，而且嘈雜。

忽然間，有一人拉開門走進屋內，把屋中的農人夫婦都嚇了一大跳！婦人嚷起來說：「哎喲！」進來的這個人是細長身子，頭上一條辮子已然蓬散，雨水直往下流。臉上身上都是泥、雨水和鮮紅的血跡，並沾着許多青草，可知此人在麥田中已不知滾了是一天或兩天了。也許所受的傷還不算重，身軀還能直挺挺地立着；手中提着一口寶劍，順劍尖也向下流泥水。

這人還很年輕，進屋來就擺手說：「不要怕！那姓俞的、姓李的沒再到你們這兒搜人不是？」婦人嚇得戰兢兢地不敢言語，病孩子卻爬起來驚奇地看着她。男子卻一半害怕一半恭敬，彎腰打躬地說：「好漢！請到炕上坐下，歇會吧。姓俞的他們沒有再來，這一下雨，大概更不能來了！」持劍的人說：「他們來了我也不怕！」喘喘氣兒，把劍放在炕上她就向那婦人說：「大嫂，勞你駕，你先弄點水來叫我洗洗臉，我是個女的，你別害怕。」婦人嚇得眼睛更直了，玉嬌龍卻說：「你們放心！我不是賊，我不過是跟昨天追我的那三個有仇。他們倚仗着人多，來欺負我，但我不怕。將來我還要報仇，此刻她們如果再來了，我還要跟她們拚一回！」

那男的翻着眼睛瞧她，見她的眉兒眼兒果然是個女的。說話的聲音雖然急，可是很嬌細，並且耳朵往下流雨水，還露出耳朵眼兒呢。可是腳底下，一雙青布的泥鞋綁着帶子，又不像什麼姑娘媳婦。玉嬌龍也見這人直看她的腳底下，就說：「你們別疑惑！我是北京人。」農人一聽，就更恭敬，說：「哦！原來是京裏人，是作官的呀！」趕緊抱着拳。

婦人打了一木盆水，裏面有一塊很髒的粗布毛巾，又沒有鹼皂跟肥皂。玉嬌龍皺了皺眉，可是沒有法子，遂就擰了一把毛巾，把臉擦了，又向婦人借一隻破木梳，攏了攏頭髮，她就坐在炕頭，向身邊摸，農人夫婦齊都直眉瞪眼地看她摸什麼。待了半天，原來她是摸出來一塊黃澄澄的金錠，農人就變了顏色，驚訝着。玉嬌龍卻把這塊金子放在農人的手裏，農人覺着很沉，手不禁有些顫抖。玉嬌龍就說：「拿去快給買一匹馬來，並買一套男人穿的衣裳來。快去快回，辦好了我還要另外給你錢。可是到了門外，無論見着什麼人，也不准說出我在這裏，否則我就拿寶劍把你們全都殺光！」

她這話一說出來，嚇得那病孩子就哇的一聲哭了！婦人趕緊過來，戰戰兢兢地抱住她的孩子溫慰。玉嬌龍卻很後悔，又掏出一錠金子來給孩子，說：「不要怕！我知道你們都是好人；但我不能不說這厲害的話，因為外面有人正在跟我作對。你叫什麼名字？多大年歲了？」金子一到孩子的手裏，孩子也不哭了，婦人也笑了，低聲說：「他叫三喜，我們姓柳，哪兒看見過金子呀？姑娘！」姓柳的農人也道謝，說：「姑娘請坐坐，我出去找個親戚家，給您辦馬去。可是我們莊戶人家哪裏有馬？東村張家有一匹耕地的馬，可是太老了，還沒有小驢跑得快呢！」玉嬌龍點頭說：「小驢也行，因為我急着要走，可是……」姓柳的農人說：「姑娘別囑咐啦！到我們親戚家裏，我也不能說實話。」說着他戴上一頂破草帽，就出門冒雨走了。

這裏，婦人給玉嬌龍盛了一碗米飯，玉嬌龍吃了，覺得很香。窗外雨聲淅淅，屋中越來越黑，那姓柳的農人又一去不歸。玉嬌龍看見自己現在這身衣服，昨天僥幸脫險；夜晚在麥地中爬伏了一夜，身上還有微微的傷痛。再想起昔日的富貴尊榮，跟羅小虎的相思繾綣，她不禁愁心如焚，幾乎要哭泣起來。

過了許多時，外面就一陣門響，玉嬌龍就趕緊抄起來寶劍，到門前隔着破窗紙往外去看。就見那姓柳的農人回來了，他牽着一頭小黑驢，白嘴白肚囊兒，十分的好看；另外還有鞭子、草帽、一件蓑衣。姓柳的農夫把驢放在院中，進了屋，他那蓑衣底下就藏着一份藍布褲褂。雖然布很粗，倒像是新做的，還沒有人穿過的樣子。農人就笑着說：「這頭驢是我孩子的外婆家養的，東村的張員外給過八兩銀子他都沒賣；這衣裳做了就沒穿一回，是孩子他二舅預備娶媳婦穿的。這蓑衣你老人家也披上吧！小心雨淋濕了身子，受了風寒。這頂草帽你老人家要不嫌破，我也送給你！」玉嬌龍不禁笑了，說：「好！好！我謝謝你們啦！請你們暫時避一避，我要換上衣裳，當時就走！」

農人趕緊走出屋去，婦人抱着孩子也避到一邊。玉嬌龍就換上這身乾衣褲，又肥又大，真覺得難看。然後用濕衣服將劍裹起，跟婦人要了一根草繩將劍捆在背後，又把鞋繫緊了些；她就披上蓑衣，戴上了破草帽，遂即出屋。那農人趕緊把門敞開，把鞭子和驢絆交給她；玉嬌龍又掏出一塊銀子給了孩子，農人笑着說：「哎呀！這一下子我們可發財啦。老天給我們送來了財神娘娘！」婦人也笑着，拉着孩子的手說：「三喜，還不快給姑娘道謝。姑娘賞了咱們這許多金銀！」

玉嬌龍牽着驢出門，騎上去，農夫和抱着孩子的婦人都送出來，玉嬌龍就擺手說：「外面的雨很大，你們快快回去吧。咱們後會有期！」說着一揮皮鞭，小驢嗒嗒的走去。別看驢小地又滑，跑的還是很快，不在健馬之下。玉嬌龍高興極了，也不顧傷痛。雨淋着身上的蓑衣簌簌地響，破草帽往下流水，四周圍都是濃煙。

她催着小驢一連衝過了幾個村落，忽然見面前田禾劃分出三股小道，一往北、一往東、一往西，玉嬌龍在此猶豫了！心說：「我往哪裏去呢？往東去找繡香？但李慕白現在就許已然去了。寶劍給他們不要緊，只是那兩部書，無論如何不能叫他們拿走！我不回去，他們還許不至於強逼繡香；我要是一回去，他們可真能逼我。往北往西，卻又覺茫茫然無處投奔。」想了半天，就只好策着驢一直往北，她想找個市鎮或是縣城，暫且好好地歇息一天。找家鐵舖買幾隻尖銳利害的飛鏢，回去再對付李慕白和俞秀蓮。忿忿地催驢趕緊走，忽聽身後有人厲聲叫道：「你是幹什麼的？站住站住！」

玉嬌龍吃了一驚，回頭一看，原來是兩個男子打着一隻破傘，步行着前來。玉嬌龍就不懼了，收住驢扭頭等着這倆人來到臨近，她見這倆人的樣子不像是好人，當下就把臉一沉，問說：「叫我停住，你們有什麼話說？」這倆人挺着胸脯，發着橫說：「你脊背後頭藏着是什麼東西？快拿出來看看！」玉嬌龍才曉得這倆人是乘雨打劫的強盜。看他們懷裏都露着刀柄，玉嬌龍就不禁冷笑，更厲聲些問說：「你們懷裏都藏的是什麼？倒來問我？」

這倆人一齊由懷中抽出短刀，每口刀約有半尺長，舉着晃了一晃；一個就揪住了驢尾巴，另一個一手打傘，一手握刀，瞪着眼睛說：「快滾下來！身上有多少錢？背後背着是什麼東西？快拿出來！還許饒你的……」命字還沒說出來，就聽「吧」的一聲，玉嬌龍一皮鞭正抽在這人的臉上；這人啊呀一聲，連傘躺在地下，傘在雨地下亂滾。那揪着驢尾巴的人握刀向蓑衣上狠狠地去扎，玉嬌龍又吧吧連抽兩鞭，這人雙手抱住頭不住往後退。那躺在地上的人已爬起來，又向玉嬌龍奔來，樣子兇惡極了，說：「好！你小子找死？也不看看我是誰？」

玉嬌龍自背後抽出青冥寶劍，寒光一抖。這賊看見人家的長兵刃露出來了，就趕緊抽回他的短刀；但哪裏抽得及，玉嬌龍的劍鋒早已落在刀刃上，不過輕輕一掠，半尺長的短刀削得只剩下兩寸，空剩了個刀把。這人趕緊扔了刀回身就跑，那個人更不敢停留，也回身去逃；遺下的那隻傘被風一吹，咕嚕嚕地滾去。那兩個賊以為是玉嬌龍追下來了，一齊跪在地上磕頭求饒，及至回過頭來，才見是他們的那把破傘滾來了。雨愈大，穿蓑衣的玉嬌龍已收了寶劍驅驢走去。

玉嬌龍對於作這事，倒覺太不值得，而且是一種羞辱。兩個持短刀行劫的小毛賊，也值得自己亮出青冥劍，這實在太污辱自己的青冥劍了。但由此卻又感到江湖上坎坷難行，以自己這樣高強的武藝還得受大氣、惹小氣，處處時時都得防備着，真是討厭！因此又悔恨自己過去作的事。就想：「若不識羅小虎，若不護庇高師娘，若不惹劉泰保，當然再沒有那魯君佩，自己此時不是仍然在北京宅中作小姐嗎？會武藝也沒有人知道，哪裏能在外面受這些氣，吃這些苦呢？」她心中非常不痛快。

往北走了許多里路，驢就漸漸喘得走不動了。雨落得更緊，地上的水淙淙地響，四周天色都已發黑。蓑衣的草雖然很厚，可是雨水也將透過來；背上覺得發潮，而且傷處發疼，臉上手上腿上更是汪然往下流水。她伸出衣袖抹了抹臉，就見斜對面遠遠地彷彿浮着一遍蒼綠。心說：「那裏必有人家，我還是找個地方先歇歇吧！」於是低着頭，掄鞭抽驢。雨氣太重，鞭子都難以掠起；驢嘶叫着，一下就打了個前失，幸玉嬌龍沒從驢上摔下。但她不得不下了驢背，揮鞭狠狠抽了幾下，驢只是跪在地上不動，玉嬌龍又心軟了。她停住了鞭子把驢扶起來，就牽着去走。

斜風暴雨如亂箭一般的向她投射，兩旁地裏種的都是玉蜀黍，雖還沒有長得多高，可是雨濯在那無數的葉子上聲音極大。加以四周騰起迷茫的白氣，玉嬌龍連這頭驢，像是陷在浩蕩的大海之中，但她斜着身子咬着牙向前拽着走。忽然間見面前來了一個東西，玉嬌龍又拿袖子擦擦臉，定睛一看，原來是一輛帶棚子的騾車。車上都蒙着油布，車裏卻沒有一個人；只見趕車的人披着一身油布，搖晃着長鞭，玉嬌龍就叫：「喂！喂！」對面這輛車在泥濘之中行得極慢。

玉嬌龍又往前迎着，半天才走到臨近，玉嬌龍就啐了兩口雨水，問說：「你這車是往哪兒趕呀！我雇了吧！」車停住了，趕車的用大聲嚷嚷着說：「你有驢，我們可不管！」玉嬌龍聽了這話很覺詫異，趕緊走近車轅說：「我又不白坐你的車，我給你錢，你憑什麼不管？」趕車的擺手說：「你有驢又有蓑衣草帽，我們管你幹嗎？這車是聶家莊的，聶老太君的心願，一到大雨就派我們出來救迷路的。救了就送到莊子去款待，可得是單身，沒馬沒驢也沒雨傘的人才管，還特別為的是接待被雨截在野地的媳婦婆娘們。人家作的這是善事，又不圖錢。你有驢又有蓑衣，想坐這車可辦不到！」玉嬌龍說：「你沒看出來，我是個……」本想說出自己是個女子，但又覺得這輛車來得可疑，遂就改口說：「我也是迷了路了，那個驢剛才打了兩個前失，也不能再騎了。我又是外鄉人，來到這裏上不着村，下不着店，連方向都迷失了；你們既然是作好事，為什麼還要這麼挑人呢？」

趕車的皺了皺眉，彷彿是斟酌了又斟酌，就點頭說：「好吧！接一個人，也就好回去啦！我們的幾個夥計還在那兒等着我摸小牌呢！好吧！你就把驢拴在車後頭，上車來吧！可是小心別髒了車褥墊，這輛車平日是我們八太爺坐的！」玉嬌龍更是疑惑，將驢就拴在車後。她脫了蓑衣跳上了車，露出她背後草繩綁着的亂七八糟的衣裳和一口寶劍；但那趕車的看見了，卻不怎麼驚異。只笑了一聲說：「你看，你這個樣兒？是怎麼回事呀！」搖着鞭子趕着車一直走去，玉嬌龍卻一手把他的胳膊抓住，趕車的人把臉嚇白了。玉嬌龍就瞪起眼來問說：「你要把車趕到什麼地方去呀？你們的莊子在哪邊？」趕車的這才說：「莊是在西南，可是咱們得先往東去。你看，這股道兒車能夠轉回去嗎？只好得繞個遠彎兒！」

玉嬌龍鬆了手，趕車的面色也漸漸緩過來，又懊煩地說：「我們這事情可真不好幹！平常倒沒有什麼事，只是送老太君、老太太、八太太、八小姨太太，八少姨太太到紫薇廟燒燒香。」玉嬌龍聽說了這些個「太太」就更覺得新奇，趕車的又說：「八太爺也不常出門，只是拜拜府台、見見縣官。」玉嬌龍就問說：「你們的八太爺他是作什麼官？」趕車的搖頭說：「不作官，請他作官他也不作，大官得叫他八兄，小官稱呼他為八員外。」

玉嬌龍說：「他是個財主嗎？」趕車的說：「財可多極啦！這一縣的土地，多一半是他老人家的。」玉嬌龍說：「他的祖上是作官的？」趕車的鞭子跟頭一齊搖着，說：「祖上也不作官，他祖上比我還不濟，跟你倒差不多，是指着騎驢吃飯，八太爺小的時候外號叫八隻手，……」打了個冷戰，又說：「這事情本地人誰都知道，可是你千萬別跟人去說，說了你就不能頂着腦袋走出這個縣了，誰不知道聶八太爺？」一縮脖一翻眼珠，表示一種不懂佩服而且害怕得很的樣子！玉嬌龍卻咬着嘴，鼻子輕輕發出來一聲笑。

此時雨淋着車棚上的油布聲音越發大，騾子渾身是水在前艱難地行着；車輪咕咚一聲陷下去了，又咕咚一聲翻起來。泥水隨着輪蹄往高處飛濺，順着泥涂轉了個彎，確實是往西南去了。趕車的一邊「噻！吁！」的抽着騾子，一邊哼哼起來小曲唱道：「小佳人你別想不開！俏郎君今天不來明天準來。……倚着枕頭得了相思病，嗳喲，小奴家的心懷不開！」

玉嬌龍真想用點穴法把這人點下車去，但因想要看看那聶八太爺究竟是怎樣的一個強徒惡霸？要在這雨天荒野之間自己作一件轟轟烈烈的事，所以就暫時捺住了氣，隨着趕車的胡唱。騾子車顛、雨響，大地的田禾起伏，雨中的暮色層層漲起，就進了一個村子。到了一個疊着石牆的廣大莊院之前，忽見有兩匹馬自後趕到。泥水飛騰，馬上兩條大漢，全身着油布雨衣，齊說：「看來啦？好！好！請下車！」玉嬌龍驀吃一驚，自背後亮出來青冥劍，把眼一瞪！忽聽有人哎喲一聲叫，賊似的向莊裏飛跑。兩個馬上的人一齊抱拳，其中一人就說：「龍英雄，不要多疑！我們不是黑虎陶宏那等人，我家八太爺最重江湖義氣。前些日有自保定來的人說，陶宏他們得罪了一位會使寶劍的龍英雄，他們都吃了大虧！我家八太爺聽了就笑，說他們都混蛋，既有削銅斬鐵的寶劍，那一定就是了不得的英雄，不恭敬反敢去招惹，就是自找吃虧送死……」

玉嬌龍聽了這話，才知道他們原來是曉得自己的來歷，此次是有意把自己請來的。又聽這漢子說：「我們八太爺派人往各處訪了多日也沒訪出龍英雄的大駕在哪裏？他常常歎氣，說今生恐遇不見這位高人。今天，恰巧雨天來君子，莊裏兩個小廝們喝醉了酒出去撞禍，便撞到你英雄的身上了。他們逃回來說是遇見了削銅斷鐵的寶劍，八太爺就知道是龍英雄來到此地，遂就趕緊命我們前來迎接大駕……」玉嬌龍自北京出來以後，還真沒受過江湖人這樣恭維，她的顏色漸和，點了點頭。

那兩人下了馬，正要往莊裏去讓。莊中已走出一人，這人身穿寶藍綢衫，身材真與那孫正禮差不多，沒有留鬚；可是有許多鬍子根兒，全都蒼白了。至少也有五十歲，紅胖的臉，出門來就滿現笑容的，把大的袖頭一拱，嗓音發啞，但很渾厚，說：「龍英雄的大駕真請到了！久聞大名，如仰山斗，今天來此處真為敝莊生光！」玉嬌龍直瞪着秀目看着這人，問說：「你是誰？」

旁邊人就悄聲說：「這就是八太爺！」玉嬌龍握劍冷笑。這八太爺卻說：「豈敢！豈敢！兄弟名喚聶如飛，族中排行第八，外人才稱我為八太爺。但是在龍英雄的面前，我卻不敢！」

玉嬌龍受了人家這樣地恭維，自己也就沒法再施展厲害了，遂也笑了笑說：「你們這樣看得起我，我很謝謝你們！今天我是從這兒路過，遇見這討厭的雨，正沒地方去呢！你們既然誠意把我接來，我就不用客氣啦！只好在你們這兒打攪一天。咱們交個朋友，日後你們在江湖上如遇有什麼危難，我必幫忙！」聶如飛連連拱手大笑道：「那好極了！這實是我們三生有幸，請進！請進！請龍英雄切莫笑敝莊狹窄。」又喝令說：「把龍英雄的坐騎牽到棚下，用細草料餵，穿來的蓑衣拿到客廳去吧！」

玉嬌龍跳下了車，提劍往莊內走去。聶如飛深深拱揖，讓玉嬌龍在前，他隨在背後，他的背後更有幾名僕人。莊中房屋雖不少，但沒什麼畫棟雕梁，院中也沒有鋪着磚；雨水成沼，與外面無異。聶如飛說：「請北屋裏去吧！」早有僕人趕過去高高打簾，玉嬌龍虛讓了一下，聶如飛便打躬說：「龍英雄先請！」

玉嬌龍進了屋，一看，一通聯的五間屋子很是寬大，裱糊得也相當乾淨；陳設桌椅不少，可是沒有什麼華貴的東西，最奇異的是迎面有一幅橫匾，上書「忠義草堂」。這名稱很怪，在左邊隔壁有一幅大畫，畫筆粗劣，走近了去看，原來是「梁山泊忠義堂」的全景。

玉嬌龍小時是看過「水滸傳」，記得那部書的一開篇就有木刻的一幅圖，這就是照着那幅圖放大了描下來的。聶如飛站在她的背後，說：「龍英雄請看，這張圖畫得怎樣？我花了五百兩銀從南方雇來人，半年才畫成的。龍英雄請細看，這山道上，屋裏外全都有人。這是行者武二爺，這是花和尚魯大師傅，他們二位英雄正在喝酒呢！再請看，這是母夜叉張家孫二娘，畫得真像個美人，哈哈！比這邊的扈三娘還畫得俏呢！忠義堂中坐的是宋公明。」玉嬌龍見他深深作了一揖，像拜佛似的，就不禁要笑。

聶如飛又挺起腰來說：「我自幼就敬仰梁山眾位英雄，所以十幾歲時我就闖蕩江湖，結交了許多江湖俠客、綠林英雄。只要是有名氣人我就設法結交，可是我還沒遇見過及時雨宋公明那樣的好漢！」玉嬌龍就問說：「你認識李慕白嗎？」聶如飛說：「久聞其名，只是沒見過面，他若由此經過，我也想與他結交。」玉嬌龍又問：「羅小虎呢？你認識不認識？」說出這話來不由有些臉紅。聶如飛怔了怔，就搖頭說：「此人的名姓我不大曉得，想是新出世的好漢；惡牛山有個焦大虎那倒是俺的兄弟！」當下他恭敬地讓座，玉嬌龍把草帽摘下，拋在旁邊的凳子上。用手掠掠辮髮，就在椅上落坐，青冥劍就放在身旁。

有個黑腦袋的僕人托着盤子送來了兩壺酒、四盤菜，菜很簡單，酒杯卻很大。聶如飛就為玉嬌龍滿斟了一杯，全溢出來了，玉嬌龍擺手說：「我不喝！」聶如飛說：「不要多疑，我聶如飛的武藝雖然不高，生性卻光明磊落，酒裏不會有什麼毒藥着來！我先喝一杯叫你看。」說着他自己也滿斟了一杯，一仰脖咕嚕一聲全呷下去了，笑着說：「你放心了吧？別說你遠路來，給敝莊帶來了運氣……」玉嬌龍聽了這話，卻又一陣驚愕。聶如飛說：「就是行路的客商投到這裏，咱也不能錯待，江湖好漢講的是行俠仗義、四海結交、劫富濟貧……」玉嬌龍聽這又是一句賊話，自己微微冷笑着，酒是絕不喝。

少時菜飯也送上來，玉嬌龍看聶如飛下了筷箸，自己才挾了一箸子吃。把飯吃過，就見聶如飛大箸子的挾菜，大口地吞飯，玉嬌龍就眼見他一連吃下了五大碗飯。吃完了飯又喝酒，這簡直不像是什麼「大爺」，卻分明是個「大王」。玉嬌龍不禁又想起沙漠中的大盜，自己的情人羅小虎，其粗魯似不減於這人。然而自己當初為什麼偏偏要鍾情於他呢？太糊塗了！還希望他作官成親，也太妄想了！因此非常悔恨，但是又不由得一陣悽然。

聶如飛在旁邊談話，酒越喝得多，他的脖子跟胖臉越發紫紅；噴出來的話越粗野，越發露出他的本性來。但玉嬌龍見他對自己倒是真誠的畏服，由他的話中也可以聽得明白，就是這聶如飛他本與黑虎陶宏那邊有些往來。前些日玉嬌龍在保定府憑單劍戰敗了黑虎陶宏、金刀馮茂、法廣、魯伯雄、米大彪，打死了飛鏢常，那些英豪的事蹟，他全都曉得，所以他才把玉嬌龍奉若神人。

外面的天氣漸漸黑了，風愈急、雨愈大，只見有人進來點上了兩支蠟燭。屋子大、燭光小，玉嬌龍看見喝得半醉的聶如飛，和他的幾個僕人，相貌都獰惡得跟鬼似的。待了一會，又有人背進來一份被褥，並把六張椅子拼在一起；玉嬌龍就知道這就是給自己預備的牀，他們今天是留自已在此歇宿了。

聶如飛還沒有吃完，僕人就紛紛的撤去杯盤，然後聶如飛站起來拿袖子擦擦嘴，又拱手笑着說：「龍英雄就歇息吧！明天再談。今天我真高興，酒也喝得太多了，我也真有點支持不住啦！哈哈！」一陣怪笑就歪歪斜斜地走出屋去了，幾個僕人都隨着走出，玉嬌龍就看見他們的身後全在褲腰帶上插着明亮亮的短刀。

這幾人才一出屋，玉嬌龍就疾忙手持寶劍到門前，趴着門縫兒往外去看；就見那聶八太爺聶如飛是往後院去了，其他幾人全是往前院走去。院中雨如稠絲，攪得天地皆暗，地下冒起許多泡沫。汪洋流着水，已將漫過了台階，檐水像瀑布似的嘩嘩往下急流。雷聲像聶八太爺的嗓子，粗重而沉悶地喊叫，閃電似刀光一亮一亮地驚人。玉嬌龍將門上的一個插關才插上，忽聽外面一陣踏踏地急驟的馬蹄濺水之聲，由遠而近，接着又聽「咣噹」的一聲巨響，像是那大莊門開開了。玉嬌龍暗自驚異地想：「他們怎麼有人這時候才回來呢？」停了一聲，就聽簌簌地雨濯油布衣裳之聲，嘩啦嘩啦用腳蹚着水之聲，唧唧咕咕地說話之聲。玉嬌龍疾忙回身將兩隻蠟燭吹滅，持劍趴着門又向外去望，就見是三個大漢一齊往裏院走去，有個人並指着她這屋，悄聲說：「就在這屋裏……」玉嬌龍十分驚疑。

那幾個人進去許多時也不見出來，玉嬌龍不由打了一個呵欠，兩腿也發酸，就慢慢地退到那幾把椅子的旁邊，將身一躺，覺得頭一沉似乎要睡。忽聽咕咚咕咚的一陣亂響，玉嬌龍急忙將身坐起，睜大了眼睛，只見閃光一亮，似火龍打窗紙似的一下；緊接着呱啦一個大霹靂，把房子震得都動搖。門外卻有人捶門，玉嬌龍就舉劍問說：「是誰？」走近了兩步又厲聲問說：「是誰？快說！」門外雨聲如沙漠中颳起了大風，沙啞的嗓子說：「龍英雄：快開門，讓我們進屋，我是聶如飛，我要求你一件事！」玉嬌龍吃了一驚，把劍一拍窗欞，說：「你就在外面說好了！進來我的寶劍揚起，可是連我自己也攔不住！」外面說：「話太多，得慢慢商量！你快開門讓我進屋吧！」玉嬌龍卻突然將劍鋒扎出門外，就有人哎呀一聲咕咚摔在水裏，嘩啦嘩啦地又往起來爬。

門外的聶八太爺有些憤然了，嗓子像霹靂似的說：「龍英雄！走江湖交朋友的人應當心明眼亮，不可疑心太重。兄弟是吃綠林飯的，老兄也看得出來。你跟咱全是一條線上的人，都要講些義氣；今天沒有旁的事求你，就是西面大道旁的紫微廟，從兩日前就駐下了帶着家眷的作官的人。因為前面的河裏漲了大水，他們不敢過，就停留在那兒啦！這是檔子好生意，他們的人不多，可是金銀一定不少。兄弟這二年家境不大好，看你也像多少日沒摸着油水似的，乘着這連夜大雨，咱們去撈一趟，彼此幫忙。我們仰仗你的武藝，你也得知情，我們給你拉線探風。這個好生意，作好了咱按份平分，不昧心。願意不願意就聽你一句話，決不強拉硬拉，也不為難你，只講的是交情！」

玉嬌龍抽劍後退了兩步，倒有點發呆了，心說：「原來這聶八太爺真是個賊首，他現在要去打劫官眷，還異想天開，強拉我去幫助他。我雖離家行走江湖，但我豈可作這盜賊之事？要是不管吧，他們也自會去打劫的，那也不是與幫助了他們一樣嗎？」心中轉了一轉，便說：「好吧！既然這樣，我就去幫助你們一回，這也不算什麼。可是他們既有官眷，一定有官差保護。」聶八太爺說：「官差有十幾名，都不中用。只是有兩個保鏢，打着是『臨淮鏢店』的旗子，要不是為這兩個保鏢的，我們還不能請你呢！到時只要你掐住了那兩個保鏢的，你就都不用管了，旁的事自有我們兄弟！」玉嬌龍爽然說：「好！」回身拿起來草帽和蓑衣，剛要開門，忽然又止住了腳步向外面說：「我這口寶劍雖然鋒利，可是沒有暗器也不行，你們有鏢沒有，借我幾隻用用。」聶如飛道：「鋼鏢可有的是，早先我練過，沒練好，就擱在一邊了。」遂就叫人到裏院去拿。

玉嬌龍這才把門開了，聶如飛等一共五個人都進屋來，齊哈哈地笑着；又密密地言語，聶如飛直向玉嬌龍拱手拜託，玉嬌龍卻暗自發着冷笑。看他們那意思是就怕那兩個保鏢的，他們不曉得那二人的本事有多麼大，所以才完全仰賴我玉嬌龍。待了一會，有人拿來了一個鏢囊，很沉重；囊中約有二十多隻鋼鏢，每隻都有三寸長，都很銳利。玉嬌龍很是高興，掛在身上，外面披上蓑衣，又戴上草帽。聶八太爺是一身短打，披油衣穿着油褲，戴着一頂油布帽，一手提着把朴刀，一手高舉着說：「走！瞎蛤蟆領路！」那瞎蛤蟆就是白天打着雨傘搶劫玉嬌龍未成，倒被玉嬌龍打了一頓的那個小子。他真跟個蛤蟆似的蹚着水在前，聶如飛在中，玉嬌龍在後，一共是八個人。

出了莊門，門外還有七八個人，並備有四匹馬。玉嬌龍就搶上了一匹，聶如飛也上了馬，就吩咐走。並向玉嬌龍說：「龍英雄！我們可都是真心實意，為的是大家發財，天上打着雷呢，各人的心可都要放在中間！」玉嬌龍說：「你們要不放心我，不如不叫我管！」她的臉色一變，聶八太爺卻沒看出，反哈哈大笑說：「你要是不管，我們這件生意就作不成了！這兩天生意明擺在那兒，我們都沒敢下手。今天大雨，從天上降下你這條真龍；你就不幫忙，不上手，也得跟我去，叫我們借你個吉利。」一揚起鞭子來又喊着：「快走！快走！」

當下許多人在前面跑着如魚鱉蝦蟹，數匹馬像蛟龍似的在後跟隨。天空昏暗，一道一道裂着閃電，一聲一聲響着沉雷，大雨傾盆，禾低泥濺。蹄聲踏踏，馬聲嘶嘶，嘩啦啦向西飛奔；鞭不斷地撻馬背，人縱聲着笑談。但忽然聶八太爺幾個人一齊把馬勒住了，倒把後邊的玉嬌龍嚇了一大跳，也勒住了馬。就見前邊的人都一響不響，靜悄悄地舉動都很遲慢，聶八太爺等人下了馬，玉嬌龍也偏身下來，問說：「是怎麼回事？」聶八太爺就說：「到啦！把馬拴起來吧！」又向每個人都趴着耳朵說：「到時大家的手底下都要利落點！別拖水帶泥，別落帽留靴，要的是東西，作的是生意；別傷人結怨，別欺負人家的娘兒們！」說着，幾匹馬由一個人牽往不遠之處的一片黑森森樹林之中。

玉嬌龍看準了那個地方，然後就隨着這些人一步一步地蹚着地下的泥水去走。往西又走了一會，眾人走得更謹慎而遲緩；藉着天上的一道閃光，就看見面前有一片很高大的房居，有高旗杆、刁斗，可以斷定這就是那座紫微廟。玉嬌龍把聶八太爺推了一下，聶如飛回頭驚問着：「什麼事？」玉嬌龍說：「我先去，我先佔住要緊的所在，然後無論誰出來，咱們也就好對付了！」

聶如飛連連點頭，說：「好！好！……」

玉嬌龍便提劍往前去跑，雨水在她的膝脛下嘩嘩地流着，蓑衣都已貼在身上；她索性脫去，一股勇氣往前直走。天上一道一道的閃光，彷彿為她打着燈籠，她就來到了紫微廟的牆後。就看見這牆上辟着個後門，閉得很緊。她飛身跳過牆去，腳踏在地上颼颼地一陣亂響，原來這是個後園，種着滿地青菜。她往前走，就躥上了大殿，殿宇上的瓦極滑，手按着瓦，雨水在手上潺潺地流。她往前趴着跳到了西配殿上，只見各殿中都黯無燈光，又往前院去走。這院的正殿中卻燃着黯淡的佛燈，她跳了下去，走到窗欞前，趴着往裏一看；就見殿中香煙彌漫，有幾個僧人跪在佛前誦經，梆梆的敲着木魚，但被雨聲給攪得顯着聲音極小。

玉嬌龍偷看了一會兒，又轉身，見東配殿燈光灼灼，窗裏邊還掛着紅色的窗簾，她就曉得官眷必是住在那配殿裏；只不曉得這是哪一省的官，大概也是晉京去召見的吧。她正想要去推門進屋，忽見有兩人自後院彎着腰走來了，閃電一照，二人手中的刀光灼灼。玉嬌龍早已掏出鏢來了，驀然就一鏢打去，立時就有個人叫了一聲倒下了；另一個掄刀躍起，還沒有撲過來，又被玉嬌龍一鏢打倒。

此時東配殿中就有婦女驚叫之聲，玉嬌龍反躍上了房，閃電忽又一亮。房上有兩個人爬着脊過來，刀鋒向前問說：「是誰？莊上的嗎？怎麼樣？不能得手嗎？」玉嬌龍掄劍向前就砍，只見電光映着劍光，雷聲裏雜着「咕咚！嗳喲！」一聲，先後兩個賊人都被她砍得滾下房去。忽見對面西房又有二人從上跳下，玉嬌龍也不管是誰，掏出鏢就打，那二人也應聲而倒。忽聽雨聲裏又有人打呼哨，聲音十分響亮，下面也有十幾個人從前院來了，大喊：「拿賊！在殿脊上了！」玉嬌龍知道這是官人和保鏢的，她就不再打鏢，踏着瓦很快地走往後院。只見後牆上黑乎乎地站着一人，把呼哨吹得甚緊，並嗤啞嗓子大喊說：「還有人沒有？快走！快走！風太大！」玉嬌龍又一鏢，那人的嚷聲忽斷，摔在牆外；玉嬌龍追過去，就見那人正在地上爬，哎喲哎喲的叫着，正是那聶八太爺。玉嬌龍一躍而下，先踢開他身旁的刀，然後彎腰將他身上披着的油布衣裳剝下，聶如飛就哀求着，說：「鏢頭饒命！」玉嬌龍將他踢得順着水滾出很遠，又重新跳進牆去，蹲在園中蔬菜之間，雨在她頭上流，泥水在她踝骨間蕩漾。

她細心向前院聽了半天，見並沒有什麼太嘈雜的聲音，她就又躥上了正殿。只見西殿東殿都有人站着，電光照耀之下，她看出來是官人和鏢頭的樣子，因為賊人決無此膽。她飄然躍下，如一股輕煙直鑽進了東配殿，原想是告訴那官眷說：「你們不要怕！我是俠客龍錦春特來救你們！」可是外間桌上只有佛燈，與裏間卻有黃緞門簾隔絕；外屋雖無人，裏間卻像不是一個人在說話，玉嬌龍就不敢貿然進去。摘下草帽連油布衣裳挾在臂下，另一隻臂挾着青冥劍，她如一隻貓似的就躥在佛桌底下。前面有桌簾擋着，她在底下低着頭蹲伏，觀看動靜。

少時門一開，進來了四隻水淋淋的靴子，是兩個官人就站在這裏。一人隔着門簾向裏回道：

「回稟大人！賊已被打走了，捉住了兩個，身上都受着很重的鏢傷；一個是快死了，一個是咬定了牙關不說話！」裏屋的大人就回答說：「那麼，先把他們押在前院吧！明天再交衙門，好好看守，叫兩個鏢頭不要離開這院！」官人答應了一聲「是！」靴子一齊轉過來，輕輕又往屋外去了。

此時佛桌底下的玉嬌龍卻極為驚愕；因為聽着裏屋那位大人的語聲兒，好像十分的厮熟，她非常的疑惑。覺着那兩個鏢頭一刀一槍都沒有費力，憑白地邀功固然可笑，但自己可也不敢貿然進屋去現出俠客的身分了。暗想：「這官人大概還是個京官，也許與我家有親故的關係，在北京時我跟這人見過面？」此時又聽屋中有婦人和孩子們說話，她趕緊掀開一角桌簾，側耳向裏屋靜聽，裏屋的杏黃緞子的門簾也直飄動，散出厮熟的婦女之聲，是歎着氣說：「盼望明天雨住了吧！快些過了河，到了北京這顆心就放下了！母親的病也不知怎麼樣？她龍姑姑多麼明白的人？料想她不能夠不回來！」玉嬌龍覺得頭髮都悚然豎起！這話聲她聽出來了，正是她的長嫂，哎呀母親原來病了！她不禁悽然落淚。

忽然門又響，她趕緊放下桌簾。就見由外邊又進來一個穿便鞋的人，到簾子前向裏面說：「回事！請大少爺、少奶奶、姑娘、少爺都別驚！剛才是有俠客暗中把賊人打走的，因為那兩個鏢頭都不會使鏢，可是捉住的賊人都是受了鏢傷的。口供也問出來了，他們說：他們就是附近住的人，他們的首領叫什麼聶八太爺，平日專幹這些勾當；今天還有個男不男女不女的大強盜幫助他們，那個人大概是跑啦！」這聲兒更熟，是隨侍玉大少爺的連喜，是在新疆生長大了的。上次玉嬌龍出嫁的時候他還正在宅裏幫忙呢！

玉嬌龍暗中擦着淚，連大氣兒也不敢出，只聽屋裏她的長兄現任風陽知府的寶恩說：「好啦！知道了……」語氣頓了一頓又隔着簾縫悄聲說：「可以問問本廟的住持，那個聶八太爺平日是個怎樣的人，在本地有多大的聲勢？如若……他們是本地人，別為這事叫他們跟這廟結仇。如若確實是因窮為盜的小賊，釋放了也可以，你問朱班頭要主意吧！斟酌着辦！不必再來問我了！」連喜應了一聲，轉身出去了。屋裏的寶恩又歎息一聲，似乎是自言自語的說：「我倒願意真如人所傳言，龍妹妹真有那分本事！各地的盜賊也太多了，應當有些游俠出來，咳！」

玉嬌龍想要躥出桌去與兄嫂相見，但是，自己現在這個樣子能見誰呢？自己過去所作的事雖然能博得哥哥的同情，但是哥哥又有什麼辦法可以解去自己所有的困難，而使自己仍然回到家裏去當小姐呢？她暗暗地在啜泣：「又不知母親現在是患了什麼重病，當然是與自己的事情有關了。可憐的母親誰叫你生下這個不成材的女兒呢！」她索性坐在佛桌底下了，悲痛得渾身都無力，假使這時有人進來，就很容易把她捉獲，但是沒有人進來。只有窗外的雨聲和她的淚，彷佛在一起流。過了多時，有僕婦自裏間戰戰兢兢地走出來，把屋門關嚴；僕婦是就在外間佛桌旁鋪了兩個蒲團，半坐半臥的睡覺，離玉嬌龍不遠。她若是一扭頭，假若她的眼睛敏銳，她也可以發現佛桌下有人，可是待了一會，她就打着鼾聲睡去了。

玉嬌龍已看出這座廟的客堂一定是不多，長兄寶恩必是趕路赴京省視母病，被河水所阻暫住在這荒僻的寺宇之中，也確實是無法。心中思忖了一會，便放下劍和草帽、油布、衣服等物，慢慢地鑽出來，站起了身，貼着簾縫聽了半天。聽見了一片輕微的鼾聲，她慢慢地走進了屋裏，忽然窗外閃電一照，她疾忙伏身，卻看見一張雲牀上並臥着兄嫂和姪女姪兒一共四口，地下是箱子包袱，她順勢把手探到一隻包袱裏摸了一摸，摸着的是衣服和靴子。她就提起來輕輕地拿到外屋，用那件油布衣裳裹好；然後她又輕輕地進來，在牀旁靜靜地站立了一會。

電光向窗外又一投射，她就把手撫在她姪女的頭髮上。她蹲下身來，把這小孩輕輕搖動一下，小孩子喘了喘氣，似乎在半睡半醒之間，玉嬌龍趴在她耳朵邊說：「不要怕，我是你龍姑姑！」小孩子當時驚叫聲：「龍姑姑！」聲音很高，玉嬌龍趕緊出屋，拿起包袱、寶劍、草帽，匆匆開了屋門向外就走，聽裏屋說：「什麼事？惠子！好孩子！你說夢話了？」「不是！是龍姑來啦！真來啦！」「怎麼？屋門響？是妹妹來了嗎？你的事別發愁！進來吧！我想到是你來救我！」「龍姑姑！……」最後是兩孩子齊喊，燈也驟然亮了。

玉嬌龍流着淚飛身上房，心痛得站立了一會，然後一咬牙，如飛煙飄雲，倏忽間就走去。但她還沒有離開這座廟，在閃電之下四下尋找，就找着寄存馬匹車輛的一個院落裏有黑兀兀地兩間小屋，車夫們大概就在那裏睡熟。她藉着閃光見馬棚下繫有十餘匹官馬，她知道這些馬多半還是「伊犁馬」，她的長兄雖是個文官，可也生平酷愛騎射。她還特意找了一匹較為矯健的，解下來就開了那後門走出。

身後倒沒有什麼動靜，她將包袱和寶劍全繫在馬上，騎上蹚着泥水。雨是微了一些了，她一直走進了遠遠地那邊樹林，林很深，剛才賊人所繫的那幾匹馬都已沒有了。她試探着腳步往裏去走，就下了馬，將馬繫在一顆樹上。然後由泥中拔出腿來，登着馬背爬上了一顆大樹，找個枝叉將身躺下，用草帽覆住了臉。雨水淋着她的全身，她覺得十分寒冷，但是她太疲乏了，在此就不知不覺地睡去。

次日，她被鳥聲吵醒，睜眼一掀草帽，草帽就掉在樹下了。林中煙霧瀰漫，葉間仍垂滴着宿雨，身上落了許多樹葉。她舒了舒身子便又登着馬背下來，地上的泥水真深，羣鳥驚噪。她走出了樹林一看，原來雨雖已住，天尚未晴，南邊遠遠一抹紅牆，被雨沖洗得很嬌豔。北邊，原來林外不遠就是一條茫茫的大河，河中已有幾隻很大的船隻，船上已有許多車馬，往北岸去渡了，玉嬌龍就不由得說：「哎呀！他們已經走了！」

於是趕緊回到林中，將馬背上的包袱打開，見其中卻是兩身官服，三身便服，兩雙靴子，都是她大哥的，她就想：「我的身量跟我大哥高矮差不多，穿上他的衣裳也許合適。」於是她就坐在馬背上，將自己身上的又濕又髒的衣裳完全脫下，換上了她大哥的一身便服，是一件藏青羽毛紗的大褂，外罩青緞馬褂，裏邊可沒有什麼襯衣，寶藍洋縐褲子，這身衣裳長雖然不算很長，可是肥大的很，尤其是這雙靴子，太大了！她就將一身官服用劍割碎，在光着的腳上裹了許多綢緞的條子，這才登上靴子。然後她將包袱在馬背上綁好，寶劍藏在包袱底下，她就解開了馬，走出樹林再向河那邊望去，只見她大哥的那些車馬已然全都渡過去了。她就飛馬來到河邊，點手招喚渡船。那使擺渡的一看她穿的這身新衣裳，又是官靴，以為她是丟在後邊的官人，跟前面那幾輛官車是一起的。便把船攏岸，叫她連馬上了船，就篙聲波影渡到了北岸，也沒跟她要錢。玉嬌龍一登岸上，她就上了馬，但她因見前面的官車走出不遠，所以她並不急急地去追；反按住馬，就在後面暗暗地跟隨，總不離遠，可也總不捱近。前面的官車在路上停住了打尖，她就也駐馬用飯了，但決不在一處。前面的官車到晚間投入了店房了，她也必要跟隨混入；可是覓單間，不使人注意到她的形蹤，深夜內她可又提劍出屋在長兄嫂行台附近巡邏。

如此連行數日，這天中午時候，眼前就看見了巍巍然的京城。玉嬌龍不由得一陣心痛，看見哥哥的官車一直趕往城裏去了，她卻黯然地先在關廂中找了一個小店，將馬寄起。並捱延着時間，好容易盼到天色快要黑了，她這才潛身混進了城門。此時滿天紫霞，城樓上鴉羣亂噪，大街上人往車來，還是那般熱鬧。她卻心情惆悵，愴然欲哭！離京才一月，但竟如同經過了幾十年。

玉嬌龍來到京城第一個去處就是到西河沿一個小門前，先去敲門，連敲了許多下，聽裏到面有婦人聲音道：「喂！喂！找誰呀？」玉嬌龍隔門縫悄聲說：「是我！你快開門！」裏邊說：「你是誰呀？你有名姓沒有？我男人沒在家，院子裏就是我一個，知道你是幹什麼的呀？我就給你開門。」玉嬌龍在外面說：「魏三嫂你快開門！我姓龍，上月我是從你們這兒走的，我現在來拿衣裳啦！」裏面一聽，突然半天沒人言語，也沒有動靜。玉嬌龍把門又敲了兩下，紅臉魏三的老婆才把門開開，玉嬌龍跳進院，隨手把門關上，就往屋裏直走。

到了屋裏，那老婆隨着進來，把嘴一撇，笑着問說：「你怎麼又回來啦？跑了一趟哪兒呀？」玉嬌龍坐在炕頭，劍就放在身邊，喘了喘氣，問說：「你男人怎麼沒有在家？」老婆說：「這些日晚上他都不在家，天天到鏢店去賭錢，把我的褲子都快輸出去了。」玉嬌龍又問說：「北京城近日沒有什麼事嗎？」老婆說：「事兒可是天天有，這麼多少萬萬人，爭名圖利，好酒尋花，哭的笑的，誰家誰人沒有點兒事？」說着給玉嬌龍斟過一碗茶來，玉嬌龍說：「我問的是：城裏現在有什麼新奇的事沒有？」老婆說：「新奇的事這些日子可少了，就是順天府丞魯翰林娶的那位奶奶，到現在還是不能夠出屋見人，聽說是衝撞了狐貍精，還有……讓我來想一想？」

這老婆很健壯的身子倚着一隻立櫃，拿手摳了摳頭髮，就說：「再沒有什麼事情了！我男的不常回家，我又不出門，前門城樓子要是塌了的話我也不知道！」露出黑牙笑一笑，又說：「到底怎麼樣？外頭的買賣好作不好作？我男的現在連賭帶花，在外掏了許多虧空；昨天他又手癢了，他想要到外邊混混去。咱們搭伙好不好？」玉嬌龍緊皺着眉，搖頭說：「你們不知道！我跟你們不是一類的人，我馬在城外店裏，我在那兒住着不便，我想在你這兒借住兩天。這兩天不要叫你男人回來，今天，明天，後天我就要走了。」老婆說：「這不算什麼的，全是朋友，又不是一天半天的交情啦，別說你只在這兒暫住，就是住個兩月半年，準保吃喝一頓也不能缺，我男人——紅臉魏三那王八蛋，他更樂啦，他在鏢店裏一住，更沒有管主啦！」

玉嬌龍點點頭隨着又長歎了口氣，老婆問說：「你吃了晚飯沒有？可別客氣！」玉嬌龍搖頭說：「我沒吃飯，可是我不想吃！」她打了個呵欠，因為這些日她所遇的盡是些驚險、爭鬥、勞碌，如同是一個自戰場歸來的勇士，雖然心猶有餘，猶可以振作；但力氣是有點不足了，恨不得即時就睡一個覺才好。但隔城宅中就臥着病重的母親，自己哪能一刻坐立得安？哪能睡得着覺？只盼這時天再黑些，更鑼再多多敲幾下才好。

她連聲地歎氣，默默地坐了些時；魏三的老婆跟她說了許多話，並要跟她摸牌玩，她卻一句話也不回答，心情愁惱極了！又過了些時，她就翹起腳來把靴子脫了，將裏腳用的那些綢緞條子重新裹了裹；又跟魏三老婆借了一件深藍色布的小褂穿上，將褲腳也繫緊，辮髮盤在頭上。那老婆在旁笑着說：「我的姑奶奶，您這是什麼個打扮呀？這要叫人瞧見？」玉嬌龍說：「少說話！我去一會就回來。千萬記住，別跟旁人說，我到這裏來了！」老婆說：「咱們這些日的交情啦，我們又不是第一回給你辦事，你難道還不放心嗎？」玉嬌龍冷笑說：「我有什麼不放心？出了事，你們也好不了。我雖然也闖蕩江湖，可是我的手下沒有案，你們，尤其是你的男人，他的底我全都知道。」老婆臉色變了變，雙手一齊擺着，說：「話既然說到這兒，也不必再往下說了，你要辦什麼事，就快點請吧！可是，要小心一點！現在不似前些日。」玉嬌龍驚問說：「怎麼？」老婆悄聲說了四個字，是「處處風緊」！

玉嬌龍卻不在意，提劍出屋，就見天空星月茫茫；悄悄趴上牆頭，向下一看，巷中已無人行走。她就翻過牆來，貼着牆根疾疾地走，就來到城牆。她將劍插在背後，然後用雙手摳着城磚，如個壁虎似的很快地向上去爬。遇着有斜生於磚縫之中的松棗樹，她就拔攀着，用力向上去躥；少時她的雙手就揪住了城垛口，一翻身就上了馬道。

城上淒涼得如一片沙漠，斜月下照，她的影子澹澹地在地上浮動，此地的風很涼。她先坐在垛口上又歇憩了一會，就依舊摳着城牆，向下去爬，就進了內城。於是她就穿越着曲折狹窄的小巷，避着悠悠的子時更聲，走多時她才來到鼓樓迤西；她不由得心裏一陣發疼，眼睛有些發酸了。大門前槐樹的枝葉蔽住了天上的星光，月光不知怎會透進了林中，將淡青的顏色在朱門上抹了一筆，朱門如同是山中的一座古廟，蕭索荒涼。她飛身上房，踏着屋瓦，很迅速地，但是無聲地就走到了她的後院。先一眼就看見了各房中盡皆黑暗無燈，只有北屋她母親所住的裏間，紗窗上浮着一層極淺的嫣紅色。她曉得那是她母親牀前的一隻燈座上有個帶「福」字的銀燭台，點着那紅色的為不傷目光的羊油蠟燭了；然而這種光色愁黯得很，有如她心情一樣。

她輕輕地跳下房，腳底下覺得酸軟極了；有一種什麼東西不自禁的由眼眶裏爬出，爬到她的嘴角，浸入唇中有些苦味；她幾乎要悲哽出來，但極力忍抑着，慢慢地走到屋門前。試探了一下，覺得門從裏邊關插得很緊，她先彎腰——然而這一彎腰心都像擠碎了！她輕輕地將寶劍平放在窗前的石階上，伸着手指從裏面去啟門；她對於這種偷偷啟門，向來有一種精深敏捷的技術。然而，如今到了自己家裏了，她反倒畏懼了，十個手指不住地亂顫！半天，還發出一些聲音來，這才將屋門啟開。

她側着身，如同牆上的月影似的那麼極慢地移動；她覺出外屋是睡着一個人，這人像睡得正酣。她腳步又微微快了些，飄然地啟簾直進裏屋，一股藥味直鑽入她的鼻裏；紅燭的光在她的眼前一迸，她覺着眼珠有許多瑩瑩亂轉的液體，看室中的一切東西全都繚亂。她疾忙用袖子擦了，蹲下身，慢慢地蹭到靠後牆的綠幔帳之前；她用手徐徐地撩開，燭光就投進帳內。紫色的緞被，紅色的枕頭，枕上有垂着蒼白頭髮，臉上皺紋似愈多，目闔口閉的她的母親！她心裏叫了一聲：「母親！」愴痛地將手摸住了她母親的臉，覺得很熱，她的心裏一驚！玉太太重重地喘了口氣。她疾忙將手縮回，趴伏在牀下，她的淚一滴一點全都流到地下的方磚上；然後慢慢地又直起腰來，聽母親呻吟一聲：「哎呀！……」翻了個身臉朝裏去了。她用帳角擦擦眼淚，跪着，把雙手搭在她母親的被上，全身又不禁一陣劇烈的抽噎。忽然聽她母親說：「快把水拿來吧！錢媽！」玉嬌龍疾忙拿帳子遮住自己的身子，輕輕地帶着悲聲答應了一下，然後將幔帳掩好。疾忙地來到桌旁去拿藤編的暖壺，倒了一茶杯釅茶；又輕輕地走到牀前，用幔帳遮着自己的身，卻略略扶起母親的頭。她餵了母親幾口水，她的淚仍簌簌地不住的流，希望叫母親睜眼看看自己；可是玉太太的眼睛並未睜開，喝完了水又重重地喘了幾口氣，就又翻身向裏，並且呻吟了一聲：「龍兒啊！咳！……」

玉嬌龍把臉貼在被褥上，一會，就覺得她母親已經睡熟了。她流了許多眼淚，心中旋了多次，就將幔帳平平地閉上。碗仍放還原處，輕輕地退身出屋；到門外，將屋門掩好，卻又不放心，重新進屋來，將在外屋支鋪酣睡的錢媽重重推了兩下。錢媽驚醒，坐起來問了聲：「是誰？」

玉嬌龍一聲不語，疾快地出屋，拾起寶劍飛身上房。越過了西房後的那所花園，心中益發悲痛，忍了一忍，越牆而出，便下了高坡；回首又看了一眼，只見樹影鬱然，月色愈晦。她往西一直走去，才走不遠，見眼前走着一個人忽然躺在地上了，把她嚇了一跳！疾忙閃在一邊，手橫寶劍。但是這個人忽又爬起來了，歪歪斜斜地走着，玉嬌龍想着這人是個醉鬼，大概是醉糊塗了，回不了家啦！便沒有介意，穿越着小巷緊緊往南去走。可是她覺得吃力極了，因為心中既悲，身體也極疲憊，頭也覺着昏沉，就想：「回到紅臉魏三家裏，好好休息一兩天，然後置幾件衣褲鞋襪，再於夜間看看母親的病情，就還是走吧！或是到柳河村祝家會着繡香一同南下——往新疆去找舊時的女友美霞也好，或是索性往巨鹿去重戰李慕白與俞秀蓮！」

她走了多時，才到了前門的城牆根，就在地上坐着歇息了一會，幾乎要睡着了。打了一個冷戰，聽長巷中的更鼓已敲過四下；天際烏雲遮住了黯月，順着城牆掃過來一陣陣的涼風。玉嬌龍就站起來一振勇氣，爬過了城牆；疾疾地走到了西河沿，來至紅臉魏三的家門前。越牆進去，就見那屋中已沒有了燈光，她手中持劍進到屋中，摸着了取火之物點上了燈。就見屋中另支了一份牀鋪，上面鋪着一份褥枕，是為她預備的。原來的炕上卻是那紅臉魏三的老婆，掩被睡得正香，還露出一隻很胖的胳膊來，簡直跟一隻豬似的。玉嬌龍心想：「這家人倒還誠實，他們也是畏懼自己的武藝吧？」不由連打了兩個呵欠，吹滅了燈，倒在牀上。臂壓着寶劍，又流了兩行眼淚，便不知不覺地沉沉睡去。可是，夢見着母親忽然病死了！她看着衣裳不住地哭。又覺着是羅小虎突然自暗中撲出來，用臂將自己緊緊抱住，自己罵他：「可恨！不成材！」羅小虎只是笑着，兩臂如鐵箍似的將自己的身子箍的很痛，氣也喘不過來。她不禁大嚷了一聲：「快放開我！」

忽然驚醒，原來實在是有人按住自己，已用繩子捆住了自己的手腿，她驚極了！翻身要起，但哪裏翻得起來？按住自己的又不像是一個人，全都力氣很大，玉嬌龍嚷一聲：「你們敢！」但那身上的綁繩越繞越多，越捆越緊，捆她的這兩人全都氣喘吁吁，玉嬌龍就咬牙：「紅臉魏三你王八蛋！想害我，我死了你也不能活，我被交官你也跑不了！」那紅臉魏三卻發出來獰笑，說：「我倒是不怕了！告訴你吧，我們今天是奉官捕你！」玉嬌龍嚷嚷說：「我不是強盜，我是玉……你以為捉我到官我就怕嗎？」紅臉魏三說：「因為你不怕，我們才捉你，因為你是玉嬌龍我們才把你上捆繩。乖乖地吧，讓我們把你送個好地方去。」玉嬌龍啐一聲：「啐！」嘴裏碰着個什麼東西，她用牙就咬，只聽那魏老婆「媽呀！」的一聲怪叫，疼得直吸氣，並說：「噯喲！

噯喲！噯喲……」紅臉魏三回手把燈點上，露出他們夫婦每人一張又紅又黑的臉；但是都喘吁吁，那魏老婆的肥肉上滿流着汗。

玉嬌龍見自己的雙臂已被倒捆在背後，渾身上下亂繞着很粗的繩子直纏到腳根，而青冥劍就斜躺在牀角。玉嬌龍全身用力把身上的綁繩想去挨着那劍鋒給磨斷，紅臉魏三慌忙過來抽劍；玉嬌龍狠狠地用力，一隻左腳已然掙出，咚的一聲將紅臉魏三踹得滾在地下，寶劍也鐺鎯一聲落下了牀。玉嬌龍身子一挺，獨腿向下一跳，那魏老婆卻撲過來緊緊地把她抱住。玉嬌龍把頭向魏老婆的臉上一撞，又咚的一聲，正撞在魏老婆的眼睛上。這老婆又怪叫一聲，但是兩隻胖胳臂緊緊抱住了玉嬌龍的細身子死也不放；此時那紅臉魏三又將玉嬌龍的雙腿緊緊地纏住，多加了幾條繩子——原來他們那隻櫃裏繩子早已預備下了很多。

此時窗外似乎有車輛咕嚕嚕地一陣響，驟然又停住了。紅臉魏三就說：「來啦！」他趕緊跑出去開門，這裏玉嬌龍被魏老婆平放在地下，她知道掙扎是無用了！就瞪大了眼睛問說：「快說！你們是安的什麼主意？打算把我交到什麼地方？告訴你們，你們若想還活，就趁早放開我！」正說着，外面又進來了三個人，都很匆忙地抬起來玉嬌龍往屋外就走。玉嬌龍的身子直挺，大聲嚷嚷：「你們是強盜！快放開我！」這幾個人全都一句話也不答，就直把她往外抬。抬出街門，外面就橫停着一輛棚子車，玉嬌龍嚷嚷說：「你們搶人！」忽然一塊手巾堵在她的嘴裏，她只哼哼着，被塞進車裏，還有人說：「慢慢地！」

一言未了，忽然由車底下鑽出來一人，這人說：「慢慢地？你們就先都慢慢着走吧！到底你們吃了什麼狗熊肝、老虎膽，敢來私劫正堂大人的千金？」他的話才說完，有個人把他向旁一拉，說：「你看看這個？」這由車底鑽出的人一看——這時天已快亮了——此人手中的東西很能看清楚；原來是衙門裏的人才有的，上面蓋着火印的腰牌。這個想打不平的人就不禁驚訝說：「啊！你們哥幾個原來是官人？」官人把腰牌別在腰上，就說：「你知道了就得啦！我們這是差事。你少管！你今兒怎麼樣？撈着點了沒有？天快亮了，快走吧！以後你小子留點兒神，想去上誰家撈的時候，先得提防點我！」順勢一腿，那人卻早溜開了，還說了聲：「得！我走！謝謝諸位抬手！」

這裏玉嬌龍躺在車裏，她氣極了，悲痛極了！九華全書上所有的武藝，到全身被綁的此刻一點也拿不出來了。車簾已放下，車窗外的話她卻聽得清清楚楚，只聽是：「那傢伙是個幹什麼的？」「還不是小賊，他打算攔住咱們他沾點油水，他瞎了眼啦！」「應該把他也抓住！」又聽魏三說：「值不得！那……」又有一人不耐煩地回答他說：「你放心吧！怎麼說一定就怎麼算，還能坑了你？你只把嘴堵嚴些，脖子縮到蓋子裏就得啦！」車動了，車輪響着，也不知是向哪裏走去。

少時車窗上已發現了曙光，曙光漸漸伸展；晨風順城根飄。正陽門的門洞開了，有許多人出入，其中有一個人，就是剛才從那車底鑽出被認為是小賊的人。他混進城來倉倉慌慌直往東城去走；東城，朝陽已照到了各個大小胡同；三條胡同德家，雙門仍然緊閉，旁邊的車門更似久已不開。這個人直到正門去扣鋼環，少時，裏面有人把門開開，出來的人吃了一驚，接着又笑說：「喝！劉二爺！今天您怎麼早……」這個劉二爺就說：「早？我還覺得晚呢，一夜我也沒睡！五爺起來了沒有？就說一朵蓮花找他有事相談！」說着，進到門裏，隨手半閉了大門，還抱起來一塊石頭咕咚一聲頂上。然後喘了喘氣，滿臉是汗，嘴上新留的小鬍子都像掛着許多水珠。

這僕人是德家的壽兒，他知道劉泰保這些日時常晚上來見五爺，但白天他從來沒露過，他如同是個耗子。可是今天居然一早就來到，壽兒遂悄聲說：「您上書房坐一會去吧！我去回一聲，我們老爺大概是還沒起來呢！」他遂就進裏院去了。

這裏劉泰保自己進了書房，就往牀上一躺，半天，德嘯峯才進屋去，當時就悄聲問說：「有什麼事？」劉泰保趕緊坐起身來，拿手向空中指點，半歎息着說：「大糟而又特糟了！怪事裏又出怪事！」壽兒把熱茶送到他的近前，德嘯峯點着了水煙，壽兒又出去了。

劉泰保這才跑到德嘯峯的近前，說：「五哥你不是說玉嬌龍這些日病不見人有些可疑嗎？我就天天夜裏到玉宅的高坡前去蹲着，我想無論玉嬌龍是藏在魯宅，躲避羅小虎；或是她已然離開了北京，反正她早晚是要回娘家的。尤其這幾天玉太太病得要嗚呼，她大哥二哥都回來了；她在別處聽了信，還不心動？還不來個深夜探母嗎？果然不出我所料，昨夜子時之後，我就看見玉宅院中飛出來一條黑影！那身子，那細腰兒，那手中閃閃的劍光，除小狐貍玉嬌龍沒有二份兒。那傢伙的眼睛真厲害！一下子就被她瞧見啦！我趕緊裝了個醉鬼，又因天黑月黯離着遠，她也看不出來我的模樣，就算把她矇過去了。我見她一直往南走，我就遠遠地在後跟隨着。玉嬌龍那麼神出鬼沒的人，昨天可不知她有什麼心事，走路像沒勁兒的樣子！後來她走到前門城根，就坐在地下歇着，我就早爬上城去了。等她上了又下去，我早過了城牆，藏在她的前頭啦。我跟螃蟹似的，橫着走道兒，眼睛瞪着她，就瞧她進了西河沿一家小門。這家子我認識，是鏢行裏的一個小混混，名叫紅臉魏三；他的老婆叫大母驢，兩口子都有兩膀子力氣，在京城雖也住了幾年了，可是他們的來歷真有點測不透。我看玉嬌龍進了去，我爬上牆頭，一看屋裏通黑，我又不敢進去，害怕她那小箭。在門口蹲了半天，我就要到全興鏢店去找兩夥計幫助我；不想才走到珠寶市就遇見一輛騾車，那時就四更多天了。騾車又沒帶着燈，我就覺得怪，疾忙折回來，跟在車屁股後面。不料這輛車正停在魏家的門首，裏邊可就有人嚷起來，又尖又細聲音又急，我想多半是玉嬌龍，車上的幾個人都進去了。我乘着趕車的跑到一旁去解手，我就爬在車底下觀看動靜。待了一會，果見他們抬出來一人正是玉嬌龍，身上的那繩捆得很緊，連口都被人堵住了。」

德嘯峯聽到這裏，神色漸變，讓水煙自然的燒着，他的眼神發了呆。又聽劉泰保說：「那時我很詫異，我想玉嬌龍的本領多麼高強！我費了一小年的力對付她，一次也沒得過手，如今這幾個傢伙是哪一路來的好漢？玉嬌龍怎會招惱了他們？他們把人捆上車去運走，是要往哪裏去呢？我就鑽出車去想要嚇他們一下，不料……」德嘯峯仰起臉來問：「這幾個人到底是幹什麼？」劉泰保用兩個指頭一拍桌子，悄聲說：「他們掏出腰牌來了！我一看是官人，我就連頭也不敢抬，車也不敢追，我趕緊回身就走。他們還以為我是個小偷，可是我沒敢爭辯，我就來啦！」

德嘯峯聽了這一席話，他就擺了擺手，不叫劉泰保再說了。劉泰保搬了個小凳兒，就坐在德嘯峯的斜對面，他喝完了一碗茶，又自己斟着茶喝。德嘯峯就納悶地說：「不要是假冒官人吧！玉魯兩宅既然把事情瞞了這許多日，直到現在多半的人還都相信玉嬌龍是受驚中邪，她的新屋至今還四周蒙着紅布。除了一個僕婦、兩個丫鬟，誰都不能進屋。今天延僧，明天清道，燒紙焚香，可見他們兩家盡力不使此事鬧穿，哪能又有官人將她捕去的道理？果然押在監裏是問罪，還是放呢，何況這件事一定要傳出去，他們兩家誰能吃得住？」

劉泰保說：「不過官人可一點不假，腰牌上的火印清清楚楚。」德嘯峯問說：「你沒看明白他們是什麼衙門的嗎？」劉泰保說：「當時我哪敢多問，我不認識他們，他們可許認識我，我雖留了鬍子，可是沒有改鼻子。自從我回到城裏來，多少日子，白天我就不敢露面。這幾天還好一點，前些日，天天提督衙門跟順天府的差官，到我家裏去盤問。要不是您弟妹她的口齒伶俐，早就被他們把底盤看出來啦！我覺得這是小事沒跟您說！」

德嘯峯又沉思了一些時，就說：「或者是南城御史派人幹的事。南城蕭御史是魯君佩的同年，聽說非常恨玉大人教女不嚴。尤其，他是風陽府的人，家裏還有族人；大概被玉大少爺給得罪過，所以要官報私仇。昨天玉大少爺攜眷來京探母，他就要出這個手腕來！」劉泰保說：「不過這個手腕也太辣啦！我想他們許是買通了魏三，安排羅網，決不是一天半天了。玉嬌龍也不是傻子，又有那身神出鬼沒的功夫，她居然會上了這個大當！」德嘯峯歎息說：「一個女子，究竟能有多大的能為？」劉泰保說：「咱們哥兒們現在怎樣辦才好呀？」德嘯峯說：「這件事，咱們能有什麼辦法？待會兒，我先派人去打聽打聽，如果知曉玉嬌龍是被押在哪個衙門裏。他們若再不願將案擴大，我可以出頭調停調停；若是人家照着公事辦，不顧玉魯兩府的顏面，我們可就一點辦法沒有！」

劉泰保說：「五哥！據您猜想，他們能把玉嬌龍治成什麼罪名？並不是我關心她，她要捉住了，我倒可以出頭了。只是我們那位羅兄弟，虎爺，他要是知道了這件事得把他急瘋了。他能當時就提着劍去闖官衙的大門！」德嘯峯連連擺手，說：「千萬不可告訴他！闖出事來，大家都要受累。目前我們為難的事不是她的事；我想無論哪處衙門，捉住了玉嬌龍，縱不能放了她，也不會將案子問大了！只是你那個朋友和我的這兒媳，他們兄妹真難辦！只好暫等些日，等候俞秀蓮來了再說！」劉泰保說：「我的五哥！俞秀蓮來了，無論是勸您的兒媳婦別出門，或是幫助您的兒媳婦去河南報仇，那都好說。只是，我現在看守的那位虎爺，真真難辦！他死認定玉嬌龍是被魯君佩給害死了，他立誓非殺了魯君佩不可？他說：『先報妻仇，後報父母之仇』。您說怎麼辦？俞秀蓮來了也攔不住他呀！」德嘯峯皺了皺眉，說：「你先設法攔住他，只要俞秀蓮來京，我可以叫他們兄妹去往河南。今天晚間我把打聽出來的事告訴健堂，叫他再去告訴他，這幾日你就暫且別到我這裏來了。」

劉泰保連聲答應，當下告辭，出了門還東瞧西望。到了大街看見一輛空轎車，他就雇上了；雇到德勝門，在車上他放下車簾，臥車裏假裝睡覺。及至大約快到了的時候，他方才爬起來，趴着車的紗窗向外一看，他就說：「好啦！停住吧！」他給了車錢，跳下車就往西走，就到了積水潭淨業湖。這時湖中碧波蕩漾，岸上柳絲倒垂，他就一直進了北邊的一堵破磚牆；荊棘紮成的扉，這裏原來就是蔡湘妹和她父親蔡九的故居，現在是被劉泰保給租下了。

他一進這屋子，就聞見一股腳氣臭，花牛兒李成、歪頭彭九，還有兩個流氓，都光着腳丫，盤膝坐在炕上壓寶。頭髮跟鬍子又長得很長的羅小虎，是坐在一個炕角，拿着一把小刀正在削竹子呢！眼前一大堆又短又細的竹子，削了一大片竹皮。劉泰保就指着他說：「你還弄這個！」旁邊花牛兒李成說：「給他買點竹子叫他整天的削，他還老實點，要不然我可看不住。一個大活人，你不准他出門兒哪成？」忽然羅小虎皺眉凝眼地問：「今天外面有什麼風聲沒有？」

劉泰保一時興奮，說：「今天外面的風聲可大得很！……」說出這句話，卻又非常後悔，羅小虎要站起來的樣子，問說：「什麼事？」彭九李成等人也停了賭，一齊扭頭，都將眼睛瞪在劉泰保的身上。劉泰保卻淡然一笑，說：「街上不過官人比往日多，不知要過什麼大差事……」說到這兒，又怕羅小虎生氣，遂改口說：「一定是什麼大官要晉京。」羅小虎說：「管他作甚？」把眼睛縮小了，照舊的削竹子，越削越使力，幾乎劃破了手。

忽然他又長長歎了口氣，握起拳來，李成趕緊攔阻他，說：「喂！虎爺！您可別再唱您那梆子腔啦！」羅小虎搖頭說：「我不唱！」他往炕上挪動着，愁悶地向劉泰保說：「你勸勸德五爺，就叫他的兒媳婦走吧！楊麗芳既有那身武藝，為什麼不趕緊去為父母報仇？姓賀的又不是什麼江湖的英雄、刀馬的好漢！一個指頭也可以戳破了他，德五爺為什麼不放心？」劉泰保把桌上剩下的一些酒肉，拿起來吃着喝着，說：「德五爺不怕兒媳婦的武藝不夠，是怕路上孤單。等到俞秀蓮一來，他也就叫她走了！」羅小虎搖頭，歎着氣說：「自己的父母大仇，何必叫別人幫助，才去報？」

劉泰保突然挺起胸來說：「你這話不對！你不能責備一個已經作了人家兒媳的女子。據你所說，她的父母也就是你的父母；你這大的漢子，武當山的高徒，新疆沙漠裏馳名的半天雲羅小虎，你為什麼自己不去報仇？要是我，我早就騎上馬離開北京了！」羅小虎歎氣說：「你說的對！我也不是並無此心，可是我渾身沒那股力氣！」旁邊一邊搖着寶盒，一邊扭臉的李成說：「大概你這一身虎力都叫龍給吸去啦？」羅小虎點頭歎息，說：「真是！此刻若為玉嬌龍的事，我能立時跳起來跟幾千幾百人拚命，但別的事我是一點也辦不了！」李成笑着說：「你許是魂丟啦？」羅小虎垂頭不語。

劉泰保頓腳說：「怪事！我一朵蓮花行走江湖多年，也沒看見過你這樣的人！誰沒見過娘兒們，要都像這樣，好漢子都得拴在娘兒們的褲腰帶上啦？」李成笑着說：「喂！可別說！你倒別怪咱虎爺，玉嬌龍實在跟別的娘兒們不同。我是沒那豔福，要不然，譬如說，我這花牛兒也爬過沙漠，聞過她一點龍味；她如今拋了我，我也得丟丟小魂兒！」彭九推了他一下說：「你還有魂，快開寶吧！」李成把寶盒子使力按着，驀然大吼一聲「開！」

忽然外面進來一人，說：「開什麼？好戲又快開台了！」進屋來的是禿頭鷹，劉泰保曉得他的耳風長，如今前來必有所聞；萬一他把那件事說露，羅小虎立時就許瘋狂。他遂仰面一把，扭住禿頭鷹的繡花大襟，點手說：「老禿你這兒來！我有兩句話要跟你說！」

禿頭鷹卻站住身不走，聞了一把鼻煙，擺擺手說：「別這樣鬼鬼祟祟，我今天來沒有別的事，是劉二嫂子叫我來找你。她說你昨晚上沒回家，她不放心，才託我來看看。還有一件事，二嫂子真有能耐，不怪是班頭的女兒，江湖上長大了的。她天天跟鄰居李家的娘兒們摸牌，李家娘兒們的親胞兄就是魯家的廚子頭兒，她打聽得清清楚楚。玉嬌龍實在是在娶的那天逃走了，有個陪房丫頭現在還不能起牀，不能說話，多半是中了點穴。玉嬌龍實在是跑啦！兩家花了多少錢買住人的嘴，新房四周掛紅布，無論誰也不准進屋看病人，那全是蒙人。」劉泰保說：「莫不成魯胖子就願意終身打這暗光棍？擺個枕頭當媳婦？」禿頭鷹說：「他有什麼法子？玉宅託至親好友求得厲害，同時他還盼望萬一能再找着玉嬌龍呢！可是聽說玉宅派出找小姐的人不少，還有人往新疆去，就是至今還沒有下落。」

羅小虎在旁生氣說：「我決不信，玉嬌龍哪能逃？她眼裏看見的就是官，無論多好的漢子，不作官她就瞧不起，賴漢子……」他的話沒說完，劉泰保就趕緊質問一句，說：「你這話是以為玉嬌龍早就跟魯胖子成了夫妻嗎？為怕你攪亂，才裝病，才不出門不見人？」禿頭鷹笑着說：「人家犯得上這麼辦？」劉泰保頓腳說：「假定是真！可是鐵貝勒的寶劍又是誰給盜去的？」羅小虎說：「那是另一人，還許是你呢？」劉泰保說：「我？我要有玉嬌龍那份本事，如今不至混成這樣。乾脆一句話說，千真萬確玉嬌龍早已離開了京師，你是好漢應當上外省找去，別在這兒死膩！」羅小虎說：「我不是死膩，是你們不放我出門！」劉泰保說：「我放你出了門，去殺死了順天府丞，我的腦瓢也得掉。誰不知那天是我把你放走了的？誰不知咱們是一夥？何況我又受德五爺之託？」

羅小虎暴躁起來說：「這要急死我，無論你們怎麼說，再過三五天，我這幾十支箭做好了，你們誰攔阻我也不行！」劉泰保微微冷笑說：「你老哥的那箭，簡直還不如我媳婦的繡花針，連轎圍子都射不穿！那有什麼用？至多了能嚇嚇麻雀。」羅小虎頓腳說：「到時候你們看吧！我羅小虎此次再撞出事來準保一人作一人當，誰也不能連累。可是誰要救我，救了我比在監獄裏還看得嚴，我也罵誰！」

劉泰保微微笑着，禿頭鷹要過去跟那李成等人賭錢，被劉泰保使了個眼色。他就笑一笑，喝了一碗茶，聞了幾把鼻煙，然後他先走出屋去，劉泰保隨着他也走出去。羅小虎瞪了他們一下，便仍坐在炕上去削竹子。

待會兒劉泰保回來，找了個炕邊就躺下睡覺，羅小虎削下的竹皮子都飛在他的臉上，他也不覺。及至他醒來，歪頭彭九剛從外面買來了烙餅、醬肉、燒酒。劉泰保跟着吃喝了一頓，就倒身又睡。直睡到天黑，他醒來，那幾個人又在吃晚飯。彭九吃完了，抹抹嘴就要回南城，羅小虎還囑咐他說：「你路過那鐵鋪的時候，催催他們把我那一百個箭頭子打得快點，若是不快或一百個新箭頭沒有我那舊箭頭三個大，我可就不要！」歪頭彭九連連答應，劉泰保說：「咱們倆人一塊走，我也要出南城。」羅小虎還衝着彭九的身後說：「四天，你要把箭頭送不來，哼！咱們再說！」彭九回頭說：「曖喲虎爺！你得講理呀？鐵匠到時要打不好箭頭子，我有什麼辦法？我又沒學過鐵匠！」劉泰保不容他跟羅小虎多分辯，就把他拉走了。

這裏，來這兒賭錢的那兩個流氓全都贏了錢高高興興地走了；只有花牛兒李成輸了個精光，手裏揉着寶盒子發愁。羅小虎就說：「昨天咱們商量的那事怎麼樣？只要你能給我找一口刀，把我帶到西城魯君佩的門前，你就不用管，我決不能被他們拴住。辦完了事，我找着我那兩個夥計，一定給你五百兩，我有一箱子金銀呢！我那兩個夥計都是忠心於我的，他們決不能拐走。大概他們搬出了那店房，還是住在城裏；只是你們不叫我出門，所以他們找不着我。只要我們見了面，你想跟我借一千，我也有！」

花牛兒李成說：「虎爺！你小點聲音說話！老劉現在就許在窗外偷聽着啦！」羅小虎冷笑了一聲。李成說：「你別笑！你不怕他，我可怕他；招翻了他，他能打我！在北京城我就永遠別吃他飯啦！可是，並不是我貪財，我覺着他們這樣不許你出門，也太不對！」羅小虎忿忿地說：「我是不願意跟劉泰保傷了交情；又因看在德五爺的面上，不能不暫時忍耐。否則你們多少人，也看不住我！」李成說：「我也明白。不過我敢發誓，魯翰林在西城到底住在哪一條街，我真不知道。早先我是用不着打聽他的家，這些日我又淨陪着你，沒有工夫去打聽。再說，現在一個玉正堂，一個魯翰林家，誰要是在街上一說，就有嫌疑。在西城臭皮胡同我倒有個相好的，外號叫大蘿卜。」

羅小虎問說：「是個幹什麼的？」李成說：「是個娘兒們暗混，早先跟我不錯。到她那兒一打聽，不但能知道魯家的住處，還許打聽出來玉嬌龍的真情。可是，大蘿卜的那個門兒是沒錢莫入，我今天又輸了個精光！」羅小虎說：「這不要緊！」伸手往裏衣去掏，他這裏衣，自從那天射轎逃走，被劉泰保帶到這裏之後，就沒有換過洗過。可是他掏出來的是幾張五十兩的銀票，幾粒珊瑚和珍珠。

李成特意點上燈來看，不禁驚疑，咧嘴說：「虎爺！你敢則真有錢？你這財是怎麼發來的呀？」羅小虎說：「我在沙漠裏雖作過半天雲，可是我早就洗了手，這些錢都是販馬賺的。在新疆養馬容易販馬也容易，跟番子們作買賣，賺的不一定是金銀；珊瑚珍珠貓兒眼，全都有。我有一顆貓兒眼擱在屋裏能發光，用不着點燈，我送給朋友啦！將來還可以要回來給你看看。」

李成吐了吐舌頭，說：「是夜明珠吧？虎爺，我說怪不得玉嬌龍以千金小姐之身而肯愛上了你，原來你真有聚寶盆。好！只要有一張銀票，今天就花不了，我先帶你看看大蘿卜去！」於是花牛兒李成就穿上鞋襪，把衣服揪了揪，並摸了摸小辮；羅小虎就吹滅了燈，二人出屋，將門倒鎖，就一同往外走去。

這時天色已黑，可是空間掛着鉤銀色的月亮，千萬縷柳絲搖亂着黑影，有人在對岸吹笛，聲調淒涼，羅小虎不禁長歎了一口氣。

遠景出版事業公司圖書目錄(八)

62所羅門之歌	東尼·莫里森著	
63萬延元年的足球隊	大江健三郎著	
64希尼詩選	席慕·希尼著	
65辛波絲卡詩選	維絲拉娃·辛波絲卡著	
66不付賬	達里奧·福著	
67失明症漫記	若澤·薩拉馬戈著	
68狗年月	君特·格拉斯著	
69		
70		

《諾貝爾文學獎文庫》平裝80鉅冊，定價28,800元

V 林行止作品集

1英倫采風(一)	林行止著	160元
2原富精神	林行止著	240元
3閒讀閒筆	林行止著	240元
4英倫采風(二)	林行止著	160元
5英倫采風(三)	林行止著	160元
6破英立舊	林行止著	240元
7忠黨報港	林行止著	240元
8痼疾初發	林行止著	240元
9如何是好	林行止著	240元
10英倫采風(四)	林行止著	160元
11終成畫餅	林行止著	240元
12本末倒置	林行止著	240元
13通縮初現	林行止著	240元
14藥石亂投	林行止著	240元
15有法無天	林行止著	240元
16墮入錢網	林行止著	240元
17內部腐爛	林行止著	240元
18千年祝福	林行止著	240元
19極度亢奮	林行止著	240元
20王牌在握	林行止著	240元
21破網急墮	林行止著	240元
22主席發火	林行止著	240元

W傳記文庫

1魯賓斯坦自傳（二冊）	楊月蓀譯	900元
2阿嘉莎·克莉絲蒂自傳	陳紹鵬譯	480元
3亨利·魯斯傳	程之行譯	180元
4夏卡爾自傳	黃翰荻譯	240元
5雷諾瓦傳	黃翰荻譯	320元
6拿破崙傳	高語和譯	300元
7甘地傳	許章真譯	400元
8英格麗·褒曼傳	王禎和譯	240元
9鄧肯自傳	詹宏志譯	240元
10華盛頓傳	薛絢譯	240元
11希爾頓自傳	程之行譯	180元
12回首話滄桑—聶魯達回憶錄	林光譯	390元
13回歸本源—賈西亞·馬奎斯傳	卞雙成·胡眞才譯	390元
14韋伯傳（二冊）	李永熾譯	400元
15羅素自傳（三卷）	張國禎譯	840元
16蘇青傳	王一心著	240元
17高斯評傳	易憲容著	240元
18王度廬評傳	徐斯年著	280元
19		
20		

X 林語堂作品集

1生活的藝術	林語堂著	160元
2吾國與吾民	林語堂著	160元
3遠景	林語堂著	140元
4賴柏英	林語堂著	120元
5紅牡丹	林語堂著	180元
6朱門	林語堂著	180元
7風聲鶴唳	林語堂著	180元
8武則天傳	林語堂著	120元
9唐人街	林語堂著	120元
10啼笑皆非	林語堂著	120元
11京華煙雲	林語堂著	360元
12蘇東坡傳	林語堂著	150元
13逃向自由城	林語堂著	160元
14林語堂精摘	林語堂著	160元
15八十自敘	林語堂著	100元
16中國與印度之智慧	林語堂著	600元

Y 倪匡科幻小說集

1老貓	倪匡著	120元
2藍血人	倪匡著	140元
3透明光	倪匡著	120元
4蜂雲	倪匡著	140元
5蠱惑	倪匡著	120元
6屍變	倪匡著	130元
7沉船	倪匡著	140元
8地圖	倪匡著	140元
9不死藥	倪匡著	140元
10支離人	倪匡著	140元
11天外金球	倪匡著	120元
12仙境	倪匡著	130元
13妖火	倪匡著	140元
14訪客	倪匡著	80元
15盡頭	倪匡著	120元
16原子空間	倪匡著	120元
17紅月亮	倪匡著	120元
18換頭記	倪匡著	120元
19環	倪匡著	120元
20鬼子	倪匡著	120元
21大廈	倪匡著	120元
22眼睛	倪匡著	120元
23迷藏	倪匡著	120元
24天書	倪匡著	120元
25玩具	倪匡著	120元
26影子	倪匡著	120元
27無名髮	倪匡著	120元
28黑靈魂	倪匡著	120元
29尋夢	倪匡著	120元
30鑽石花	倪匡著	120元
31連鎖	倪匡著	140元
32後備	倪匡著	120元
33紙猴	倪匡著	150元
34第二種人	倪匡著	120元
35盜墓	倪匡著	120元
36搜靈	倪匡著	120元
37茫點	倪匡著	120元
38神仙	倪匡著	120元
39追龍	倪匡著	120元
40洞天	倪匡著	120元
41活俑	倪匡著	120元
42犀照	倪匡著	120元
43命運	倪匡著	120元
44異寶	倪匡著	120元

Z 熊秉元作品集

1我是體育老師	熊秉元著	240元
2尋找心中那把尺	熊秉元著	240元
3燈塔的故事	熊秉元著	240元
4大家都站著	熊秉元著	240元
5英倫行腳	熊秉元著	240元
6		
7		
8		
9		
10		
11		
12		

遠景出版事業公司圖書目錄(七)

R 史威德作品集

1經濟門楣	史威德著	240元
2經濟家學	史威德著	240元
3投資族譜	史威德著	240元
4一脈相承	史威德著	240元
5投資漫談	史威德著	240元

S 遠景藝術叢書

1要藝術不要命	吳冠中著	240元
2梵谷傳	常濤譯	320元
3夏卡爾自傳	黃翰荻譯	240元
4雷諾瓦傳	黃翰荻譯	320元
5音樂大師與世界名曲	劉璞編著	450元
6樂樂集1	孔在齊著	240元
7樂樂集2	孔在齊著	240元
8鄧肯自傳	詹宏志譯	280元
9魯賓斯坦自傳（二冊）	楊月蓀譯	900元
10我的兒子馬友友	馬盧雅文口述	240元
11水滸人物	黃永玉著	600元
12國際樂壇大師訪問記	梁寶耳著	240元
13笑吧！別忘了感恩	黎智英詩、丁雄泉畫	600元
14樂樂集3	孔在齊著	240元
15樂樂集4	孔在齊著	240元
16莫扎特之魂	趙鑫珊、周玉明著	450元
17貝多芬之魂	趙鑫珊著	550元
18我的貓	丁雄泉著	600元
19攝影藝術散論	莊靈著	280元
20		
21		

T 杜斯妥也夫斯基全集

1窮人	鍾文譯	160元
2死屋手記	耿濟之譯	200元
3被侮辱與被損害者	耿濟之譯	240元
4地下室手記	孟祥森譯	160元
5罪與罰	陳殿興譯	240元
6白痴	耿濟之譯	280元
7永恆的丈夫	孫慶餘譯	180元
8附魔者	孟祥森譯	480元
9少年	耿濟之譯	280元
10卡拉馬佐夫兄弟（二冊）	陳殿興譯	660元
11賭徒	孟祥森譯	180元
12淑女	鍾文譯	120元
13雙重人		
14作家日記		
15書簡		

U 諾貝爾文學獎文庫

1緣起、普魯東詩選	普魯東著	
米赫兒	米斯特拉爾著	
2羅馬史	蒙森著	
3超越人力之外	班生著	
大帆船	葉卻加萊著	
4你往何處去	顯克維支著	
5撒旦頌、基姆	卡度齊、吉卜齡著	
6人生的意義與價值	奧鏗著	
青鳥	海特靈克著	
7尼爾斯的奇遇	拉格洛芙著	
驕傲的姑娘	海才著	
8織工、沉鐘	霍普特曼著	
祭壇佳里	泰戈爾著	
9約翰克利斯朵夫（三冊）	羅曼羅蘭著	
10查理士國王的人馬	海登斯坦著	
奧林帕斯之春	史比德勒著	
11樂士	龐陀彼丹著	
明娜	傑洛拉普著	
12土地的成長	哈姆生著	
13天神們口渴了	法朗士著	
利害牽制	貝納勉特著	
14農夫們（二冊）	雷蒙特著	
15聖女貞德、母親	蕭伯納、德蕾達著	
16葉慈詩選	葉慈著	
創造的進化	柏格森著	
17克麗絲汀的一生（二冊）	溫茜特著	
18布登勃魯克家族（二冊）	湯瑪斯・曼著	
19白璧德	劉易士著	
卡爾菲特詩選	卡爾菲特著	
20密賽特世家（三冊）	高爾斯華綏著	
21鄉村、舊金山一紳士	布寧著	
六個尋找作者的角色	皮藍德婁著	
長夜漫漫路迢迢	奧尼爾著	
22尚・巴華的一生	杜嘉德著	
23大地、兒子們、分家	賽珍珠著	
24聖者的悲哀	西蘭帕著	
荒原	艾略特著	
25玻璃珠遊戲	赫塞著	
26僞幣製造者、窄門	紀德著	
27西瑪蘭短篇小說集	密絲特拉兒著	
柏拉特羅與我	希蒙聶茲著	
28聲音與憤怒、熊	福克納著	
29西洋哲學史（二冊）	羅素著	
30巴拉巴	拉格維斯特著	
苔蕾絲、毒蛇之結	莫里亞克著	
31第二次世界大戰回憶錄	邱吉爾著	
32老人與海、戰地春夢	海明威著	
33獨立之子	拉克斯內斯著	
34墮落、異鄉人、瘟疫	卡繆著	
35齊瓦哥醫生	巴斯特納克著	
36人生非夢、遠征	瓜西莫多、佩斯著	
37德里納河之橋	安德里奇著	
38不滿的冬天、人鼠之間	史坦貝克著	
39阿息涅的國王	謝斐利士著	
嘔吐、牆	沙特著	
40靜靜的頓河（四冊）	蕭洛霍夫著	
41訂婚記	阿格農著	
伊莱	沙克絲著	
42總統先生	阿斯杜里亞斯著	
等待果陀	貝克特著	
43雪國、古都、千羽鶴	川端康成著	
44第一層地獄（二冊）	索忍尼辛著	
45一般之歌	聶魯達著	
九點半的彈子戲	鮑爾著	
46人之樹	懷特著	
47詹生短篇小說選	詹生著	
馬丁遜詩選	馬丁遜著	
孟德雷詩選	孟德雷	
48阿奇正傳	索爾・貝婁著	
亞歷山卓詩選	亞歷山卓著	
49莊園	以撒・辛格著	
50伊利提斯詩選	伊利提斯著	
米洛舒詩選	米洛舒著	
被拯救的舌頭	卡內提著	
51一百年的孤寂	賈西亞・馬奎斯著	
52蒼蠅王、啟蒙之旅	威廉・高定著	
53塞佛特詩選	魯斯拉夫・塞佛特著	
54豪華大酒店	克勞德・西蒙著	
55解釋者	沃爾・索因卡著	
56布洛斯基詩選	約瑟夫・布洛斯基著	
57梅達格胡同	納吉布・馬富茲著	
58巴斯葛・杜亞特家族	卡米羅・荷西・塞拉著	
59孤獨的迷宮	奧塔維奧・帕斯著	
60貴客	娜汀・葛蒂瑪著	
61奧梅羅斯	德里克・瓦爾科特著	

遠景出版事業公司圖書目錄(六)

	12小王子	聖修伯理著	
	13雪地三遊客	埃·凱斯特納著	
	14小人國和大人國	江奈生·斯威夫特著	
	15水孩子	查爾斯·金斯利著	
	16快樂王子集	王爾德著	
	17隱身人·時間機器	威爾斯著	
	18男孩彭羅德的煩惱	布思·塔金頓著	
	19吹牛大王歷險記	拉斯伯著	
	20王子與貧兒	馬克·吐溫著	
	21卡爾盧什卡的戲法	班台萊耶夫著	
	22海蒂	約翰娜·施皮里著	
	23莫吐兒	蕭洛姆·阿萊赫姆著	
	24醜八怪	熱列茲尼科夫著	
	25早來的鶴	艾特瑪托夫著	
	26秘密花園	弗朗西絲·伯內特著	
	27勇敢的船長	吉卜林著	
	28白比姆黑耳朵	特羅耶波利斯基著	
	29盲音樂家	柯羅連科著	
	30綠山牆的安妮	露西·蒙哥瑪利著	

P 柯賴二氏探案（賈德諾著）

	1來勢洶洶	周辛南譯	180元
	2招財進寶	周辛南譯	180元
	3雙倍利市	周辛南譯	180元
	4全神貫注	周辛南譯	180元
	5財源滾滾	周辛南譯	180元
	6失靈妙計	周辛南譯	180元
	7面面俱到	周辛南譯	180元
	8不是不報	周辛南譯	180元
	9一髮千鈞	周辛南譯	180元
	10因禍得福	周辛南譯	180元
	11一目了然	周辛南譯	180元
	12驚險萬狀	周辛南譯	180元
	13一波三折	周辛南譯	180元
	14馬失前蹄	周辛南譯	180元
	15網開一面	周辛南譯	180元
	16峰迴路轉	周辛南譯	180元
	17詭計多端	周辛南譯	180元
	18自求多福	周辛南譯	180元
	19一誤再誤	周辛南譯	180元
	20禍福無門	周辛南譯	180元

Q 阿嘉莎·克莉絲蒂探案（三毛主編）

	1A.B.C謀殺案	宋碧雲譯	180元
	2加勒比海島謀殺案	楊月蓀譯	180元
	3東方快車謀殺案	楊月蓀譯	180元
	4鏡子魔術	宋碧雲譯	180元
	5魔手	張艾茜譯	180元
	6第三個女郎	楊月蓀譯	180元
	7諜海	陳紹鵬譯	180元
	8此夜綿綿	黃文範譯	180元
	9不祥的宴會	陳紹鵬譯	180元
	10鐘	張伯權譯	180元
	11謀殺啓事	張艾茜譯	180元
	12死亡約會	李永熾譯	180元
	13葬禮之後	張國禎譯	180元
	14白馬酒店	張艾茜譯	180元
	15褐衣男子	張國禎譯	180元
	16萬靈節之死	張國禎譯	180元
	17鴿群裡的貓	張國禎譯	180元
	18高爾夫球場命案	宋碧雲譯	180元
	19尼羅河謀殺案	林秋蘭譯	180元
	20艷陽下的謀殺案	景翔譯	180元
	21死灰復燃	張國禎譯	180元
	22零時	張國禎譯	180元
	23畸形屋	張國禎譯	180元
	24四大魔頭	陳惠華譯	180元
	25殺人不難	張艾茜譯	180元
	26死亡終局	張國禎譯	180元
	27破鏡謀殺案	鄭麗淑譯	180元
	28啤酒謀殺案	張艾茜譯	180元
	29七鐘面之謎	張國禎譯	180元
	30年輕冒險家	邵均宜譯	180元
	31底牌	宋碧雲譯	180元
	32古屋疑雲	張國禎譯	180元
	33復仇女神	邵均宜譯	180元
	34拇指一豎	張艾茜譯	180元
	35漲潮時節	張艾茜譯	180元
	36空幻之屋	張國禎譯	180元
	37黑麥奇案	宋碧雲譯	180元
	38清潔婦命案	宋碧雲譯	180元
	39柏翠門旅館之秘	張伯權譯	180元
	40國際學舍謀殺案	張國禎譯	180元
	41假戲成眞	張國禎譯	180元
	42命運之門	李永熾譯	180元
	43煙囪的秘密	陳紹鵬譯	180元
	44命案目睹記	陳紹鵬譯	180元
	45美索不達米亞謀殺案	陳紹鵬譯	180元
	46天涯過客	孟華譯	180元
	47無妄之災	張國禎譯	180元
	48藍色列車	張國禎譯	180元
	49沉默的證人	張國禎譯	180元
	50羅傑·亞克洛伊命案	張國禎譯	180元
	51十個小黑人		
	52書房裡的屍體		
	53要命的線索		
	54絕響		
	55九霄命案		
	56前途未卜		
	57大象般的記憶		
	58血腥聖誕夜		
	59牧師公館命案		
	60風格之屋命案		
	61牙科醫生命案		
	62萬聖節晚會		
	63榛原謀殺案		
	64悲傷的絲柏		
	65巴格達的訪客		
	66悲劇三幕		
	67告訴我你如何過活		
	68伯利恆之星		
	69春天缺席		
	70負荷		
	71女兒就是女兒		
	72巨人的麵包		
	73薔薇與紫杉		
	74未完成的畫像		
	75聖誕的布丁		
	76死者的鏡子		
	77雙重罪		
	78千載難逢		
	79死亡獵犬		
	80白羅十二探案		
	81神秘的昆先生		
	82私家探案		
	83夫妻檔偵探		
	84白羅出擊		
	85名鑽晨星		
	86十三個難題		
	87三隻瞎老鼠		
	88落水狗		
	89檢方證人		
	90白羅早期探案		
	91		

遠景出版事業公司圖書目錄(五)

21諸子百家看金庸（第五輯）	餘子等著	160元
22淺談金庸小說	丁華著	160元
23金庸小說評彈	董千里著	160元
24金庸傳說	楊莉歌著	240元
25破解金庸寓言	王海鴻　張曉燕　著	160元
26給金庸小說挑毛病（上）	閻大衛著	160元
27給金庸小說挑毛病（下）	閻大衛著	160元
28挑燈看劍話金庸	戈革著	240元
29解放金庸（一）	餘子主編	160元
30解放金庸（二）	餘子主編	160元

M中國古典詩詞賞析

1青青子衿（詩經選）	林振輝選註	180元
2公無渡河（樂府詩選）	張春榮選註	180元
3世事波舟（古體詩選）	李正治選註	180元
4冰心玉壺（絕句選）	李瑞騰選註	180元
5飛鴻雪泥（律詩選）	簡錦松選註	180元
6重樓飛雪（宋詞選）	龔鵬程選註	180元
7杜鵑啼情（散曲選）	汪天成選註	180元
8相思千行（明清民歌選）	陳信元選註	180元
9秋雁邊聲（杜甫詩選）	張敬校訂	180元
10滄海曉夢（李商隱詩選）	朱梅生選註	180元
11寒月松風（五言絕句選）	鄭騫校訂	180元
12江帆千里（七言絕句選）	鄭騫校訂	180元

N諾貝爾文學獎全集

1緣起、普魯東詩選	普魯東著	
米赫兒	米斯特拉爾著	
2羅馬史	蒙森著	
3超越人力之外	班生著	
大帆船	葉卻加萊著	
4你往何處去	顯克維支著	
5撒旦頌、基姆	卡度齊、吉卜齡著	
6人生的意義與價值	奧鏗著	
青鳥	海特靈克著	
7尼爾斯的奇遇	拉格洛芙著	
驕傲的姑娘	海才著	
8織工、沉鐘	霍普特曼著	
祭壇佳里	泰戈爾著	
9約翰克利斯朵夫（三冊）	羅曼羅蘭著	
10查理士國王的人馬	海登斯坦著	
奧林帕斯之春	史比德勒著	
11樂土	龐陀彼丹著	
明娜	傑洛拉普著	
12土地的成長	哈姆生著	
13天神們口渴了	法朗士著	
利害牽制	貝納勉特著	
14農夫們（二冊）	雷蒙特著	
15聖女貞德、母親	蕭伯納、德蕾達著	
16葉慈詩選	葉慈著	
創造的進化	柏格森著	
17克麗絲汀的一生（二冊）	溫茜特著	
18布登勃魯克家族（二冊）	湯瑪斯·曼著	
19白璧德	劉易士著	
卡爾菲特詩選	卡爾菲特著	
20密賽特世家（三冊）	高爾斯華綏著	
21鄉村、舊金山一紳士	布寧著	
六個尋找作者的角色	皮藍德婁著	
長夜漫漫路迢迢	奧尼爾著	
22尚·巴華的一生	杜嘉德著	
23大地、兒子們、分家	賽珍珠著	
24聖者的悲哀	西蘭帕著	
荒原	艾略特著	
25玻璃珠遊戲	赫塞著	
26僞幣製造者、窄門	紀德著	
27西瑪蘭短篇小說集	密絲特拉兒著	
柏拉特羅與我	希蒙聶茲著	
28聲音與憤怒、熊	福克納著	
29西洋哲學史（二冊）	羅素著	
30巴拉巴	拉格維斯特著	
苔蕾絲、毒蛇之結	莫里亞克著	
31第二次世界大戰回憶錄	邱吉爾著	
32老人與海、戰地春夢	海明威著	
33獨立之子	拉克斯內斯著	
34墮落、異鄉人、瘟疫	卡繆著	
35齊瓦哥醫生	巴斯特納克著	
36人生非夢、遠征	瓜西莫多、佩斯著	
37德里納河之橋	安德里奇著	
38不滿的冬天、人鼠之間	史坦貝克著	
39阿息涅的國王	謝斐利士著	
嘔吐、牆	沙特著	
40靜靜的頓河（四冊）	蕭洛霍夫著	
41訂婚記	阿格農著	
伊萊	沙克絲著	
42總統先生	阿斯杜里亞斯著	
等待果陀	貝克特著	
43雪國、古都、千羽鶴	川端康成著	
44第一層地獄（二冊）	索忍尼辛著	
45一般之歌	聶魯達著	
九點半的彈子戲	鮑爾著	
46人之樹	懷特著	
47詹生短篇小說選	詹生著	
馬丁遜詩選	馬丁遜著	
孟德雷詩選	孟德雷	
48阿奇正傳	索爾·貝婁著	
亞歷山卓詩選	亞歷山卓著	
49莊園	以撒·辛格著	
50伊利提斯詩選	伊利提斯著	
米洛舒詩選	米洛舒著	
被拯救的舌頭	卡內提著	
51一百年的孤寂	賈西亞·馬奎斯著	
52蒼蠅王、啓蒙之旅	威廉·高定著	
53塞佛特詩選	魯斯拉夫·塞佛特著	
54豪華大酒店	克勞德·西蒙著	
55解釋者	沃爾·索因卡著	
56布洛斯基詩選	約瑟夫·布洛斯基著	
57梅達格胡同	納吉布·馬富茲著	
58巴斯葛·杜亞特家族	卡米羅·荷西·塞拉著	
59孤獨的迷宮	奧塔維奧·帕斯著	
60貴客	娜汀·葛蒂瑪著	
61奧梅羅斯	德里克·瓦爾科特著	
62所羅門之歌	東尼·莫里森著	
63萬延元年的足球隊	大江健三郎著	
64希尼詩選	席慕·希尼著	
65辛波絲卡詩選	維絲拉娃·辛波絲卡著	
66不付賬	達里奧·福著	
67失明症漫記	若澤·薩拉馬戈著	
68狗年月	君特·格拉斯著	
69		
70		

《諾貝爾文學獎全集》精裝80鉅冊，定價36,000元

O 世界兒童文學叢書

1木偶奇遇記	卡洛·科洛迪著	
2希臘神話	施瓦布著	
3豪夫童話	豪夫著	
4世界著名寓言	伊索·萊辛等著	
5天方夜譚	王瑞琴譯	
6愛的教育	埃·德·阿米琪斯著	
7格林童話	格林兄弟著	
8愛麗斯漫遊奇境	劉易斯·卡羅爾著	
9騎鵝旅行記（上）	塞·拉格洛夫著	
10騎鵝旅行記（下）	塞·拉格洛夫著	
11苦兒流浪記	埃克多·馬洛著	

遠景出版事業公司圖書目錄(四)

47嘲笑的大猩猩		
48猶豫的女主人		
49綠眼女人		
50消失的護士		
51逃亡的屍體	魏廷朝譯	180元
52日光浴者的日記		
53膽小的共犯		
54最後的法庭	詹錫奎譯	180元
55金百合事件		
56好運的輸家	呂惠雁譯	180元
57尖叫的女人		
58任性的人		
59日曆女郎	葉石濤譯	180元
60可怕的玩具		
61死亡圍巾		
62歌唱的裙子		
63半路埋伏的狼		
64複製的女兒		
65坐輪椅的女人	黃恆正譯	180元
66重婚的丈夫		
67頑抗的模特兒		
68淺色的礦脈		
69冰冷的手		
70繼女的祕密		
71戀愛中的伯母		
72莽撞的離婚婦人		
73虛幻的幸運		
74不安的遺產繼承人		
75困擾的受託人		
76漂亮的乞丐		
77憂心的女侍		
78選美大會的女王	詹錫奎譯	180元
79粗心的愛神		
80了不起的騙子	張艾茜譯	180元
81被圍困的女人		
82擱置的謀殺案		

H 台灣文學叢書

1亞細亞的孤兒	吳濁流著	180元
2寒夜三部曲—寒夜	李喬著	320元
3寒夜三部曲—荒村	李喬著	320元
4寒夜三部曲—孤燈	李喬著	320元
5邊秋一雁聲	吳念眞著	180元
6台灣人三部曲	鍾肇政著	900元
7遠方	許達然著	120元
8濁流三部曲	鍾肇政著	900元
9魯冰花	鍾肇政著	160元
10含淚的微笑	許達然著	120元
11藍彩霞的春天	李喬著	180元
12波茨坦科長	吳濁流著	180元
13一桿秤仔	賴和等著	240元
14一群失業的人	楊守愚等著	240元
15豚	張深切等者	240元
16薄命	楊華等著	240元
17牛車	呂赫若等著	240元
18送報伕	楊逵等著	240元
19植有木瓜樹的小鎮	龍瑛宗等著	240元
20閹雞	張文環等著	240元
21亂都之戀	楊雲萍等著	240元
22廣闊的海	水蔭萍等著	240元
23森林的彼方	董祐峰等著	240元
24望鄉	張冬芳等著	240元
25市井傳奇	洪醒夫著	160元
26大地之母	李喬著	390元
27殺生	何光明著	200元
28紅塵	龍瑛宗著	240元
29泥土	吳晟著	180元
30蕃薯仔哀歌	蔡德本著	320元
31沒有土地．那有文學	葉石濤著	240元
32文學回憶錄	葉石濤著	240元

I 遠景大人物叢書

1生根．深耕	王永慶著	220元
2金庸傳	冷夏著	350元
3王永慶觀點	王永慶著	180元
4黎智英傳說	呂家明著	180元
5李嘉誠語錄	許澤惠編注	160元
6倪匡傳奇	沈西城著	180元
7辜鴻銘印象	宋炳輝編	240元
8		
9		
10		

J 歷史與思想叢書

1西洋哲學史（二冊）	羅素著	600元
2羅馬史	蒙森著	480元
3王船山哲學	曾昭旭著	380元
4奴役與自由	貝德葉夫著	280元
5群眾之反叛	奧德嘉著	180元
6生命的悲劇意識	烏納穆諾著	240元
7奧義書	林建國譯	180元
8吉拉斯談話錄	袁東等譯	180元
9中國反貪史（二冊）	王春瑜主編	900元
10現代俄國文學史	湯新楣譯	320元
11歷史的跫音	李永熾著	180元
12鄉土文學討論集	尉天驄編	550元
13末代皇帝	愛新覺羅．溥儀著	320元
14當代大陸作家風貌	潘耀明著	480元
15第二次世界大戰回憶錄	邱吉爾著	360元

K 七等生全集

1初見曙光	七等生著	240元
2我愛黑眼珠	七等生著	240元
3僵局	七等生著	240元
4離城記	七等生著	240元
5沙河悲歌	七等生著	240元
6城之迷	七等生著	240元
7銀波翅膀	七等生著	240元
8重回沙河	七等生著	240元
9譚郎的書信	七等生著	240元
10一紙相思	七等生著	240元

L 金學研究叢書

0金庸傳	冷夏著	350元
1我看金庸小說	倪匡著	160元
2再看金庸小說	倪匡著	160元
3三看金庸小說	倪匡著	160元
4讀金庸偶得	舒國治著	160元
5四看金庸小說	倪匡著	160元
6通宵達旦讀金庸	薛興國著	160元
7漫談金庸筆下世界	楊興安著	160元
8諸子百家看金庸（第一輯）	三毛等著	160元
9談笑傲江湖	溫瑞安著	160元
10金庸的武俠世界	蘇墻基著	160元
11五看金庸小說	倪匡著	160元
12韋小寶神功	劉天賜著	160元
13情之探索與神鵰俠侶	陳沛然著	160元
14析雪山飛狐與鴛鴦刀	溫瑞安著	160元
15諸子百家看金庸（第二輯）	羅龍治等著	160元
16諸子百家看金庸（第三輯）	翁靈文等著	160元
17諸子百家看金庸（第四輯）	杜南發等著	160元
18天龍八部欣賞舉隅	溫瑞安著	160元
19話說金庸	潘國森著	160元
20續談金庸筆下世界	楊興安著	160元

遠景出版事業公司圖書目錄(三)

27紫青雙劍錄(二)	倪匡增刪·校訂	240元
28紫青雙劍錄(三)	倪匡增刪·校訂	240元
29紫青雙劍錄(四)	倪匡增刪·校訂	240元
30紫青雙劍錄(五)	倪匡增刪·校訂	240元
31鑿空行─張騫傳	齊桓著	280元
32宰相劉羅鍋	胡學亮編著	280元
33都是夏娃惹的禍	陳紹鵬譯	180元
34都是亞當惹的禍	陳紹鵬譯	180元
35都是裸體惹的禍	陳紹鵬譯	180元
36文學的視野	胡菊人著	180元
37小說技巧	胡菊人著	180元
38紅樓水滸與小說藝術	胡菊人著	180元
39諾貝爾文學獎秘史	王鴻仁譯	240元
40張愛玲的畫	陳子善編	180元
41把水留給我	盧嵐著	180元
42多少英倫新事(一)	魯鳴著	240元
43多少英倫新事(二)	魯鳴著	240元
44中國經濟史(一)	葉龍編著	240元
45中國經濟史(二)	葉龍編著	240元
46歷代人物經濟故事(一)	葉龍著	240元
47歷代人物經濟故事(二)	葉龍著	240元
48歷代人物經濟故事(三)	葉龍著	240元
49太平廣記豪俠小說	楊興安著	240元
50行止·行止	駱友梅等著	240元
51天怒	陳放著	280元
52逐鹿十五大	吳國光著	240元
53趙紫陽與政治改革	吳國光著	399元
54九七效應	吳國光編	240元
55中南海跨世紀領導層	任慧文編著	320元
56江澤民跨世紀藍圖	任慧文等著	280元
57九七後中港新關係	國世平、錢學君編著	240元
58香港情懷	文灼非著	320元
59事實與偏見	黎智英著	240元
60我退休失敗了	黎智英著	240元
61我的理想是隻糯米雞	黎智英著	240元
62水清有魚	練乙錚著	240元
63說Ho—Ho的權利	練乙錚著	240元
64杜鵑聲裡斜陽暮	張文達著	240元
65饞遊四海(一)	張建雄著	160元
66饞遊四海(二)	張建雄著	160元
67另類家書	張建雄著	160元
68說不盡的張愛玲	陳子善著	240元
69張愛玲短篇小說論集	陳炳良著	180元
70箱子裡的男人	安部公房著	120元
71易信仁歷險記	梁寶耳譯	240元
72六四前後（上）	丁望著	240元
73六四前後（下）	丁望著	240元
74初夜權	丁望著	240元
75蘇東波	丁望編著	240元
76前九七紀事一：矮人看戲	戴天著	240元
77前九七紀事二：人鳥哲學	戴天著	240元
78前九七紀事三：群鬼跳牆	戴天著	240元
79前九七紀事四：囉哩哩囉	戴天著	240元
80中西文學的徊想	李歐梵著	240元
81方術紀異（上）	王亭之著	280元
82方術紀異（下）	王亭之著	280元
83風眼中的經濟學	雷鼎鳴著	240元
84用經濟學做眼睛	雷鼎鳴著	240元
85紀德日記	詹宏志譯	180元
86愛與文學	宋碧雲譯	240元
87酒逢知己	楊本禮著	240元
88皇極神數奇談	阿樂著	160元
89蜀山劍俠評傳	葉洪生著	240元
90佛心流泉	孟祥森譯著	180元
91朱鎔基跨世紀挑戰	任慧文著	320元
92戰難和亦不易	胡蘭成著	280元
93藤夢花落	京梅著	280元

94		

F 王度廬作品集

1鶴驚崑崙（上）	王度廬著	180元
2鶴驚崑崙（中）	王度廬著	180元
3鶴驚崑崙（下）	王度廬著	180元
4寶劍金釵（上）	王度廬著	180元
5寶劍金釵（中）	王度廬著	180元
6寶劍金釵（下）	王度廬著	180元
7劍氣珠光（上）	王度廬著	180元
8劍氣珠光（下）	王度廬著	180元
9臥虎藏龍（上）	王度廬著	180元
10臥虎藏龍（中）	王度廬著	180元
11臥虎藏龍（下）	王度廬著	180元
12鐵騎銀瓶（一）	王度廬著	180元
13鐵騎銀瓶（二）	王度廬著	180元
14鐵騎銀瓶（三）	王度廬著	180元
15鐵騎銀瓶（四）	王度廬著	180元
16鐵騎銀瓶（五）	王度廬著	180元

G 梅森探案（賈德諾著）

1大膽的誘餌	張國禎譯	180元
2倩影	鄭麗淑譯	180元
3管理員的貓	張國禎譯	180元
4滾動的骰子	張慧倩譯	180元
5暴躁的女孩	張國禎譯	180元
6長腿模特兒	張艾茜譯	180元
7蟲蛀的貂皮大衣	張國禎譯	180元
8艷鬼	施寄青譯	180元
9沉默的股東	宋碧雲譯	180元
10拘謹的被告	施寄青譯	180元
11淘氣的娃娃	張艾茜譯	180元
12放浪的少女		
13不服貼的紅髮		
14獨眼證人	張國禎譯	180元
15謹慎的風塵女子	鄭麗淑譯	180元
16蛇蠍美人案	葉石濤譯	180元
17幸運腿		
18狂吠之犬		
19怪新娘		
20義眼殺人事件		
21夢遊者的外甥女	方能訓譯	180元
22口吃的主教	魏廷朝譯	180元
23危險的富孀		
24跛腳的金絲雀		
25面具事件		
26竊貨者的鞋		
27作僞證的鸚鵡		
28上餌的釣鉤		
29受蠱的丈夫		
30空罐事件		
31溺死的鴨		
32冒失的小貓		
33掩埋的鐘		
34蚊惑	詹錫奎譯	180元
35傾斜的燭火		
36黑髮女郎	李淑華譯	180元
37黑金魚	張國禎譯	180元
38半睡半醒的妻子		
39第五個褐髮女人		
40脫衣舞孃的馬		
41懶惰的愛人		
42寂寞的女繼承人		
43猶疑的新郎		
44粗心的美女		
45變亮的手指		
46憤怒的哀悼者		

遠景出版事業公司圖書目錄(二)

15黛絲姑娘	哈代著	180元
16山之音	川端康成著	160元
17齊瓦哥醫生	巴斯特納克著	360元
18飄（二冊）	宓西爾著	360元
19約翰・克利斯朵夫（二冊）	羅曼・羅蘭著	750元
20傲慢與偏見	珍・奧斯汀著	99元
21包法利夫人	福婁拜著	240元
22簡愛	夏綠蒂・白朗特著	180元
23雪國	川端康成著	99元
24古都	川端康成著	99元
25千羽鶴	川端康成著	99元
26華爾騰——湖濱散記	梭羅著	99元
27神曲	但丁著	240元
28紅字	霍桑著	160元
29海狼	傑克倫敦著	180元
30人性枷鎖	毛姆著	400元
31茶花女	小仲馬著	99元
32父與子	屠格涅夫著	160元
33唐吉訶德傳	塞萬提斯著	180元
34理性與感性	珍・奧斯汀著	180元
35紅與黑	斯湯達爾著	280元
36咆哮山莊	愛彌兒・白朗特著	180元
37少年	杜斯妥也夫斯基著	360元
38預知死亡紀事	賈西亞・馬奎斯著	160元
39基姆	吉卜齡著	240元
40二十年後（四冊）	大仲馬著	800元
41塊肉餘生錄（二冊）	狄更斯著	400元
42附魔者	杜斯妥也夫斯基著	480元
43窄門	紀德著	120元
44大地	賽珍珠著	99元
45兒子們	賽珍珠著	99元
46復活	托爾斯泰著	180元
47分家	賽珍珠著	99元
48玻璃珠遊戲	赫塞著	240元
49天方夜譚（二冊）	佚名等著	500元
50鹿苑長春	勞玲絲著	180元
51一見鍾情	愛倫・坡著	180元
52獵人日記	屠格涅夫著	180元
53憨第德	伏爾泰著	120元
54你往何處去	顯克維支著	390元
55農夫們（二冊）	雷蒙特著	500元
56獨立之子	拉克斯內斯著	420元
57異鄉人	卡繆著	99元
58一九八四	歐威爾著	99元
59第一層地獄（二冊）	索忍尼辛著	500元
60還魂記	愛倫・坡著	180元
61娜娜	左拉著	180元
62黑貓	愛倫・坡著	180元
63鐵面人（八冊）	大仲馬著	2000元
64羅生門	芥川龍之介著	240元
65細雪	谷崎潤一郎著	360元
66浮華世界	薩克萊著	360元
67靜靜的頓河（四冊）	蕭洛霍夫著	1000元
68僞幣製造者	紀德著	180元
69鐘樓怪人	雨果著	280元
70嘔吐	沙特著	180元
71希臘左巴	卡山札基著	180元
72浮士德	歌德著	280元
73死靈魂	果戈里著	240元
74湯姆・瓊斯（二冊）	菲爾汀著	400元
75聶魯達詩集	聶魯達著	120元
76基度山恩仇記（二冊）	大仲馬著	400元
77奧德賽	荷馬著	320元
78少年維特的煩惱	歌德著	99元
79白璧德	辛克萊・劉易士著	280元
80坎特伯雷故事集	喬叟著	200元
81兒子與情人	D.H・勞倫斯著	200元

82謝利	夏綠蒂・白朗特著	480元
83明娜	傑洛拉普著	240元
84十日談（二冊）	薄伽丘著	360元
85我是貓	夏目漱石著	240元
86罪與罰	杜斯妥也夫斯基著	240元
87小婦人	阿爾柯特著	99元
88尙・巴華的一生	杜嘉德著	280元
89明暗	夏目漱石著	280元
90悲慘世界（五冊）	雨果著	900元
91酒店	左拉著	240元
92憤怒的葡萄	史坦貝克著	360元
93凱旋門	雷馬克著	240元
94雙城記	狄更斯著	240元
95白癡	杜斯妥也夫斯基著	280元
96高老頭	巴爾扎克著	99元
97人世間	阿南達・杜爾著	360元
98萬國之子	阿南達・杜爾著	360元
99足跡	阿南達・杜爾著	360元
100玻璃屋	阿南達・杜爾著	360元
101伊甸園東	史坦貝克著	280元
102迷惘	卡內提著	280元
103冰壁	井上靖著	180元
104白鯨記	梅爾維爾著	280元
105國王的人馬	羅伯特・潘・華倫著	320元
106克麗絲汀的一生（二冊）	溫茜特著	560元
107草葉集	惠特曼著	320元
108人之樹	懷特著	480元
109莊園	以撒・辛格著	280元
110里斯本之夜	雷馬克著	180元
111被拯救的舌頭	卡內提著	240元
112戰地春夢	海明威著	280元
113阿奇正傳	索爾・貝婁著	480元
114土地的成長	哈姆生著	240元
115九點半的彈子戲	鮑爾著	240元
116熊	福克納著	100元
117一位年輕藝術家的畫像	喬埃斯著	180元
118聲音與憤怒	福克納著	180元
119戰地鐘聲	海明威著	180元
120洛麗塔	納布可夫著	180元

E 遠景叢書

1預言者之歌	劉志俠譯著	300元
2兩性物語	何光明著	160元
3桃花源	陳慶隆著	180元
4溪邊往事	陳慶隆著	180元
5水鬼傳奇	陳慶隆著	180元
6結婚的條件	陳慶隆著	180元
7閒遊記饞	張建雄著	160元
8錢眼見聞	張建雄著	160元
9商海興亡	張建雄著	160元
10饞話連篇	張建雄著	160元
11一元五角車票官司	尤英夫著	160元
12請問芳名(一)	周平譯	200元
13請問芳名(二)	陳生保譯	200元
14請問芳名(三)	譚晶華譯	200元
15請問芳名(四)	莫邦富譯	200元
16縱筆	張文達著	160元
17洋相	蕭芳芳著	160元
18饞遊偶拾	張建雄著	160元
19陸鏗看兩岸	陸鏗著	280元
20點與線	松本清張著	180元
21霧之旗	松本清張著	180元
22由莎士比亞談到碧姬芭杜	陳紹鵬等譯	180元
23濟慈和芳妮的心聲	陳紹鵬等譯	180元
24現代俄國短篇小說選	高爾基等著	180元
25天仇	鄭文輝著	180元
26紫青雙劍錄(一)	倪匡增刪・校訂	240元

遠景出版事業公司圖書目錄(一)

遠景出版事業公司

A遠景文學叢書

1今生今世	胡蘭成著	280元
2山河歲月	胡蘭成著	180元
3遠見	陳若曦著	180元
4懺情書	鹿橋著	160元
5地之子	臺靜農著	160元
6人子	鹿橋著	160元
7酒徒	劉以鬯著	180元
8一九九七	劉以鬯著	180元
9建塔者	臺靜農著	160元
10小亞細亞孤燈下	高信譚著	180元
11花落蓮成	姜貴著	180元
12尹縣長	陳若曦著	180元
13邊城散記	楊文璞著	160元
14再見・黃磚路	詹錫奎著	180元
15早安・朋友	張賢亮著	180元
16李順大造屋	高曉聲著	180元
17小販世家	陸文夫著	180元
18心有靈犀的男孩	祖慰著	180元
19藍旗	陳村著	240元
20男人的一半是女人	張賢亮著	240元
21男人的風格	張賢亮著	240元
22萬蟬集	孟東籬著	180元
23電影神話	羅維明著	180元
24不寄的信	倪匡著	160元
25心中的信	倪匡著	160元
26羅曼蒂克死啦	高信譚著	180元
27大拇指小說選	也斯編	180元
28生命之愛	傑克・倫敦著	180元
29成吉思汗	董千里著	280元
30馬可波羅	董千里著	180元
31董小宛	董千里著	180元
32柔福帝姬	董千里著	180元
33唐太宗與武則天	董千里著	180元
34楊貴妃傳	井上靖著	180元
35續愛眉小札	徐志摩著	180元
36郁達夫情書	郁達夫著	180元
37郁達夫卷	王潤華編	180元
38我看衛斯理科幻	沈西城著	160元

B 高陽作品集

1緹縈	高陽著	260元
2王昭君	高陽著	180元
3大將曹彬	高陽著	160元
4花魁	高陽著	140元
5正德外記	高陽著	160元
6草莽英雄（二冊）	高陽著	360元
7劉三秀	高陽著	160元
8清官冊	高陽著	140元
9清朝的皇帝（三冊）	高陽著	600元
10恩怨江湖	高陽著	140元
11李鴻章	高陽著	180元
12狀元娘子	高陽著	240元
13假官眞做	高陽著	140元
14翁同龢傳	高陽著	280元
15徐老虎與白寡婦	高陽著	280元
16石破天驚	高陽著	210元
17小鳳仙	高陽著	280元
18八大胡同	高陽著	160元
19粉墨春秋（三冊）	高陽著	420元
20桐花鳳	高陽著	160元
21避情港	高陽著	120元
22紅塵	高陽著	140元
23再生香	高陽著	160元
24醉蓬萊	高陽著	160元
25玉壘浮雲	高陽著	150元
26高陽雜文	高陽著	150元
27大故事	高陽著	150元

C 林行止政經短評

1身外物語	林行止著	240元
2六月飛傷	林行止著	240元
3怕死貪心	林行止著	240元
4樓台煙火	林行止著	240元
5利字當頭	林行止著	240元
6東歐變天	林行止著	240元
7求財若渴	林行止著	240元
8難定去從	林行止著	240元
9戰海蜉蝣	林行止著	240元
10理曲氣壯	林行止著	240元
11蘇聯何解	林行止著	240元
12民選好醜	林行止著	240元
13前程未卜	林行止著	240元
14賦歸風雨	林行止著	240元
15情迷失位	林行止著	240元
16沉寂待變	林行止著	240元
17到處風騷	林行止著	240元
18撩是鬥非	林行止著	240元
19排外誤港	林行止著	240元
20旺市蓄勢	林行止著	240元
21調控神州	林行止著	240元
22熱錢興風	林行止著	240元
23依樣葫蘆	林行止著	240元
24人多勢寡	林行止著	240元
25局部膨脹	林行止著	240元
26鬧酒政治	林行止著	240元
27治港牌章	林行止著	240元
28無定向風	林行止著	240元
29念在斯人	林行止著	240元
30根莖同生	林行止著	240元
31股海翻波	林行止著	240元
32劫後抖擻	林行止著	240元
33從此多事	林行止著	240元
34幹線翻新	林行止著	240元
35金殼蝸牛	林行止著	240元
36政改去馬	林行止著	240元
37衍生危機	林行止著	240元
38死撐到底	林行止著	240元
39核影幢幢	林行止著	240元
40玩法弄法	林行止著	240元
41永不回頭	林行止著	240元
42誰敢不從	林行止著	240元
43變數在前	林行止著	240元
44釣台血海	林行止著	240元
45粉墨登場	林行止著	240元

D 世界文學全集

1魯拜集	奧瑪・開儼著	180元
2人間的條件（三冊）	五味川純平著	720元
3源氏物語（三冊）	紫式部著	900元
4蒼蠅王	威廉・高定著	180元
5查泰萊夫人的情人	D・H・勞倫斯著	180元
6安娜・卡列尼娜（二冊）	托爾斯泰著	400元
7戰爭與和平（四冊）	托爾斯泰著	800元
8卡拉馬佐夫兄弟（二冊）	杜斯妥也夫斯基著	660元
9三劍客（三冊）	大仲馬著	600元
10一百年的孤寂	賈西亞・馬奎斯著	180元
11美麗新世界	赫胥黎著	120元
12麥田捕手	沙林傑著	120元
13大亨小傳	費滋傑羅著	120元
14夜未央	費滋傑羅著	180元

臥虎藏龍（中）

王度廬作品集 F⑩

作者　王度廬
發行人　沈登恩
出版者　遠景出版事業有限公司
郵撥：0765255－8
電話：（02）8226－9900
傳眞：（02）8226－9907
網址：http://www.vistagroup.com.tw
台北郵局7－501號信箱
香港　遠景（香港）出版集團
分公司　香港中環雲咸街31號7樓
總代理　藍圖出版事業有限公司
台北縣中和市建八路2號
遠東世紀廣場C棟6F之9
總經銷　智慧書店
台北縣板橋市中正路13號
電話：（02）8965－3300
傳眞：（02）8965－3311
印刷　成陽印刷股份有限公司
台北縣土城市永豐路195巷9號
定價　新台幣180元（全三冊540元）
初版　2001年3月
再版　2001年4月

行政院新聞局登記證局版台業字第0105號

ISBN 957-39-0651-1

法律顧問：世紀聯合法律事務所　尤英夫律師